YO-CCB-388

ÉCONOMIE DU TRAVAIL
2ᵉ édition

gaëtan morin
éditeur

Distributeur exclusif pour l'Europe et l'Afrique : **Éditions Eska S.A.R.L.**

On peut se procurer nos ouvrages chez les diffuseurs suivants :

Entreprise nationale du livre et Office des publications universitaires (Algérie)
DIPSA (Espagne)   **LIDEL** (Portugal)   **Société tunisienne de diffusion** (Tunisie)

et dans les librairies universitaires des pays suivants :

Algérie   Belgique   Cameroun   Congo   Côte-d'Ivoire   France   Gabon
Liban   Luxembourg   Mali   Maroc   Niger   Rwanda   Sénégal   Suisse
Tchad

Jean-Michel Cousineau

ÉCONOMIE DU TRAVAIL
2e édition

gaëtan morin
éditeur

gaëtan morin éditeur

C.P. 180, BOUCHERVILLE, QUÉBEC, CANADA

J4B 5E6   TÉL. : (514) 449-2369   TÉLÉC. : (514) 449-1096

ISBN 2-89105-311-7

Dépôt légal 3e trimestre 1989
Bibliothèque nationale du Québec
Bibliothèque nationale du Canada

Économie du travail — 2e édition
Copyright © 1989, gaëtan morin éditeur ltée
Tous droits réservés

1 2 3 4 5 6 7 8 9 0   G M E 8 9   8 7 6 5 4 3 2 1 0 9

Révision linguistique : Christiane Desjardins

Il est illégal de reproduire une partie quelconque de ce livre sans autorisation de la maison d'édition. Toute reproduction de la publication, par n'importe quel procédé, sera considérée comme une violation des droits d'auteur.

À mes parents,
Roger et Marie-Thérèse Cousineau

Dans ce texte, pour faciliter la lecture, l'utilisation du masculin concerne autant les hommes que les femmes.

Remerciements

Je tiens à remercier ici tous ceux et celles qui ont collaboré à cet ouvrage :

MICHELINE L'ABBÉ, pour l'avoir si patiemment et si efficacement dactylographié ;

ma femme et mon fils pour leur patience ;

mes étudiants et étudiantes de l'automne 1988 ainsi que mon éditeur et ses représentantes, Mesdames ROBIDAS et BERTRAND, pour en avoir exprimé le besoin ;

CHRISTIANE DESJARDINS pour l'avoir lu avec autant de soin et d'attention et pour toutes les suggestions et améliorations qu'elle a apportées ;

le professeur CRAIGG RIDDELL, de l'Université de Colombie-Britannique, pour m'avoir exposé les nouvelles théories dans le domaine ;

GILLES BEAUSOLEIL, KATHY CANNINGS, ANNE-MARIE GIRARD, ROBERT LACROIX, CLAUDE MONTMARQUETTE, YVES RABEAU, JACQUES ROBERT, FRANÇOIS VAILLANCOURT, ROMAIN CHARBONNEAU, et NORMAND POULET pour m'avoir si patiemment écouté lorsque je leur parlais de ce projet qui me tenait tant à cœur, tous ceux et celles qui m'ont aidé à une étape ou l'autre.

Jean-Michel Cousineau

Table des matières

PARTIE 3
L'intervention de l'État, l'intérêt général
et les décisions publiques

Introduction

L'économie du travail est une science au même titre que les autres sciences. Elle a un objet, une méthode, des outils d'observation et des outils de vérification de ses hypothèses scientifiques.

Son objet est l'étude des phénomènes qui caractérisent ou entourent le fonctionnement des marchés du travail. Sa méthode est l'application des principes de l'analyse économique à l'étude de ces phénomènes. Ses outils d'observation sont les enquêtes menées auprès des ménages, des travailleurs et des entreprises. Et ses outils de vérification sont les tableaux statistiques, les analyses de variance et, de façon encore plus déterminante, l'analyse de régression multivariée qui nécessite l'usage intensif d'ordinateurs de grande capacité.

L'économie du travail est une science fondamentale mais aussi une science appliquée. À partir des régularités qu'elle observe systématiquement et des théories qui s'y rattachent, elle est en mesure de prévoir avec suffisamment d'exactitude les conséquences de certaines actions ou interventions de la part des praticiens et des praticiennes de l'économie du travail (économistes, gestionnaires, syndicalistes, législateurs et législatrices, et conseillers et conseillères en relations industrielles, etc.). L'économie du travail peut donc leur servir de guide pour prévoir les conséquences de leurs décisions ou recommandations.

Finalement, l'économie du travail comporte des aspects normatifs. Elle propose des solutions plus « économiques » et efficaces. Ainsi, on y verra comment un marché du travail qui fonctionne bien réussit à procurer de l'emploi à tous ceux et celles qui désirent travailler, ne crée pas de pressions inflationnistes indues, écarte toute menace d'exploitation, incite la main-d'œuvre à utiliser et à développer ses talents et ses aptitudes, et la répartit là où elle est requise et productive.

Cette seconde édition entièrement refondue de l'*Économie du travail* a pour objet de mettre en évidence et de commenter les diverses « images » que les économistes ont pu extraire de la réalité et d'examiner l'application de ses divers principes.

Le premier chapitre donne un aperçu utile mais extrêmement schématique de la formation de l'emploi et des salaires dans une économie de marché. Les chapitres qui suivent mettent à contribution la théorie de l'offre et de la demande et celle du fonctionnement des marchés du travail pour expliquer plus en détail la détermination de l'emploi, des heures travaillées, des taux de participation à la population active, des disparités salariales et autres conditions de travail (vacances, avantages sociaux, etc.), la variation annuelle des salaires et de la répartition des ressources humaines entre leurs divers usages possibles (industrie, occupation, région). Une part importante sera consacrée au syndicalisme et au processus de décision et d'intervention étatique (assurance-chômage, salaire minimum, aide sociale, Commission de la santé et de la sécurité au travail, etc.) qui, toutes à la fois, touchent et caractérisent le fonctionnement des marchés du travail.

Chaque fois cependant, la priorité est accordée au fait observé et confirmé. Ainsi, pour la plupart des cas et sauf mention contraire, les théories exposées sont celles qui ont reçu une confirmation significative lors de l'observation. Ces théories apparaissent donc comme des explications de phénomènes observés plutôt que de la pure spéculation.

Nous souhaitons à tous une bonne lecture et la bienvenue dans l'exploration du monde fascinant de l'analyse économique du travail.

Jean-Michel Cousineau

Montréal, le 15 mai 1989

PARTIE 1
La formation de l'emploi et des salaires dans une économie de marché

CHAPITRE 1
Une vue d'ensemble

Le travail humain découle de la double nécessité de l'effort et de la consommation. En effet, l'être humain doit déployer des efforts pour transformer la nature de façon qu'elle serve à la satisfaction de ses besoins de consommation. De tout ce que nous consommons habituellement, il y a très peu de choses purement naturelles. Elles sont toutes, pour la plupart, le fruit du travail humain.

Pour leur part, les besoins semblent illimités. En effet, quelle que soit la richesse des nations, il semble bien qu'elles aspirent toujours à plus ou à mieux. En règle générale, tous ces besoins ne peuvent être satisfaits simultanément, et les moyens sont rares et limités. Le problème fondamental posé à la science économique est donc celui de la gestion de cette tension entre les besoins et les moyens. Elle aura pour objet de favoriser une plus grande satisfaction des besoins de l'être humain à travers une meilleure organisation de la production et de la distribution des biens et services[1].

Pour une société composée de millions d'individus, l'organisation de la production et de la distribution des biens et services est fort complexe ; elle exige une multitude d'informations et de décisions. Dans le cadre d'une économie décentralisée, il faut une forte coordination de plusieurs marchés, soit les marchés financiers, des produits, du travail et politiques[2]. Le marché du travail est donc un de ces marchés essentiel au bon fonctionnement d'une économie. Il génère à lui seul plus de 70 % du revenu national.

Du marché du travail relèvent d'importantes responsabilités dont celles de fixer les niveaux d'emploi par industrie, occupation et région, de même que les diverses conditions de travail qui leur sont rattachés (salaires, avantages sociaux, etc.). Dans une société qui vise à utiliser la main-d'œuvre là où elle est la plus utile et la plus compétente, c'est du marché du travail que devraient venir tous les signaux propres à encourager une telle répartition. Ce premier chapitre expose, dans ses éléments les plus simples et les plus fondamentaux, les mécanismes de base du fonctionnement des marchés du travail, soit l'offre de travail, la demande de travail, l'interaction de l'offre et de la demande et l'interaction des marchés du travail.

---

(1) Exemples de biens : résidence, automobile, vêtement... ;
   Exemples de services : éducation, santé, coupe de cheveux...

(2) Les marchés politiques concernent la production des biens impliquant une décision gouvernementale, c'est-à-dire dans des domaines comme l'éducation, la santé, les routes, la protection de l'environnement, etc.

1.1 L'OFFRE DE TRAVAIL

L'offre de travail est une fonction à pente positive (graphique 1.1), qui indique les différentes quantités de travail qui seraient offertes par les travailleurs sur le marché du travail à différents taux de salaire. On suppose que plus le salaire est élevé, plus grand sera le nombre de personnes qui se présenteront sur un marché du travail spécifique. L'offre de travail est celle des travailleurs qui offrent leurs services de travail. Le salaire est indiqué en ordonnée alors que les quantités de travail offertes sont placées sur l'abscisse.

GRAPHIQUE 1.1
Offre de travail sur le marché X

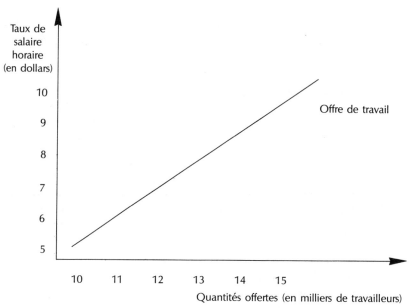

Taux de salaire horaire (en dollars)	Quantités de travail offertes (nombre de travailleurs)
5	10 000
6	11 000
7	12 000
8	13 000
9	14 000
10	15 000

1.2 LA DEMANDE DE TRAVAIL

La demande de travail est une fonction à pente négative (graphique 1.2), qui indique les différentes quantités de travail qui seraient demandées par les employeurs sur le marché du travail à différents taux de salaire. On suppose que plus le salaire est élevé, plus faibles seront les quantités de travail demandées par les employeurs. La demande de travail est celle des employeurs qui demandent les services de travail de la part des travailleurs.

La demande de travail est dérivée d'une autre demande qui lui est supérieure ou souveraine, soit celle pour les biens et services. En effet, il ne saurait y avoir de demande pour une catégorie de travailleurs donnée s'il n'existait pas au préalable une demande pour le bien ou le service que ces travailleurs serviront à produire.

Comme pour l'offre de travail, le taux de salaire est placé en ordonnée alors que les quantités de travail sont indiquées sur l'abscisse.

GRAPHIQUE 1.2
Demande de travail sur le marché X

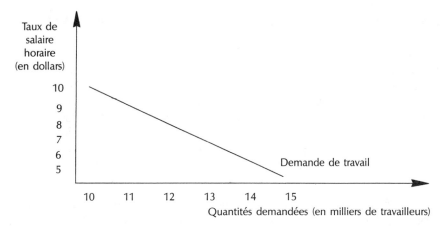

Salaire horaire (en dollars)	Quantités de travail demandées (nombre de travailleurs)
5	15 000
6	14 000
7	13 000
8	12 000
9	11 000
10	10 000

GRAPHIQUE 1.3
Marché du travail

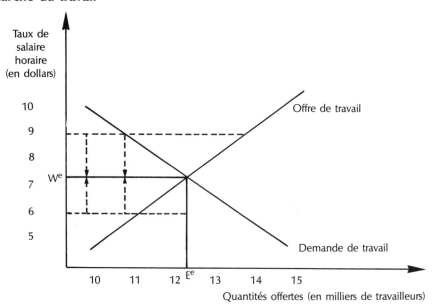

1.3 L'INTERACTION DE L'OFFRE ET DE LA DEMANDE

Le graphique 1.3 superpose les représentations de l'offre et de la demande sur un même marché du travail. Au point de rencontre entre l'offre et la demande se définissent les niveaux de salaire (W^e) et d'emploi (E^e) d'équilibre. En ce point, les quantités de travail offertes sont exactement égales à celles demandées. Pour le démontrer, il suffirait de comparer les quantités demandées et offertes pour un taux de salaire qui serait supérieur (par exemple 9 $) ou inférieur (par exemple 6 $) au salaire d'équilibre (7,50 $). À ces taux différents, on observe aussitôt que les quantités de travail demandées diffèrent des quantités offertes.

Cet équilibre peut aussi être qualifié de stationnaire en vertu du principe selon lequel toute pénurie ou tout surplus de main-d'œuvre sur le marché du travail déstabilisera l'emploi et les salaires. En effet, pour un salaire de 9 $ l'heure, les quantités de travail demandées seront inférieures (11 000) à celles offertes (14 000). Il y aura alors surplus de travailleurs ou excédent de l'offre sur la demande, et une pression à la baisse s'exercera sur les salaires. L'emploi s'accroîtra et les quantités de travail offertes diminueront jusqu'à ce que l'équilibre soit atteint, c'est-à-dire 12 500 travailleurs pour un salaire horaire de 7,50 $. À l'inverse, si on suppose un salaire de 6 $ l'heure, ce sont les quantités de travail offertes qui s'avéreront inférieures (11 000) aux quantités demandées (14 000). Il y a alors pénurie de travailleurs ou excédent de la demande sur l'offre de travail, et une pression à la hausse s'exercera sur les salaires jusqu'à ce que l'offre égale la demande.

Ce modèle, ou encore cette représentation simplifiée de la réalité, pré-voit donc que les salaires auront toujours tendance à s'orienter vers l'équilibre. Comme ils tendent habituellement à augmenter, on prédira plus justement que les augmentations salariales auront tendance à être plus fortes pour les groupes chez lesquels il y a pénurie et plus faibles pour les groupes en situation de surplus sur le marché du travail (ainsi, les groupes chez lesquels il y a pénurie pourraient recevoir une augmentation de 10 %, et les groupes en surplus, une de 3 %). L'état de l'offre et de la demande peut donc être qualifié de facteur explicatif de la dynamique des salaires (variations différenciées des salaires) sur les marchés du travail.

1.4 LES DÉPLACEMENTS DE L'OFFRE ET DE LA DEMANDE

1.4.1 La demande

Une demande de travail plus élevée signifie qu'à tout taux de salaire donné, les quantités de travail demandées sont supérieures. Si on compare les quantités de travail demandées sur les courbes D_1 et D_2 (graphique 1.4a) pour un taux de salaire W, on observe que $T_2 > T_1$. Un accroissement de la demande de travail signifie donc un déplacement de cette demande vers la droite.

GRAPHIQUE 1.4a
Accroissement de la demande de travail

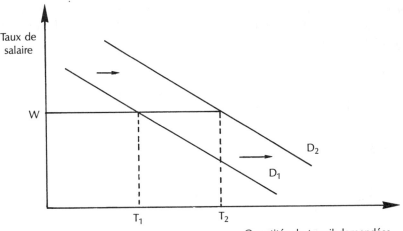

À l'inverse, une demande de travail plus basse signifie qu'à tout taux de salaire donné, les quantités de travail demandées sont inférieures. Si on compare les quantités de travail demandées sur les courbes D_1 et D_0 (graphique 1.4b) pour un taux de salaire W, on observe que $T_0 < T_1$. Une baisse de la demande de travail signifie donc un déplacement de cette demande vers la gauche.

GRAPHIQUE 1.4b
Diminution de la demande de travail

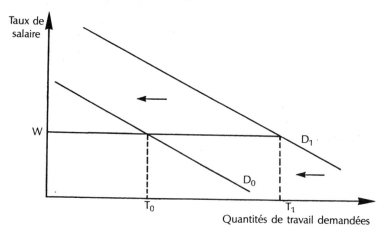

Pour une offre de travail O donnée, la théorie prédit qu'un accroissement de la demande de travail conduira à un accroissement simultané de l'emploi et des salaires. Si on compare le couple (W_2, E_2) au couple (W_1, E_1) (graphique 1.5), on trouve que la combinaison emploi − salaire est plus élevée dans une situation où la demande de travail D_2 est plus élevée qu'en D_1. À l'inverse, une baisse de la demande de travail entraînera une baisse simultanée de l'emploi et des salaires ; c'est ce qui se passera si la demande de travail passe du niveau D_2 au niveau D_1.

GRAPHIQUE 1.5
Relation entre la demande de travail et la combinaison salaire − emploi

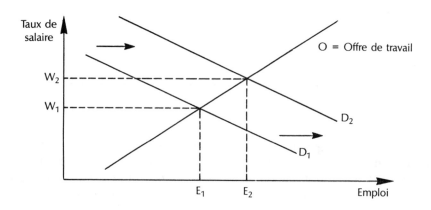

1.4.2 L'offre

Une offre de travail plus élevée signifie qu'à tout taux de salaire donné, les quantités de travail offertes sont supérieures. Si on compare les quantités de travail offertes sur les courbes O_2 et O_1 (graphique 1.6a) pour un taux de salaire W, on note un accroissement de l'offre de travail ($T_2 > T_1$). Un accroissement de l'offre de travail signifie donc un déplacement de cette offre vers la droite.

GRAPHIQUE 1.6a
Accroissement de l'offre de travail

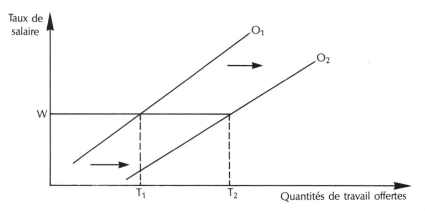

À l'inverse, une offre de travail plus basse signifie qu'à tout niveau de salaire donné, les quantités de travail offertes sont inférieures. Si on compare les quantités offertes en O_0 et O_1 (graphique 1.6b) pour un taux de salaire W, on trouve que $T_0 < T_1$. Une baisse de l'offre de travail signifie donc un déplacement de cette offre vers la gauche.

GRAPHIQUE 1.6b
Baisse de l'offre de travail

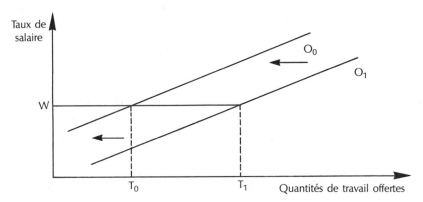

Pour une demande de travail D donnée, la théorie prédit qu'un accroissement de l'offre de travail entraînera une hausse de l'emploi et une baisse du salaire. C'est ce que montre le graphique 1.7 par la comparaison des situations en O_1 et en O_0 : le niveau d'emploi E_1 est supérieur au E_0 obtenu avec l'ancienne offre de travail. Le niveau de salaire a dû baisser cependant au niveau $W_1 < W_0$.

GRAPHIQUE 1.7
Relation entre l'offre de travail et la combinaison salaire − emploi

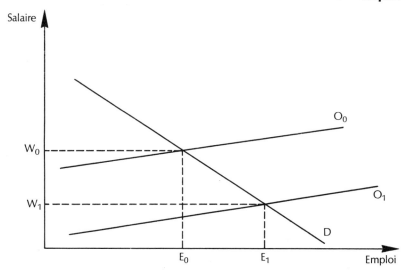

À l'inverse, une réduction de l'offre de travail (par exemple un déplacement de l'offre de O_1 à O_0) aura pour effet d'accroître le salaire et de réduire l'emploi. Les déplacements de l'offre de travail entraînent donc des effets contraires sur l'emploi et les salaires alors que les déplacements de la demande conduisent à des effets similaires.

Une des prédictions importantes de la théorie néo-classique du fonctionnement des marchés du travail est que si les marchés du travail sont segmentés, c'est-à-dire relativement indépendants les uns des autres, les différences dans les conditions de l'offre et de la demande façonneront les différences dans la rémunération du travail. Un marché du travail caractérisé par une forte demande (éloignée de l'origine) et une faible offre de travail (rapprochée de l'origine) se traduira par de hauts niveaux de salaire (graphique 1.8a). Au contraire, un marché du travail caractérisé par une faible demande et une offre de travail élevée se traduira par des salaires plus faibles (graphique 1.8b). Diverses situations intermédiaires découlent ainsi du rapport relatif de la demande par rapport à l'offre.

Le salaire de chaque individu dépend donc en bonne partie de l'état de l'offre et de la demande pour la profession qu'il occupe, dans l'industrie et la région où il se situe[3]. Il s'ensuit que les différences de salaires observées sur le marché du travail peuvent constituer le reflet direct des conditions de l'offre et de la demande sur les différents sous-marchés du travail.

FIGURE 1.8a
Marché du travail A
(forte demande et faible offre)

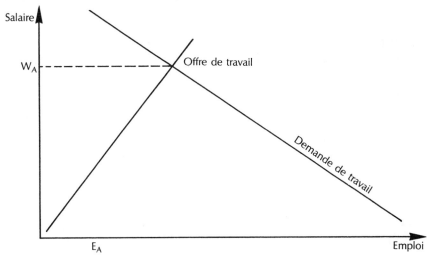

FIGURE 1.8b
Marché du travail B
(faible demande et forte offre)

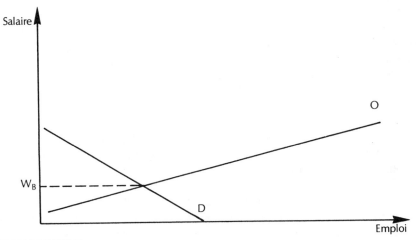

---

(3) L'annexe à la fin de ce chapitre rapporte un ensemble de statistiques illustrant l'ampleur des disparités salariales interindividuelles selon diverses catégories.

1.5 L'INTERACTION DES MARCHÉS

Cependant, les marchés du travail ne sont pas toujours parfaitement imperméables les uns par rapport aux autres. Les retraités sortent de certains marchés (l'offre diminue sur ces marchés), les jeunes entrent sur de nouveaux (l'offre augmente sur ces marchés). La main-d'œuvre est mobile, elle se déplace d'une région à l'autre, elle change d'industrie, etc. Dans ces conditions, on peut envisager un certain degré d'interaction entre les marchés du travail.

GRAPHIQUE 1.9a
Le marché où l'offre est faible

GRAPHIQUE 1.9b
Le marché où l'offre est grande

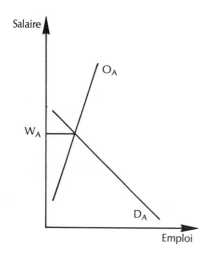
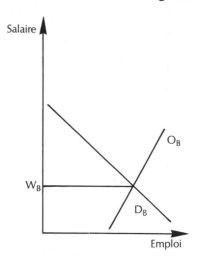

Supposons des marchés du travail A et B caractérisés par des conditions d'offre de travail différentes mais des conditions de demande similaires (graphiques 1.9a et 1.9b). La théorie prédit que pour des catégories de travailleurs homogènes (par exemple de mêmes niveaux de qualification), les travailleurs auront tendance à se déplacer des endroits où les salaires sont plus faibles vers les endroits où les salaires sont plus élevés. Les salaires auront aussi tendance à s'uniformiser sur les différents sous-marchés du travail, à la suite de cette mobilité des travailleurs. En A les salaires (W_A^d) sont supérieurs parce que la main-d'œuvre est plus rare ; en B ils sont inférieurs (W_B^d) parce que la main-d'œuvre est plus abondante. Lorsque les travailleurs du marché B apprennent que les salaires sont plus élevés sur le marché A, ils se déplacent vers celui-ci. L'offre de travail diminue alors progressivement en B et s'accroît en A (voir O_B^F et O_A^F aux graphiques 1.10b et 1.10a respectivement), et les salaires tendent à augmenter sur le marché B et à diminuer sur le marché A. Le mouvement de la main-d'œuvre s'arrêtera au point où les salaires seront identiques sur les deux marchés ($W_A^F = W_B^F$). Les salaires jouent un rôle d'allocation ou de réallocation des

GRAPHIQUE 1.10a
Accroissement de l'offre
sur le marché A

GRAPHIQUE 1.10b
Réduction de l'offre
sur le marché B

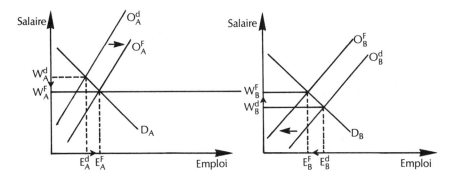

ressources humaines entre les différents marchés et sous-marchés du travail.

Dans le cas de conditions variables dans la demande de travail, le mécanisme d'allocation et de réallocation des ressources humaines serait tout à fait similaire. Ainsi, si on prend la situation finale des figures précédentes pour leur appliquer une hausse de la demande de travail en A et une baisse de la demande de travail en B, D_A passera en D_A' et D_B en D_B' selon les graphiques 1.11a et 1.11b respectivement.

GRAPHIQUE 1.11a
Accroissement de la demande
sur le marché A

GRAPHIQUE 1.11b
Diminution de la demande
sur le marché B

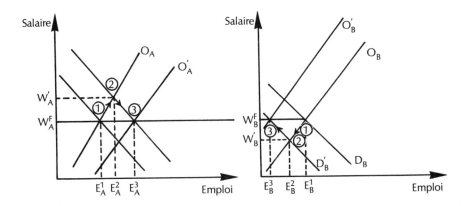

Il en résulte tout d'abord une baisse du salaire en B accompagnée d'une hausse du salaire en A. Les marchés sont maintenant en déséquilibre l'un par rapport à l'autre. Les travailleurs du marché B se déplaceront vers A, l'offre de travail diminuera en B et elle augmentera en A, jusqu'à ce qu'un nouvel équilibre soit établi ($W_A^F = W_B^F$), mais avec une répartition de la main-d'œuvre toute différente de la première. Il y a maintenant plus de travailleurs en A (et moins en B) qu'auparavant : le marché a joué son rôle de réallocation des ressources humaines.

Si les déplacements de la demande de travail sont le fait d'un changement dans les goûts et préférences des consommateurs (par exemple moins de cigarettes et plus d'équipements de sport), la hausse de la demande pour les équipements de sport se traduira par une hausse de la demande de travail sur le marché A, et la baisse de la demande pour les cigarettes amènera une baisse de la demande de travail sur le marché B. La théorie néo-classique du fonctionnement des marchés du travail prédit alors que les salaires et les possibilités d'emploi[4] agiront comme mécanismes automatiques de réallocation de la main-d'œuvre pour une plus grande satisfaction des préférences des consommateurs.

1.6 CONCLUSION

La théorie néo-classique du fonctionnement des marchés du travail part du principe que ceux-ci sont composés d'une offre et d'une demande de travail. L'offre des services de travail provient des travailleurs, et la demande, des employeurs. La première est une fonction à pente positive dans l'espace taux de salaire et quantités de travail, et la seconde est une fonction à pente négative dans ce même espace.

À l'intersection des courbes d'offre et de demande de travail se définissent un taux de salaire et un niveau d'emploi d'équilibre sur chacun des marchés. Si les marchés sont segmentés ou relativement indépendants les uns des autres, des différences salariales plus ou moins durables s'établissent entre les diverses occupations, industries ou régions. Dans la mesure toutefois où il y a une certaine fluidité ou une perméabilité entre les différents sous-marchés du travail, la main-d'œuvre sera mobile et les salaires auront tendance à converger les uns par rapport aux autres. Les salaires et les possibilités d'emploi jouent alors leur rôle d'allocation et de réallocation des ressources humaines.

Pour bien comprendre le fonctionnement des marchés du travail, il convient donc de prendre en considération chacun de ces divers éléments, à savoir l'offre de travail, la demande de travail, l'interaction de l'offre et de la demande et l'interaction des marchés. Les chapitres qui suivent abordent chacun de ces différents aspects du marché du travail.

---

(4) Les déplacements de la demande génèrent, selon le cas, plus ou moins de possibilités d'emploi.

ANNEXE
Un examen des disparités salariales au Canada et au Québec

Le tableau 1.1 rapporte les disparités salariales interindustrielles pour le mois de novembre 1987, au Québec. On y observe principalement que les salaires (rémunération hebdomadaire moyenne) sont plus élevés dans les deux secteurs de ressources naturelles, soit les mines et les forêts (745,95 $ et 601,57 $ respectivement). Le secteur manufacturier (536,78 $) se situe à mi-chemin entre les secteurs les mieux et les moins bien rémunérés. Dans ce dernier cas, il s'agit principalement du secteur des services (380,26 $) et de celui du commerce (327,37 $). Entre le secteur le moins bien rémunéré et le secteur le mieux rémunéré, le rapport est le simple à plus du double. Le secteur d'activité apparaît donc comme un facteur de disparités salariales reflétant la diversité des conditions de l'offre et de la demande de travail par grand secteur d'activité.

TABLEAU 1.1
Rémunération hebdomadaire moyenne par secteur d'activité, Québec, novembre 1987

Secteur d'activité	Rémunération hebdomadaire majeure (en dollars)	Rang
Mines	745,95	1
Forêts	601,57	2
Manufacturier	530,78	5
Construction	546,35	4
Transport, communications et services d'utilité publique (eau, gaz et électricité)	548,07	3
Finances	498,77	6
Services	380,26	7
Commerce	327,37	8

Source : STATISTIQUE CANADA. **Emploi : gains et durée du travail**, cat. n° 72-002, nov. 1987.

Le tableau 1.2 donne de l'information sur l'ampleur des disparités salariales interoccupationnelles au Canada en 1980. On y observe, entre autres, que les professions de juges, de médecins et de chirurgiens figurent parmi les mieux

TABLEAU 1.2
Différences salariales interoccupationnelles, Canada, 1980

Profession	Salaire annuel (en dollars)
Juges	51 795
Médecins et chirurgiens	55 004
Avocats	40 978
Ingénieurs	31 311
Spécialistes des sciences sociales	29 060
Administrateurs	29 173
Policiers et pompiers	25 811
Opérateurs de machines fixes	23 493
Infirmiers	19 781
Secrétariat	18 803
Coiffure	15 446
Personnel domestique	12 642

Source : **Recensement du Canada**, 1981.

rémunérées (50 000 $ et plus). En second lieu apparaissent les autres professions libérales et celles d'administrateurs (d'un peu moins de 30 000 $ à un peu plus de 40 000 $). En troisième lieu viennent les professions de techniciens et techniciennes (d'un peu moins de 20 000 $ à un peu plus de 30 000 $) puis, en quatrième lieu, celles qui exigent généralement moins de qualifications (moins de 20 000 $). Ce tableau, extrait d'un plus large éventail de professions, établit en quelque sorte un lien relativement étroit entre les occupations, le degré de qualification et la rémunération du travail au Canada.

Le tableau 1.3 rapporte les différences de rémunération entre les femmes et les hommes pour différentes occupations à un niveau plus élevé. On y observe principalement qu'à profession égale, la rémunération des femmes est généralement inférieure à celle des hommes ; elle se situe à 60 % en moyenne. Le sexe semble donc aussi constituer un facteur de disparités salariales. Dès lors, dans la mesure où la discrimination influence les conditions de l'offre et de la demande sur le marché du travail, elle pourra être jugée responsable en partie ou en totalité des différences de rémunération entre les hommes et les femmes.

Le tableau 1.4 présente des données sur les différences salariales interrégionales au Canada. On note principalement que l'Ontario et la Colombie britannique sont les provinces où les salaires sont les plus élevés. Les Provinces atlantiques sont celles où les salaires sont les plus faibles, alors que le Québec et les Provinces des Prairies se situent entre les deux extrêmes.

TABLEAU 1.3
Rémunération annuelle par profession et par sexe, Canada, 1980

	Hommes	Femmes	Ratio femmes − hommes
Administration	29 173	17 592	0,60
Emplois de bureau	17 478	12 545	0,72
Vente	20 783	11 769	0,57
Services	17 149	9 561	0,56
Transport, ...	19 728	13 426	0,68
Mines	23 918	18 633	0,78

Source : **Recensement du Canada**, 1981.

TABLEAU 1.4
Différences salariales interrégionales, Canada, novembre 1987

Région	Rémunération hebdomadaire moyenne (en dollars)	Rang
Provinces atlantiques	411,29	5
Québec	439,45	3
Ontario	466,08	1
Prairies	436,44	4
Colombie britannique	461,24	2

Source : STATISTIQUE CANADA. **Emploi : gains et durée du travail**, cat. n° 72-002, nov. 1987.

Finalement, les statistiques du tableau 1.5 rapportent les différences salariales entre le personnel syndiqué et le personnel non syndiqué, par industrie et par occupation. On y observe essentiellement que le personnel syndiqué touche, en moyenne, une rémunération qui est supérieure à celle du personnel non syndiqué. Les différences sont très variables cependant d'une industrie ou d'une occupation à l'autre. Il peut même arriver, dans certains cas, que le salaire soit en moyenne plus élevé chez le personnel non syndiqué.

TABLEAU 1.5
Rémunération du travail par industrie et par occupation
avec ou sans syndicat, décembre 1984

INDUSTRIE			OCCUPATION		
Syndicat	**oui**	**non**		**oui**	**non**
Forêts	8,34	7,10	Charpentier	13,60	11,32
Mines	13,83	16,51	Machiniste	14,29	13,07
Aliments et boissons	10,73	10,23	Nettoyeur	10,50	7,59
Vêtements	6,82	6,77	Gardien (sécurité)	8,96	6,28
Papiers	13,57	12,85	Commis (expédition)	11,30	8,95
Imprimerie	12,96	9,56	Conducteur (camions)	11,40	8,49
Équipement de transport	11,07	11,02	Manœuvre	11,27	8,23
Transport	12,72	10,87			
Commerce de détail	10,84	7,21			

Dans l'ensemble et selon la théorie considérée précédemment, il semble que les conditions de l'offre et de la demande de travail soient suffisamment différentes selon l'industrie, l'occupation, le sexe, la région et l'appartenance syndicale pour créer des disparités salariales significatives entre les individus et groupes d'individus. Il reste à voir cependant si ces différences sont réelles ou fictives : par exemple, les différences interrégionales sont-elles attribuables à la composition industrielle de chacune des régions ou à la région elle-même ?

Par ailleurs, il se peut que les différences observées soient le reflet d'autres variables non considérées, par exemple la scolarité. En effet, si la scolarité est le principal phénomène qui distingue les diverses occupations, nous attribuerions erronément à l'occupation ce qui est dû à la scolarité. Toutes ces questions seront considérées plus particulièrement dans les chapitres 3 et suivants.

CHAPITRE 2
La demande de travail et la détermination de l'emploi

L'étude de la demande de travail, c'est avant tout l'étude de la détermination et de la formation de l'emploi dans une économie de marché. Comme nous l'avons déjà dit, la demande de travail est conditionnelle à la demande pour le bien ou le service correspondant à ce travail. Les préférences des individus pour les différents biens et services et leurs revenus sont autant de facteurs influençant la demande pour les biens et services et, donc, la demande de travail.

Comme le montre le diagramme 2.1, les préférences sont tout d'abord filtrées par le revenu pour générer une demande sur le marché.

DIAGRAMME 2.1
Matérialisation des besoins et préférences en demande sur le marché des biens et services

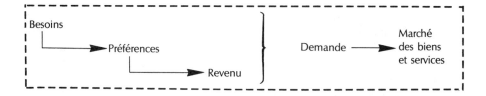

La demande pour les biens et services générera à son tour une demande pour la production de ces biens et services. Pour que cette production se concrétise et qu'il y ait création d'emploi, il faut tout d'abord qu'il existe un entrepreneur privé ou public et que l'opération soit rentable financièrement ou électoralement, selon le cas, pour les individus concernés. La quantité de travail demandée dépendra pour sa part du niveau de production requis, du coût relatif de la main-d'œuvre par rapport aux autres facteurs de production (équipement, machinerie, espaces, construction, etc.) et de la technologie existante.

DIAGRAMME 2.2
Marché des biens et services et création d'emploi

Pour qu'il y ait création d'emploi, plusieurs conditions doivent donc être réunies. Il faut qu'il y ait un besoin relativement prioritaire, que les individus disposent d'un revenu suffisant, qu'il y ait un entrepreneur disposé à assumer la production et que l'opération soit rentable[1].

Quant au nombre d'emplois créés, il dépendra du prix du travail (le salaire), du prix du capital, de la technologie existante et du niveau de production à partir duquel il est rentable de produire. Les paragraphes suivants traitent des mécanismes en jeu dans ce processus de la détermination et de la formation de l'emploi dans une économie de marché.

2.1 LA DEMANDE POUR LES BIENS ET SERVICES : DÉFINITION ET FORME

Le besoin est une condition nécessaire mais non suffisante pour créer une demande pour un bien ou un service particulier. Encore faut-il que le prix de ce bien ou de ce service soit abordable et que le consommateur dispose du revenu nécessaire pour l'acquérir. Si on veut illustrer l'ensemble des conditions nécessaires et suffisantes pour susciter une demande pour un produit, il faut d'abord poser deux biens dans une économie, soit le bien X_1 et le bien X_N (qui peut représenter l'ensemble des biens autres que X_1). Une carte de courbes d'indifférence (U_i) montre les préférences des individus, et une contrainte budgétaire (AB) représente les diverses possibilités d'acquisition des biens X_1 et X_N pour un budget donné. Ces différents éléments sont rapportés au graphique 2.1.

---

(1) Le prix et les revenus doivent être suffisants pour couvrir les coûts. On peut inclure les revenus de subvention ou de taxation, respectivement pour les entreprises subventionnées ou gouvernementales, dans le calcul des revenus. On peut inclure le salaire des administrateurs et le rendement normal sur le capital dans les coûts de production.

GRAPHIQUE 2.1
Les choix de consommation

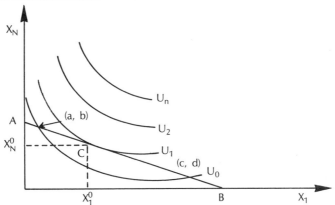

Les quantités de X_1 sont rapportées en abscisse, et celles de X_N en ordonnée. Les diverses courbes d'indifférence sont illustrées par des courbes U_i convexes par rapport à l'origine. Chacune de ces courbes illustre les combinaisons X_1, X_N qui génèrent un même niveau d'utilité. Elles sont strictement parallèles les unes par rapport aux autres et ne peuvent se couper. Plus U_i est éloignée de l'origine, plus grand est le niveau supposé d'utilité ou de satisfaction des individus, plus grande est la consommation prévue à la fois pour X_1 et X_N. La courbe AB représente la contrainte budgétaire, constituée des diverses combinaisons de X_1 et X_N que l'individu peut se procurer. S'il dépensait tout son budget en X_N, il ne pourrait se permettre que la quantité A de ce bien ; à l'inverse, s'il dépensait tout son budget en X_1, il ne pourrait se permettre plus que les quantités B (maximums) du bien X_1.

La pente de AB est toujours égale au prix relatif du bien X_1 par rapport à X_N. Supposons, par exemple, un budget familial de 300 $ par semaine : si le bien X_1 coûte 6 $ l'unité et le bien X_N, 3 $, la famille pourra se permettre, au maximum, 50 unités de X_1 et 100 unités de X_N. La pente AB qui est égale à l'accroissement de X_N rendu possible par la réduction de X_1 ($\Delta X_N/\Delta X_1$) est bel et bien égale à 100/50, équivalant à son tour au rapport des prix relatifs des biens X_1 (6 $) et X_N (3 $).

Pour sa part, le point C du graphique 2.1 représente le choix optimal de l'individu (X_1 et X_N optimaux = X_1^0, X_N^0), par exemple 30 unités de X_1 et 40 unités de X_N[2]. Ce point correspond au point de tangence entre la courbe d'indifférence la plus éloignée de l'origine et la contrainte budgétaire AB : on ne peut atteindre des niveaux de satisfaction plus élevés. Des U_i supérieurs à U_1 sont inatteignables parce que l'individu ne dispose pas du budget nécessaire. Les autres combinaisons possibles, par exemple (a, b) ou (c, d) entraîneraient des niveaux de satisfaction inférieurs à U_1 ($U_0 < U_1$).

---

(2) Par exemple, X_1 peut représenter des unités de viande et X_N des unités de fruits et légumes et céréales.

Dès lors, qu'arrive-t-il s'il y a changement du prix de X_1 par rapport à X_N, par exemple une baisse du prix de X_1 (graphique 2.2) ?[3] Supposons plus précisément que le prix de X_1 soit coupé de moitié (3 $ au lieu de 6 $ l'unité). Il se produira alors deux effets : un effet de revenu et un effet de substitution. L'effet de revenu est représenté par le déplacement parallèle de la courbe AB en FF tangent à la nouvelle courbe d'indifférence U_2 (point b). L'effet de substitution est représenté par le déplacement de l'équilibre b vers l'équilibre c, c'est-à-dire par un glissement de b à c le long de la nouvelle courbe d'indifférence $U_2 > U_1$.

GRAPHIQUE 2.2
Effet d'une baisse de prix

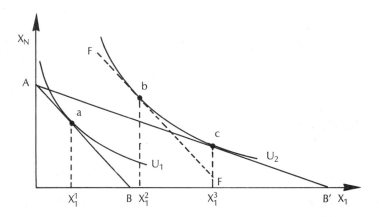

Comme le montre le graphique 2.2, les effets de revenu et de substitution se renforcent mutuellement pour donner lieu à une plus grande consommation de X_1 ($X_1^3 > X_1^2 > X_1^1$). Le déplacement de X_1^1 à X_1^2 est appelé effet de revenu, le déplacement de X_1^2 à X_1^3 est appelé effet de substitution. Le premier cas reflète que l'individu est plus riche avec un même budget : sa capacité d'acquisition de biens et services est maintenant plus grande, d'où un déplacement vertical vers la droite de la contrainte budgétaire à pente inchangée pour atteindre un niveau de satisfaction plus élevé. Le glissement de b vers c montre qu'il est plus intéressant d'acquérir une plus grande quantité du bien X_1 dont le prix relatif est devenu plus avantageux (nouvelle pente).

Si la quantité X_1^3 est consommée lorsque le prix de X_1 est plus bas ($P_2 < P_1$) et la quantité X_1^1 est consommée lorsque le prix de X_1 est plus élevé ($P_1 > P_2$), la demande pour les biens et services sera une fonction à pente négative par rapport au prix du bien en question (graphique 2.3).

---

(3) Un marchand annonce un solde pour la viande.

GRAPHIQUE 2.3
La demande pour les biens et services

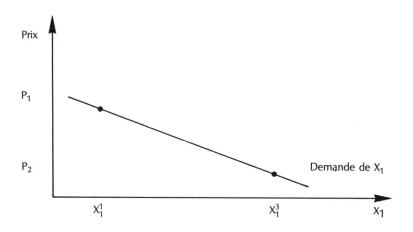

L'analyse inverse aurait pu être effectuée. Supposons une situation d'équilibre en c, accompagnée d'une hausse du prix de X_1. Si l'individu pouvait conserver le même niveau d'utilité U_2, il réduirait sa consommation de X_1^3 en X_1^2 de façon à économiser sur le bien devenu plus cher et à acquérir plus du bien devenu relativement moins cher (X_N). Mais, à cause de la hausse du prix de X_1, il ne peut maintenir son niveau d'utilité U_2. Sa contrainte budgétaire maintenant plus basse (AB au lieu de AB') le contraint à ne pouvoir acquérir que la quantité X_1^1 du bien X_1. En somme, si le prix du bien X_1 s'accroît, on prédit que la quantité demandée diminuera. Une fois bien identifiée la forme que prend la demande pour les biens et services, il reste à expliquer la position que prendra cette demande dans l'espace des prix et des quantités.

Cet aspect de la question est important parce qu'il définit en quelque sorte l'intensité de la demande pour les divers biens et services. Si la demande pour un bien ou un service particulier est très forte, sa position s'établira dans la portion nord-est de l'espace des prix et des quantités. Sinon, elle sera faible et elle se situera dans la portion sud-ouest de cet espace, beaucoup plus près de l'origine. Or, plus la demande pour un bien ou un service particulier est forte ou intense, plus elle sera susceptible de créer de nombreux emplois.

2.2 LA POSITION DE LA DEMANDE DANS L'ESPACE DES PRIX ET DES QUANTITÉS

Les facteurs qui influencent la position de la courbe de demande pour les biens et services dans l'espace des prix et des quantités sont : les préférences et le revenu des individus et le prix des biens substituts ou complémentaires.

Les préférences des individus pour les différents biens et services se matérialisent dans les courbes d'indifférence. Une courbure accentuée signifie que pour acquérir une unité additionnelle de X_1 ($X_1^0 \rightarrow X_1^1$) (graphique 2.4a), l'individu est prêt à sacrifier beaucoup de X_N ($X_N^0 \rightarrow X_N^1$). Dans ces conditions, une plus grande quantité de X_1 sera consommée. Une courbure plus aplatie signifie au contraire que pour acquérir une unité additionnelle de X_1, l'individu n'est pas prêt à sacrifier beaucoup de X_N ; une moins grande quantité de X_1 sera alors consommée (graphique 2.4b).

GRAPHIQUE 2.4a
Préférences pour le produit X_1

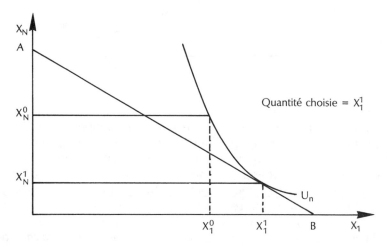

GRAPHIQUE 2.4b
Préférences pour le produit X_N

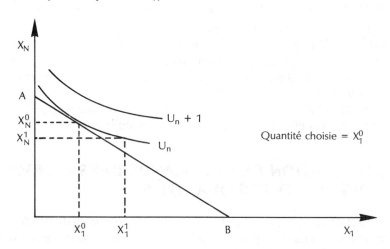

Selon les préférences et les goûts (G) de la population pour certains biens et services, on peut donc prévoir que la demande pour ces biens et services sera plus ou moins grande (et donc que la demande de travail pour produire ces biens et services sera plus ou moins grande également). Selon le graphique 2.4a, la demande pour le produit X_1 sera éloignée de l'origine, et selon le graphique 2.4b, elle sera plus rapprochée de l'origine.

Le deuxième facteur influençant la position de la demande pour les biens et services dans l'espace des prix et des quantités est le revenu (y). En effet, comme l'indique le graphique 2.5, on suppose que la consommation de X_1 ira en s'accroissant au fur et à mesure que s'accroît le revenu des individus. La contrainte budgétaire se déplaçant de gauche à droite, l'équilibre du consommateur se déplace aussi de gauche à droite si le bien X_1 est un bien normal, c'est-à-dire dont la consommation croît avec le revenu. La position de la demande pour un tel bien dans l'espace des prix et des quantités se déplace vers le nord-est et s'éloigne de l'origine d'autant plus que le revenu est élevé.

Finalement, comme l'indique implicitement le graphique 2.2 (courbe FF par rapport à AB'), le prix relatif d'un bien (X_1) par rapport aux autres biens (X_N) influence la demande pour le bien X_1. Si le prix d'un bien subtitut X_2 augmente par rapport à X_1, la quantité consommée de X_1 s'accroîtra (par exemple la margarine par rapport au beurre, le chauffage au pétrole par rapport à l'électricité). Par contre, s'il s'agit d'un bien complémentaire, l'effet inverse sera attendu (par exemple les piles électriques par rapport à des jeux nécessitant des piles électriques). Si le prix d'un bien complémentaire X_1 augmente par rapport à X_2, la quantité consommée de X_2 diminuera également. Dans ce dernier cas, tout se passe comme si X_1 et X_2 ne formaient qu'un seul et même bien composé de deux sous-produits.

GRAPHIQUE 2.5
Revenu et demande pour les produits

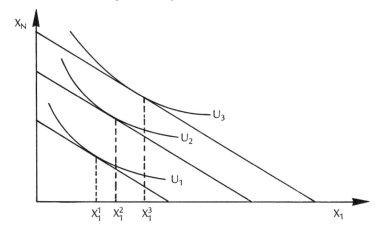

En somme, nous avons vu que la demande pour les biens et services était une fonction à pente négative dans l'espace des prix et des quantités (X_1 est une fonction inverse de P_1) et que sa position dans cet espace dépendait de trois principaux facteurs : les préférences (G), le revenu (Y) et le prix des autres biens et services (P_N). C'est précisément ce qu'indique le graphique 2.6. Mathématiquement, on peut écrire :

$$X_1 = f(P_1, G, Y, P_N) \tag{1}$$

La relation prévue entre X_1 et chacun des éléments compris dans la parenthèse est $f_{P1} < 0$, $f_G > 0$, $F_Y > 0$ et $f_{PN} < 0$ ou $f_{PN} > 0$ selon que X_N est un bien substitut ou un bien complémentaire par rapport au bien X_1.

GRAPHIQUE 2.6
La demande pour un bien ou service

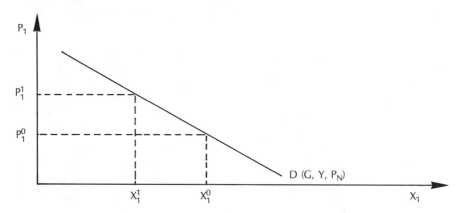

Si les besoins ou les préférences (G) augmentent pour un bien ou un service particulier, il est à prévoir que la demande pour ce bien ou ce service augmentera également (se déplacera vers la droite, voir graphique 2.7a). Si les revenus augmentent et que pour ce bien l'élasticité du revenu est positive[4], il est à prévoir que la demande pour ce bien s'accroîtra (graphique 2.7b).

Finalement, si le prix d'un bien substitut à ce bien augmente, il est à prévoir que la demande pour ce premier bien augmentera également. Par contre, s'il s'agit du prix d'un bien complémentaire à ce bien, la demande pour ce premier bien diminuera. Finalement, si le prix du bien en question augmente, il est à prévoir que la quantité demandée de ce bien diminuera (graphique 2.6)[5].

---

(4) C'est-à-dire que la demande pour un bien s'accroît en pourcentage en fonction du revenu.

(5) Il est à noter qu'il y a une différence de nature entre l'effet du prix du bien et l'effet des autres facteurs. Dans le premier cas, il y a glissement le long d'une même courbe de demande. Dans le second cas, il y a déplacement tout entier de la courbe de demande (nord-est versus sud-ouest).

Voilà, en résumé, les principaux facteurs qui influencent la demande pour les biens et services et qui, éventuellement, influencent et conditionnent la demande de travail[6]. Il reste à préciser la relation entre la demande pour les biens et services et la demande de travail.

GRAPHIQUE 2.7a
Variation des préférences (B)
et changement dans la demande
pour un produit(*)

GRAPHIQUE 2.7b
Variation du revenu (Y)
et changement dans la demande
pour un produit(*)

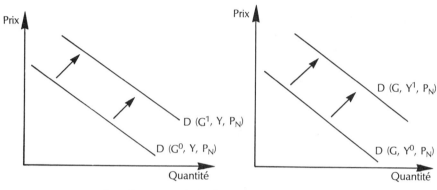

(*) G passe de G^0 à G^1, tel que $G^1 > G^0$.   (*) Y passe de Y^0 à Y^1, tel que $Y^1 > Y^0$

2.3 LA DEMANDE POUR LES BIENS ET SERVICES ET LA DEMANDE DE TRAVAIL

La jonction entre la demande pour les biens et services et la demande de travail se fait essentiellement par l'intermédiaire de l'entrepreneur ou l'entrepreneuse. Celui-ci ou celle-ci doit réunir les facteurs de production (équipement, usine, locaux, main-d'œuvre, etc.), les combiner, en assumer l'organisation, la coordination et le fonctionnement de façon à en arriver à un certain niveau de production.

2.3.1 Le choix du niveau de production

Le choix du niveau de production est supposé résulter de la comparaison des coûts et des bénéfices associés à différents niveaux de production. Tout se

___
(6) L'annexe 2.1 donne des exemples de l'effet respectif de chacun de ces facteurs sur la demande pour les biens et services et la demande de travail. Il est recommandé de consulter ces exemples avant de passer à la section suivante.

passe comme si l'entreprise devait choisir entre plusieurs options, par exemple produire 10 unités, 11 unités, 12 unités, etc. On comparera alors les revenus et les coûts associés à la production pour les 10e, 11e, 12e unités ... S'il est lucratif de produire 10 unités, on examinera le projet d'en produire 11 ; s'il advient encore que la 11e unité rapporte plus qu'elle ne coûte, on passera au projet d'en produire 12, et ainsi de suite jusqu'à ce que le nième projet ne rapporte pas plus que ce qu'il coûte. Les bénéfices s'accumulant au fur et à mesure que les projets se développent, l'entreprise est toujours intéressée à considérer des projets additionnels même s'ils rapportent de moins en moins de bénéfices (graphique 2.7a).

GRAPHIQUE 2.8
Le choix du niveau de production

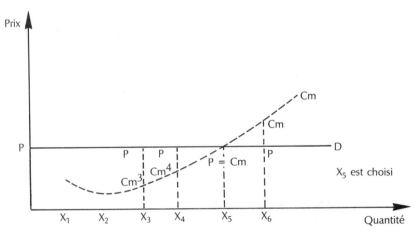

Au prix P fixé par le marché, l'entreprise peut savoir combien lui rapporte chacun des projets d'accroissement de la production. Chaque unité additionnelle produite rapporte P. Les coûts marginaux de production sont supposés croissants à partir d'un certain niveau de production (disons X_2). Sur le graphique 2.8, produire X_3 rapporte plus (P) qu'il n'en coûte (Cm^3) ; l'entreprise se tourne donc vers le projet 4. En X_4, le prix, ou revenu marginal de la production, est encore supérieur au coût. En X_5 par ailleurs, le prix est juste égal au coût marginal de production de la 5e unité. L'entreprise arrête sa production en X_5 puisqu'en X_6, le coût dépasserait le revenu marginal de production.

En somme, la règle de détermination de la production pour l'entreprise est simple : l'entreprise arrête son niveau de production à partir du point où le coût marginal de la production est égal à son revenu marginal. Dans les cas où il y a concurrence sur le marché du produit, le revenu marginal de la production est égal au prix du produit. Pour sa part, le prix du produit est défini par la rencontre de l'offre et de la demande sur le marché du produit au niveau de l'industrie tout entière. Donc, comme le montre le graphique 2.9a, l'offre et la demande du produit déterminent le prix d'équilibre P^e, prix qui devient une contrainte pour l'entreprise appartenant à cette industrie (demande au niveau de l'entreprise = prix au niveau de l'industrie, au graphique 2.9b). Chaque entreprise arrête donc son niveau de production au point où le coût marginal de production est égal au prix du produit.

GRAPHIQUE 2.9a
Détermination du prix d'équilibre
au niveau de l'industrie

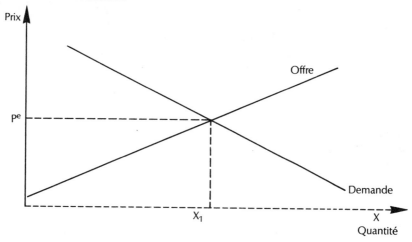

GRAPHIQUE 2.9b
Détermination de la production
au niveau de l'entreprise

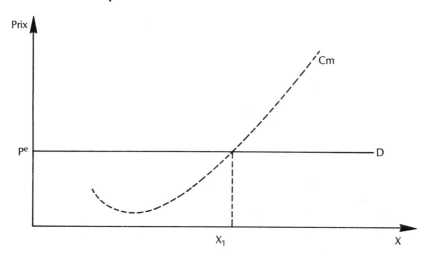

Pour déterminer son niveau de production, l'entreprise qui connaît le prix de vente de son produit a aussi besoin de connaître ses coûts de production. Ceux-ci sont établis à partir d'un processus de recherche de minimisation des coûts. Pour produire une certaine quantité d'un produit il y a différentes façons de procéder sur le plan technique, à des coûts qui sont également différents sur le plan économique ; il convient donc de choisir le bon niveau de production et de chercher à l'atteindre aux moindres coûts.

Le graphique 2.10 met en évidence les différentes façons de produire un bien X par différentes combinaisons des facteurs de production que sont le capital (K) et le travail (T). Sur l'isoquant X_1 par exemple, on trouve que la quantité X_1 peut être indifféremment produite sur le plan technique en combinant peu de travail et beaucoup de capital (combinaison T_a, K_a) ou encore, ce qui revient au même, en combinant peu de capital avec beaucoup de main-d'œuvre (T_b, K_b). La courbe convexe par rapport à l'origine, qui relie ces deux points ainsi que toutes les combinaisons intermédiaires possibles sur le plan technique et qui mène au même niveau de production, est appelée isoquant (égale-quantité).

GRAPHIQUE 2.10
Isoquant X_1

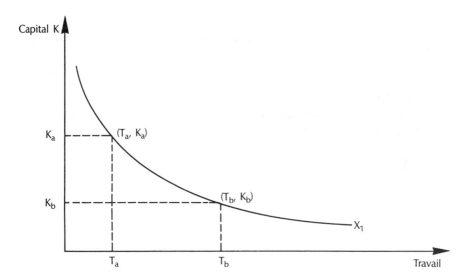

Les isoquants ont une pente négative, c'est-à-dire qu'il faut combler une baisse dans l'usage de l'un des deux facteurs de production par une certaine quantité de l'autre facteur, pour maintenir le même niveau de production. La pente des isoquants s'appelle le taux marginal de substitution technique (TMST).

Les isoquants sont convexes par rapport à l'origine parce qu'il faut des quantités de plus en plus grandes d'un facteur de production pour suppléer à la réduction d'un facteur de production lorsque celui-ci est déjà utilisé en faible quantité. Les facteurs de production ne sont que des substituts imparfaits.

Les isoquants correspondent à des niveaux de production de plus en plus élevés au fur et à mesure qu'ils s'éloignent de l'origine, puisque l'usage plus intensif du capital ou du travail conduit à des niveaux supérieurs de production. Ils ne peuvent se croiser car cela signifierait que la même combinaison de facteurs peut donner deux niveaux différents de production. La carte d'isoquants présentée au graphique 2.11 identifie donc l'ensemble des possibilités techniques de production pour des niveaux variables de production.

GRAPHIQUE 2.11
Carte d'isoquants

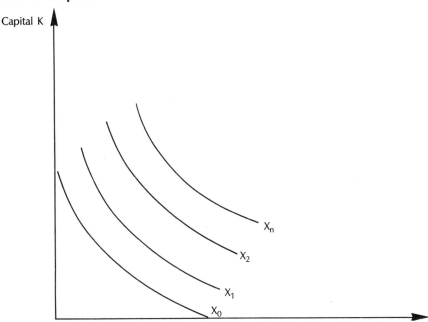

2.3.2 La minimisation des coûts de production

Le problème qui se pose à l'entreprise est celui de la minimisation des coûts de production pour tout niveau de production donné. Ce résultat sera atteint aux points de tangence entre les courbes d'isocoûts et d'isoquants (graphique 2.12).

GRAPHIQUE 2.12
Minimisation des coûts de production

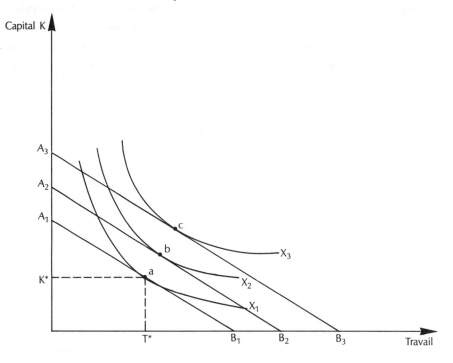

Les courbes d'isocoûts sont des segments de droite rapportant les diffé-rentes combinaisons de facteurs de production que peut se payer l'entreprise pour un budget donné. La pente en est négative, car l'augmentation d'un fac-teur de production est indissociable de la réduction de l'autre facteur, le bud-get devant demeurer constant.

Voici un exemple de courbe d'isocoût. Pour un budget donné de 300 000 $, un prix du capital à l'unité de 60 000 $ par année et un prix du tra-vail (salaire) de 30 000 $, l'entreprise peut acquérir au maximum 50 unités (A_1) de capital ou encore 100 unités de travail (B_1). Les points compris entre A_1 et B_1 représentent toutes les autres possibilités. L'équation de la courbe d'isocoût étant linéaire (300 000 = 60 000 × K + 30 000T), la courbe sera égale-ment linéaire.

La pente de l'isocoût revêt une propriété intéressante et importante. Elle est égale au prix relatif du travail (PT) par rapport au prix du capital (PK). Avec l'exemple choisi, on trouve en effet que :

$$\text{la pente d'isocoût} = \frac{\Delta + K}{\Delta - T} = \frac{50}{100} = \frac{PT}{PK} = \frac{30\ 000\ \$}{60\ 000\ \$}.$$

GRAPHIQUE 2.13a
Technologie intensive en travail

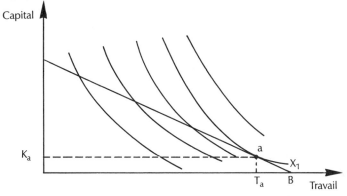

GRAPHIQUE 2.13b
Technologie intensive en capital

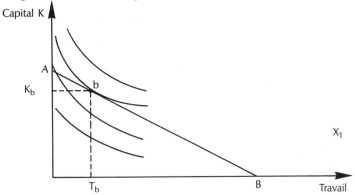

GRAPHIQUE 2.14
Le prix relatif des facteurs de production

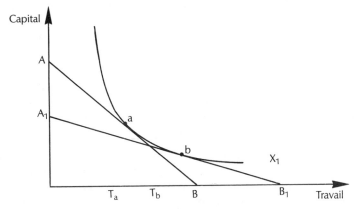

Parce qu'au point de tangence entre chaque courbe d'isocoût et chaque courbe d'isoquant la pente de l'une et l'autre de ces fonctions est identique, il arrive que le taux marginal de substitution technique entre les facteurs de production soit exactement égal au rapport de leur prix relatif. Soit TMST = PT/PK la condition nécessaire et suffisante pour que soient minimisés les coûts de production. En ce point, le problème de la minimisation des coûts de production est résolu et les quantités optimales de travail et de capital à utiliser sont définies (par exemple T^* et K^*, au graphique 2.12).

Un tel schéma d'analyse peut directement être mis à contribution pour identifier les principaux facteurs de la détermination de l'emploi.

a) La production

Comme le montre le graphique 2.12, il n'y a pas qu'un point où la règle de minimisation des coûts de production est respectée ; en fait, il y a autant de points que de niveaux de production. En chacun de ces points, il est tout simplement impossible de produire plus au même coût : pour produire plus il faut dépenser davantage et, si l'on respecte toujours la même règle, utiliser plus de travail et de capital. En conséquence, l'emploi, c'est-à-dire la quantité de travail utilisée, sera une fonction croissante du niveau de production. La production (X_i) s'avère le facteur le plus important des fluctuations de l'emploi à travers le temps. C'est le facteur le plus souvent testé et qui fait l'objet d'un large consensus.

b) La technologie de production

La technologie de production se rapporte plus particulièrement à la courbure des isoquants (graphiques 2.13a et 2.13b). Au graphique 2.13a par exemple, on constate que la technologie de production demande beaucoup de travail. Les isoquants ont une courbure très accentuée, ce qui veut dire qu'une réduction d'une unité de travail nécessite un accroissement massif de capital. La technologie favorise donc un usage intensif de travail (point a). Au graphique 2.13b par contre, c'est le contraire qui se produit, le travail peut être facilement remplacé par de l'équipement ou de la machinerie. La production demandera alors beaucoup de capital ($K_b > K_a$) et peu de travail ($T_b < T_a$). La technologie de production intervient donc de façon explicite dans le processus de détermination de l'emploi. Selon une technologie a ou b, la création d'emplois sera plus ou moins grande.

À priori, l'effet des développements technologiques est indéterminé, et on ne peut savoir à l'avance s'ils amèneront ou non une plus grande utilisation de capital ou de travail. Dans les faits, les développements technologiques ont pu conduire à une réduction du travail mais, à ce chapitre, leur influence globale est fort complexe. Ainsi, le développement et l'application de ces technologies ont une dynamique propre de production et d'emploi (construction d'ordinateurs, programmation ...). De plus, si le développement technologique amène une baisse dans le prix relatif du produit, il entraînera un accroissement des ventes. En somme, la technologie n'a pas pour unique conséquence d'éliminer certains emplois, elle en crée d'autres ; elle permet également de libérer de la main-d'œuvre dans des secteurs traditionnels et peu productifs pour l'orienter vers de nouveaux secteurs plus productifs ou encore vers la satisfaction d'autres besoins (par exemple, la société purement agricole est passée à une société industrielle puis se dirige vers une économie de services). La grande difficulté est que les changements technologiques ne procurent pas nécessairement de nouveaux emplois et aux mêmes conditions à ceux et celles qui ont perdu le leur.

c) Le prix du travail

L'analyse de l'effet du prix du travail sur l'emploi passe en partie par l'étude de la pente des courbes d'isocoûts. Si le prix du travail se modifie, la pente des courbes d'isocoûts se modifie aussi puisqu'elle reflète le prix relatif des facteurs de production. Par exemple, le graphique 2.14 montre que le prix relatif des facteurs de production peut conditionner la demande de travail. Si le prix du travail est plus élevé (pente de AB > pente de A'B'), le travail sera moins utilisé que s'il est plus bas (voir T_b comparativement à T_a).

L'effet du prix du travail ne s'arrête cependant pas au seul effet de prix relatif. Prenons pour exemple une hausse dans le prix du travail (salaire), toutes choses égales par ailleurs, avec, au point de départ, un certain niveau de production choisi (X_1) et des facteurs de production acquis selon les règles de la minimisation des coûts (point a définissant les quantités optimales de travail T_a et de capital K_a).

GRAPHIQUE 2.15
Effets de substitution et de production

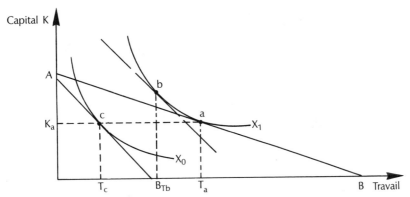

La hausse du prix du travail a tout d'abord pour effet de réduire l'usage de ce facteur rendu plus cher au profit du capital rendu relativement moins cher. S'il était rentable pour l'entreprise de conserver le même niveau de production, elle le ferait en combinant différemment les facteurs de production, soit au point b de tangence entre une nouvelle courbe d'isocoût FF et l'isoquant initial X_1. Ce déplacement de l'équilibre de a à b et de T_a à T_b s'appelle l'effet de substitution[7].

Néanmoins, parce que le coût du travail s'est accru, les coûts marginaux de production ne sont plus les mêmes : ils ont augmenté. Cette hausse entraîne une baisse de la production par l'entremise d'un déplacement vers la gauche de la courbe des coûts marginaux de production (graphique 2.16). Le nouveau niveau de production devra donc être égal à X_0 sur un isoquant X_0 plus rapproché de l'origine que ne l'est X_1 au graphique 2.15. Le nouvel équilibre de production se situera en C au point de tangence entre la courbe d'isocoût tangente à X_0 et la plus rapprochée de l'origine.

GRAPHIQUE 2.16
Effet d'une hausse de salaire sur les niveaux de production

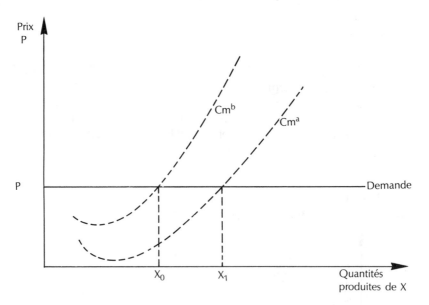

Cela implique une baisse additionnelle des quantités de travail utilisées ($T_c < T_b < T_a$). Le déplacement de l'équilibre b vers c s'appelle l'effet de production. Celui-ci se conjugue à l'effet de substitution pour contracter davantage l'emploi à la suite d'une hausse du salaire.

---

(7)   FF est un segment de droite parallèle à AB', de façon à refléter le nouveau prix relatif du travail.
      S'il lui est parallèle, c'est qu'il a la même pente.

GRAPHIQUE 2.17
Demande de travail issue des effets de substitution et de production

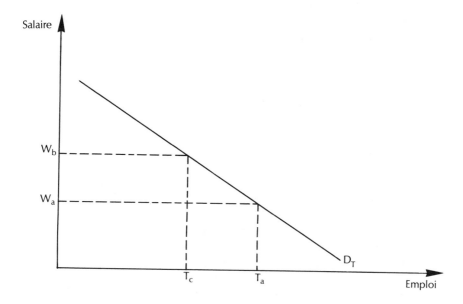

GRAPHIQUE 2.18
Effet d'une hausse du prix du capital

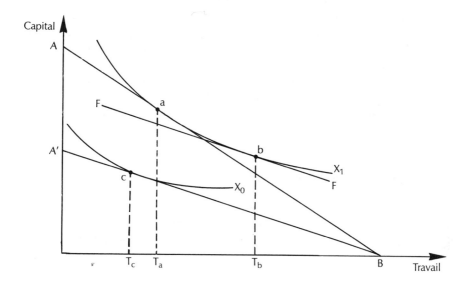

Si les quantités de travail demandées sont T_a pour un prix du travail W_a inférieur à W_b, et si les quantités de travail demandées sont T_c pour un prix du travail W_b supérieur à W_a, la demande de travail sera une fonction à pente négative dans l'espace salaire — emploi. Comme l'illustre le graphique 2.17, le segment de droite qui relie ces deux combinaisons salaire — emploi définit la demande de travail lorsque les niveaux de capital et de travail sont variables[8]. Dans les faits, l'élasticité de la demande de travail est de l'ordre de −0,5 %. Chaque augmentation du salaire de 1 % au-dessus de l'augmentation du prix du capital entraîne une baisse de l'emploi de 0,5 %.

d) Le prix du capital

Le prix du capital peut aussi influencer le niveau de l'emploi, et cela indépendamment du prix du capital. Supposons dès lors une hausse du prix du capital. Cette hausse aura tout d'abord pour effet de réduire l'usage du capital et d'accroître celui du travail (point b, au graphique 2.18). Néanmoins, parce que là aussi les coûts marginaux de production vont s'accroître, l'entreprise devra choisir un niveau de production X_0 inférieur à X_1. L'effet de production entraînera une baisse conjointe dans l'usage du capital et du travail (par exemple T_b vers T_c). L'effet net d'une variation du prix du capital sur l'emploi est indéterminé à priori, l'effet de production allant dans le sens contraire de l'effet de substitution. Grâce aux techniques économétriques appropriées, il a été possible d'observer que le prix du capital exerçait une influence positive mais très modeste sur les quantités de travail demandées. L'élasticité estimée pouvait être de l'ordre de 0,05 à 0,06 %.

Finalement, mentionnons que la détermination de l'emploi telle qu'on peut l'estimer ou l'observer ne dépend pas, à strictement parler, des valeurs contemporaines du salaire, du prix du capital et de la production, mais plutôt de leur valeur prévue et mesurée par une extrapolation de leur comportement passé. Par ailleurs, l'ajustement à court terme de l'emploi n'est que partiel par rapport aux fluctuations de la production parce qu'on veut éviter des coûts de transaction associés aux mises à pied, au recrutement, à la sélection et à la formation du personnel. L'ajustement de l'emploi aux variations de la production ne se fait pas instantanément.

e) L'emploi retardé d'une période

Le fait de connaître une baisse des ventes et de la production ne mène pas forcément à la contraction immédiate et totale de l'emploi de T_b à T_c, au graphique 2.15. Les mises à pied que cela impliquerait comportent le risque

(8) Cette demande de travail est aussi appelée demande de travail à long terme. Nous verrons le cas où le niveau de capital est fixe (à court terme) dans un chapitre subséquent.

que la demande (les ventes) se redresse à plus ou moins brève échéance et que les travailleurs mis à pied se soient trouvé de l'emploi ailleurs. La firme aurait alors à subir des coûts de recrutement, de sélection, de formation et d'entraînement qu'elle aurait évités si elle avait thésaurisé la main-d'œuvre, c'est-à-dire gardé ses employés à son service.

À l'inverse, au tout début d'une reprise des ventes, l'entreprise ne procédera pas immédiatement à une vaste opération d'embauchage. Elle utilisera plus efficacement et intensément la main-d'œuvre qu'elle avait thésaurisée et usera des heures supplémentaires, plutôt que de s'engager dans une opération coûteuse et risquée de recrutement et de formation. En fait, ce n'est qu'une fois la demande pour son produit stabilisée à un niveau plus élevé qu'elle réajustera pleinement son emploi. En attendant, les variations observées de l'emploi (ΔE^o) ne représenteront qu'une partie des ajustements souhaités ou prévus à long terme (ΔE^*). Écrivons :

$$\Delta E^o = \lambda \Delta E^* \text{ tel que } 0 < \lambda < 1 \tag{2}$$

où λ (lambda) est égal au coefficient d'ajustement partiel de l'emploi observé par rapport à l'emploi souhaité.

Dès lors, pour :

$$\Delta E^o = E_t - E_{t-1}$$
$$\Delta E^* = E_t^* - E_{t-1}$$

et

$$E_t^* = a_0 + a_1^X + a_2 W + a_3 r + a_4 t$$

l'équation linéaire paramétrique de l'emploi souhaité[9], on peut écrire :

$$E_t - E_{t-1} = \lambda (a_0 + a_1 Q + a_2 W + a_3 r + a_4 t - E_{t-1})$$

et donc :

$$E_t = a_0 + a_1 Q + a_2 W + a_3 r + a_4 t + (1 - \lambda) E_{t-1}$$

La variable E_{t-1} devient une variable explicative de l'emploi observé à court terme, et le coefficient λ, le coefficient ou taux d'ajustement partiel. Dans les faits, pour le Canada, ce taux est estimé à 33 % par trimestre de sorte qu'il faut habituellement de 1 à 2 ans pour que l'ajustement total s'effectue. Il ne faut donc pas se surprendre si l'annonce d'une récession (par exemple une chute du PIB [produit intérieur brut]) ne se traduit pas immédiatement par une chute proportionnelle de l'emploi ; de même, l'annonce d'une expansion (par exemple un accroissement marqué du PIB) ne se traduit pas par une hausse

---

(9) X = production ; W = taux de salaire ou prix du travail ; r = prix du capital ; et t = technologie. Les a_i sont les paramètres qui relient chacun des principaux facteurs (X, W, r et t) à l'emploi souhaité E_t^*. Le terme a_0 représente la valeur de E_t^* si X, W, r et t = 0 ; c'est l'ordonnée à l'origine dans cet espace à 5 dimensions.

correspondante de l'emploi. Les indicateurs de l'emploi marquent un certain retard par rapport à la production. C'est ce que reflète l'association positive trouvée entre l'emploi au temps t et l'emploi au temps t − 1 (observé à la période antérieure).

Pour terminer ce chapitre, revoyons brièvement la matière parcourue. Premièrement, nous avons vu que les besoins génèrent l'emploi ; celui-ci constitue donc en quelque sorte un effort individuel contribuant à satisfaire un besoin de l'être humain. Néanmoins, la chaîne causale qui va des besoins à l'emploi est fort complexe.

D'une part, il faut tenir compte du prix relatif des biens servant à satisfaire ces besoins de même que du revenu des individus. À partir de ces trois facteurs (besoins, prix et revenus) apparaîtra ou non une demande réelle et concrète sur le marché des produits. L'emploi n'est toutefois pas encore nécessairement créé ; encore faut-il un entrepreneur qui trouve rentable d'assumer la production du bien ou service pour répondre à la demande.

Cette décision dépendra du coût de la production par rapport aux bénéfices attendus. La minimisation des coûts de production résulte pour sa part de

DIAGRAMME 2.3
La chaîne besoin − emploi

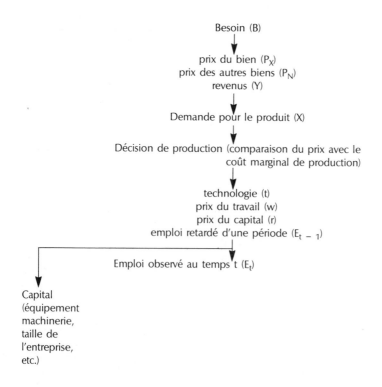

la définition des niveaux optimaux de capital et de travail à utiliser par la firme pour le niveau de production, les caractéristiques technologiques de la production, le coût du travail et celui du capital ainsi que le niveau antérieur de l'emploi. Par exemple :

$$E_t = f(w, r, t, E_{t-1}, X)$$

et

$$X = f(B, P_X, P_N, Y)$$

L'emploi au temps t est une fonction du salaire (−), du prix du capital (+), de la technologie (−), de l'emploi retardé d'une période (+) et de la production (+), alors que la production est déterminée par les besoins (+), le prix du bien en cause (−), celui des autres biens (+ ou − selon qu'il s'agit de biens complémentaires ou substituts) et du revenu des consommateurs (+). Le diagramme 2.3 présente un schéma des équations précédentes.

ANNEXE 2.1
Applications et résumé

Voici des exemples liés à la demande pour les biens et services, à la demande de travail et à l'emploi dans divers secteurs d'activité.

1– Si le prix du pétrole augmente subitement et fortement par rapport au prix de l'électricité, quelles conséquences sont à prévoir sur la demande pour l'électricité, sur la demande de travail et sur l'emploi dans le secteur de l'électricité ?

La réponse est que la demande pour l'électricité augmentera de même que la demande de travail et l'emploi dans le secteur de l'électricité. Comme le pétrole et l'électricité sont jusqu'à un certain point des substituts pour certains usages (par exemple pour le chauffage et l'énergie motrice dans les usines), et comme la hausse du prix d'un bien substitut à un bien donné entraîne une hausse de la demande pour ce deuxième bien, nous pouvons prédire que la demande d'électricité s'accroîtra si le prix du pétrole augmente par rapport au prix de l'électricité. Par ailleurs, comme la demande de travail est une demande dérivée pour un bien, on peut prévoir que la demande de travail et l'emploi dans le secteur de l'électricité suivront la hausse de la demande pour ce bien.

2– Si le revenu des individus s'accroît dans le temps et que l'élasticité du revenu de la demande pour les voyages est positive, que peut-on prévoir de la demande pour les voyages, de la demande de travail et de l'emploi dans les industries du transport et du tourisme ?

3– Si à cause du vieillissement de la population les besoins pour les services de santé s'accroissent, que peut-on prévoir de la demande pour les services de santé, de la demande de travail et de l'emploi dans le secteur de la santé ?

4– Si le gouvernement introduit une taxe qui fait augmenter le prix de la bière et du vin importés, quelles sont les conséquences prédictibles sur les ventes, sur la demande de travail et sur l'emploi dans le secteur des importations de bière et de vin ?

En résumé, ces quatre exemples montrent que des emplois peuvent être créés ou menacés selon le comportement des goûts et des préférences des individus, selon leurs revenus et l'élasticité de revenu de la demande pour les différents biens et services, selon le prix de ces biens et même celui des autres biens. Le gouvernement peut également intervenir sur les divers maillons (à l'exception de E_{t-1}) de la chaîne présentée au diagramme 2.1 et ainsi influencer l'emploi dans les diverses industries, régions ou occupations.

5– Pourquoi la quantité vendue d'un produit diminue-t-elle lorsqu'on en augmente le prix ? Parce qu'il y a un effet de revenu et un effet de substitution qui incitent le consommateur à réduire la consommation de ce produit. L'effet, de revenu réduit le pouvoir d'achat du consommateur et l'effet de substitution rend plus alléchante l'acquisition de biens substituts.

6 —   Quels sont les principaux facteurs explicatifs de l'emploi dans une économie de marché ? Quelle relation (+ ou −) entretiennent-ils avec l'emploi et pourquoi ?

L'emploi est principalement déterminé par la production, le salaire, le prix du capital, la technologie et l'emploi retardé d'une période.

L'emploi et la production sont reliés positivement : quand la production augmente, il en est de même pour l'emploi et vice versa ; quand la production baisse, l'emploi aura tendance à baisser. Il en est ainsi principalement parce que l'employeur a besoin de travailleurs pour produire, et d'autant plus que la production envisagée est élevée.

L'emploi et les salaires sont négativement reliés : quand les salaires augmentent plus que le prix du capital, toutes choses égales par ailleurs, l'emploi tend à baisser ou encore l'accroissement de l'emploi tend à être moins rapide. La raison de cette relation inverse est que, premièrement, l'employeur a intérêt à substituer du capital au travail lorsque le prix relatif du travail s'accroît (et inversement lorsque le prix relatif du travail diminue), et, deuxièmement, la hausse du prix du travail augmente les coûts marginaux de production et amène par le fait même l'employeur à réduire son niveau de production.

L'emploi et le prix du capital sont positivement reliés. Lorsque le prix du capital s'accroît, l'emploi a tendance à augmenter très faiblement. En effet, la hausse du prix du capital incite l'employeur à utiliser plus de travail ; cet effet est toutefois atténué parce que la hausse du prix du capital influence aussi les coûts marginaux de production et donc les niveaux de production.

La technologie exerce un effet négatif sur l'emploi. Au fur et à mesure de son développement, elle a permis d'atteindre les mêmes niveaux de production avec moins d'emploi. Néanmoins, dans la mesure où les développements technologiques influencent la consommation et la production à la hausse, l'effet total de ces changements technologiques sur l'emploi n'est pas nécessairement négatif.

L'emploi retardé d'une période agit positivement sur le niveau de l'emploi observé à chaque période, puisque l'emploi ne s'ajuste que de façon partielle aux fluctuations à court terme dans la production. Le niveau antérieur de l'emploi est là pour capter cet effet d'ajustement partiel ; en fait, son incidence sur l'emploi au temps t correspond au taux d'ajustement partiel.

7 —   Quelle serait la démonstration de chacun des points de la réponse à la question 6 ?

ANNEXE 2.2
La détermination des heures de travail

A.   L'OFFRE DE TRAVAIL ET LES CHOIX INDIVIDUELS

Les travailleurs qui offrent leurs services de travail ont un certain nombre de décisions à prendre. À un ou plusieurs moments donnés de leur vie, ils doivent choisir eux-mêmes, sous l'influence plus ou moins grande du milieu social (amis, parents ou conseillers), une profession, une industrie ou même une région où ils exerceront leur travail. Pour certains, les choix peuvent être très limités, mais il est très rare qu'ils soient contraints à un seul choix. L'économique étant une science des choix, c'est à travers cet aspect que l'étude des comportements se fera. Le travailleur peut aussi décider d'occuper un emploi comme il peut décider de ne pas « travailler ». Dans ce cas, il pourra choisir de poursuivre ses études, de s'occuper de travaux à la maison ou encore de se chercher un premier ou un nouvel emploi. L'offre de travail est basée sur cet ensemble de décisions : choix d'une profession, industrie, région, travailler ou ne pas travailler, travailler un certain nombre de semaines par année ou d'heures par semaine, etc.

Dans ce dernier cas, on pourra avancer que les contraintes sont très fortes : les heures de travail sont généralement fixées par les contraintes de la production, par les conventions collectives et par les lois sur les conditions minimales. Un certain nombre de remarques s'imposent. Tout d'abord, dans la mesure où l'offre et la demande déterminent les heures travaillées, le nombre d'employés et le taux de rémunération, ce n'est ni l'offre à elle seule ni la demande à elle seule qui en est responsable, mais l'interaction de l'une et l'autre. Pour bien comprendre le fonctionnement du marché du travail, il faut d'abord étudier séparément chacune des fonctions comme si elles étaient indépendantes l'une de l'autre.

Par ailleurs, il est évident que les heures de travail et le temps consacré au travail par année varient entre les professions, industries et régions, ce qui peut influencer le travailleur dans son choix de travail. D'autre part, les heures de travail ont considérablement diminué depuis le début du siècle, à travers l'action syndicale en particulier, sous la pression des membres. Il faut pouvoir expliquer ce comportement. Enfin, il est à noter que ce modèle économique de l'offre de travail sert à expliquer un certain nombre de comportements liés aux effets sur la motivation au travail de divers programmes de sécurité sociale tels l'assurance-chômage, l'aide sociale, le revenu minimum garanti ainsi que les divers taux d'imposition sur le revenu.

Le modèle économique de l'offre de travail s'appuie sur les choix théoriques entre le revenu du travail d'une part, et le non-travail d'autre part. Ce dernier peut apporter une satisfaction à travers le loisir auquel il donne lieu ou encore éviter des coûts substantiels en permettant de faire soi-même ce qu'il faudrait payer autrement (par exemple entretien et réparation du domicile principal, d'une résidence secondaire, travaux ménagers,...). Si on travaille à l'extérieur, on peut difficilement être aussi à la maison, par définition l'un exclut l'autre. Toutefois, GARY BECKER (1965) a déjà posé un certain degré de complémentarité entre le loisir et le revenu au sens où pour consommer du loisir il faut des revenus et, à l'inverse, il faut du loisir pour dépenser son revenu et consommer les achats qui s'y rattachent. Aucun bien ne donne satisfaction en soi, il faut consacrer du temps pour transformer le bien en satisfaction. L'unité familiale peut donc être perçue comme une unité de production qui, en combinant des biens de consommation et du temps, produit des satisfactions.

B.   LES COURBES D'INDIFFÉRENCE, PRÉFÉRENCES ET CONTRAINTES

B.1   L'arbitrage revenu–loisir

Il demeure toutefois un fort degré de substitution entre le temps consacré au travail et celui consacré au non-travail (loisir). La question se pose alors : quelles sont les diverses combinaisons loisir–travail qui procurent à l'individu un même degré de satisfaction ? La courbe d'indifférence du graphique 2.19 trace ces diverses combinaisons pour un niveau de satisfaction constant I_1. La courbe d'indifférence peut donc être définie comme le lieu des diverses combinaisons travail–loisir qui procurent un même niveau de satisfaction. Par exemple, la courbe I_1 indique qu'un individu peut être aussi satisfait de peu de loisir, mais de beaucoup de revenu (tiré du travail), soit le point (a, b), que d'une combinaison de peu de revenu, mais de beaucoup de loisir, soit le point (c, d). Le temps de loisir peut être indifféremment mesuré ici, en heures par jour ou par semaine, ou en nombre de semaines par année.

Cette courbe indique aussi l'imparfaite substitution travail-loisir ou encore l'utilité marginale décroissante du revenu du travail et du loisir. En effet, dans une situation où l'individu a peu de loisir, ce dernier sera prêt à sacrifier un bon montant de son revenu pour une unité de plus (1 heure, 1 semaine) de loisir, d'où la verticalité de la courbe au point (a, b) ; un petit déplacement vers la droite de a implique une diminution substantielle de revenu. À l'inverse, si l'individu consomme déjà beaucoup de loisir (c, d), il sera prêt à diminuer de beaucoup sa consommation de loisir pour un revenu additionnel ; d'où la quasi-horizontalité de la courbe en (c, d). Pour gagner quelques dollars de plus, l'individu est prêt à sacrifier beaucoup de loisir. Il existe donc une utilité marginale décroissante, tant du revenu du travail que du loisir. Cette propriété donne à la courbe d'indifférence loisir-travail une certaine convexité par rapport à l'origine[10]

---

(10) Le taux marginal de substitution travail-loisir est décroissant. Toute diminution additionnelle de revenu commande des accroissements de plus en plus grands de loisir pour conserver le même niveau de satisfaction.

GRAPHIQUE 2.19
Les courbes d'indifférence travail − loisir : 1

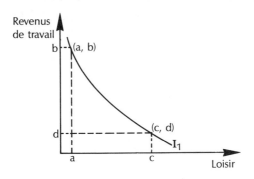

Les anciens (par exemple, A. MARSHALL) ne se préoccupaient pas d'une telle situation. Ils posaient tout simplement qu'en vertu de la désutilité du travail (désutilité marginale croissante avec le temps travaillé), le travail n'étant selon eux jamais intéressant en soi, le salaire devait compenser et croître avec les heures travaillées. C'est ce qu'illustre le graphique 2.20.

GRAPHIQUE 2.20
Offre de travail et désutilité marginale du travail

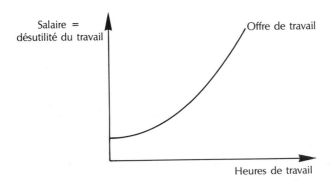

Néanmoins, cette approche comporte deux importantes lacunes. D'une part, elle n'est pas opérationnelle, la désutilité du travail pouvant difficilement se mesurer, puisqu'elle varie d'un individu à l'autre (côté subjectif). D'autre part, elle n'est pas suffisamment générale pour expliquer les cas où la quantité de travail offerte diminue avec le salaire. La théorie contemporaine résout ces problèmes en donnant un caractère ordinal (on peut classer les préférences en disant qu'une situation donne plus de satisfaction qu'une autre, sans donner de chiffre précis) plus que cardinal (mesure précise de l'utilité : 1 util, 2 utils, etc.) aux schémas de préférences. De plus, elle permet d'expliquer les fonctions d'offre à rebroussement, c'est-à-dire les situations où la quantité de travail diminue alors que le salaire augmente. C'est à travers les effets de substitution et de revenu qu'on arrive à de tels résultats.

B.2 Les préférences et les contraintes

Pour expliquer ces effets de revenu et de substitution, reprenons tout d'abord le graphique 2.19 et ajoutons-lui une seconde courbe d'indifférence à la droite (nord-est) de la première (graphique 2.21).

GRAPHIQUE 2.21
Les courbes d'indifférence travail – loisir : 2

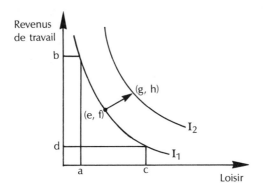

Cette seconde courbe I_2 indique un niveau de satisfaction plus élevé que la première I_1 parce que l'individu peut bénéficier à la fois de plus de loisir et de plus de revenu. Par exemple, l'individu peut passer de la combinaison (e, f) à la combinaison (g, h). On aurait pu dire aussi qu'à c loisir, l'individu peut maintenant bénéficier d'un plus haut revenu ou encore qu'à b revenu, il peut bénéficier de plus de loisir. C'est ce qu'on entend par classement ordinal : plus les courbes d'indifférence s'éloignent de l'origine, plus le niveau de satisfaction augmente et, à l'inverse, plus elles se rapprochent de l'origine, plus le niveau de satisfaction diminue.

C'est à ce moment qu'intervient l'hypothèse de rationalité. Celle-ci suppose qu'un individu rationnel cherchera à maximiser sa satisfaction ; c'est dire qu'un individu préférera toujours une situation où il a plus de revenu et de loisir à une situation où il aura moins de revenu et de loisir à la fois[11]. En fonction du graphique 2.21, on dira donc que l'individu cherche à se situer sur la courbe d'indifférence la plus éloignée de l'origine. Sans limites, l'individu pourrait donc choisir une situation où il serait millionnaire sans travailler. Néanmoins, il existe habituellement des limites ; celles-ci nous sont données par la courbe de budget ou courbe des possibilités budgétaires.

---

(11) Cette hypothèse constitue une limite à l'analyse économique mais, sans elle, les prédictions de comportement seraient, en attendant de plus amples développements, beaucoup moins rigoureuses sinon impossibles. Enfin, il importe de rappeler que c'est en vertu de la qualité de ses prédictions et de son explication du réel qu'une théorie a une certaine valeur et non nécessairement en vertu du « réalisme » ou du « globalisme » de ses hypothèses.

La contrainte budgétaire exprime le maximum de revenu qu'un individu peut retirer du travail (point B, graphique 2.22) s'il ne consacre aucun temps au loisir, ou le maximum de loisir qu'il peut obtenir en ne travaillant pas (point A), ou toute combinaison intermédiaire de revenu et de loisir entre ces extrêmes (par exemple, le point C sur AB), pour autant qu'elle respecte le taux de salaire qui lui est accessible sur le marché. Si l'individu ne consacre aucun temps au travail, il peut utiliser A loisir. Au contraire, si l'individu consacre tout son temps au travail (sommeil et repos exclus), il pourra obtenir un revenu maximum B qui dépendra du salaire horaire, hebdomadaire ou mensuel qu'il peut obtenir (tout dépend de l'unité de temps choisie pour mesurer le loisir). Entre A et B, l'individu peut choisir n'importe quelle combinaison (C par exemple) qui lui donnera moins de loisir et plus de revenu qu'en A, ou plus de loisir et moins de revenu qu'en B. La droite AB dessine donc la contrainte budgétaire pour l'individu. Compte tenu de son salaire, il peut toutefois s'écarter de cette contrainte et se situer en dehors, vers le nord-est, de cette droite AB.

GRAPHIQUE 2.22
Contrainte budgétaire

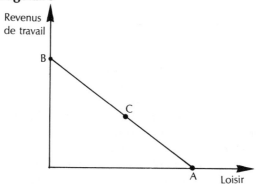

C.   L'ÉQUILIBRE TRAVAIL – LOISIR OU ÉQUILIBRE STATIQUE[12]

On se demande alors quelle combinaison loisir–travail l'individu sera incité à choisir ? La réponse est donnée au graphique 2.23 : ce sera celle qui correspond au point de tangence a entre la courbe d'indifférence la plus éloignée de l'origine et la courbe de budget AB.

Pourquoi cette combinaison (X loisir et Y revenus de travail) plus que toute autre ? La réponse se divise en deux parties. Tout d'abord, l'individu ne peut se situer sur une courbe d'indifférence plus élevée (I_1 par exemple) parce que sa contrainte budgétaire ne le lui permet pas. D'autre part, l'individu peut choisir le point b ou le point c sur AB, mais son choix donnerait lieu à une satisfaction inférieure à celle obtenue en a, puisque les points b et c se situent sur une courbe d'indifférence I_2 plus rapprochée de l'origine que I_0. La combi-

---

(12)   La statique est une situation où, compte tenu de certains paramètres donnés et fixes, un équi-
       libre est atteint.

naison d, pour sa part, est inacceptable, parce que l'individu y obtient moins de revenus et de loisir qu'en a.

En termes techniques, on dira que le point a est celui où le taux marginal de substitution loisir–travail est exactement égal au taux de salaire. Le taux marginal de substitution travail–loisir correspond à la pente en chaque point d'une courbe d'indifférence. Il est égal à la quantité de revenu qu'un individu est prêt à sacrifier pour une unité de plus de loisir et vice versa. Le taux de salaire, pour sa part, est égal à la pente de la courbe de budget (B/A). Au point de tangence entre la courbe de budget et la courbe d'indifférence les deux pentes sont égales, ce qui revient à dire que le taux marginal de substitution est égal au salaire. Par exemple, si B = 800 $ et A = 80 heures (cumul d'emplois) par semaine : 800 $/80 = 10 $ l'heure constitue le maximum qu'un individu peut réaliser. Si l'individu est prêt à substituer 10 $ pour une heure de loisir en a, il pourra trouver son équilibre à 40 heures de travail par semaine avec 400 $ de revenu et 40 heures de loisir. Donc, pour un taux de salaire et une structure de préférences revenu–loisir donnés, le point a au graphique 2.23 décrit une situation d'équilibre statique.

GRAPHIQUE 2.23
L'équilibre travail–loisir

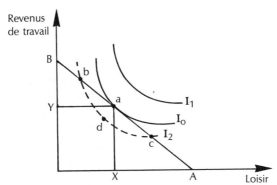

D.   LES EFFETS DE SUBSTITUTION ET DE REVENU (STATIQUE COMPARATIVE)[13]

La courbe d'offre de travail étant une fonction théorique reliant les quantités de travail offertes aux différents taux de salaire, il faut maintenant se demander quel ajustement tendra à se produire si le taux de salaire varie à la hausse ou à la baisse. Nous prendrons un exemple à la hausse, en nous assurant que le raisonnement sera parfaitement symétrique à la baisse. Reprenons le graphique 2.23 en supposant que le salaire varie ensuite de 50 % (le salaire en AC = 150 % de celui en AB) que peut-on prévoir ? Le graphique 2.24

---

(13) La statique comparative compare deux situations d'équilibre correspondant à des situations paramétriques - salaires différentes (graphique 2.24).

répond à cette question, il nous indique qu'une augmentation de salaire conduit à une augmentation des heures de loisir, c'est-à-dire à une diminution des heures travaillées.

GRAPHIQUE 2.24
Effets de salaire total

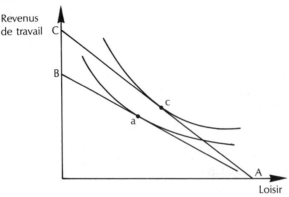

Ce déplacement de a en c se divise en deux parties. Tout d'abord, on constate que le taux de salaire augmente et qu'ensuite, à cause de cette augmentation de salaire, l'individu est potentiellement plus riche ; il se situe sur une courbe de budget plus élevée. On distingue donc un effet de revenu d'un effet de changement de salaire (prix relatif). En effet, dans ce dernier cas, il en coûte maintenant plus cher en termes relatifs de ne pas travailler, ou encore il en coûte moins cher de faire exécuter les travaux domestiques, de réparation et d'entretien (on peut plus facilement se payer ces services) qu'auparavant. On sera donc incité par cet effet de salaire (prix) relatif ou effet de substitution, à remplacer du loisir par du travail. Dans un tel cas, le travailleur est incité à réduire ses heures de loisir, on encore à augmenter ses heures de travail, à la suite de l'augmentation de son taux de salaire.

Par ailleurs, l'individu étant potentiellement plus riche, il subit une incitation contraire, c'est-à-dire celle de consommer plus de loisir et donc de réduire son temps de travail. En effet, étant plus riche, il peut augmenter sa consommation de biens et services. Si le loisir est un bien « normal », c'est-à-dire dont la consommation a tendance à augmenter avec le revenu, l'individu peut choisir de consommer plus de ce bien avec l'augmentation de son revenu. Le point c au graphique 2.24 est le résultat net de ces deux forces contraires : effet de substitution et effet de revenu. Le détail du processus en cause est exposé au graphique 2.25.

Le graphique 2.25 pose, dans un premier temps, un point d'équilibre statique a correspondant au point de tangence entre une courbe de budget AB et la courbe d'indifférence I_1. Par ailleurs, la hausse du taux de salaire donne lieu à un revenu potentiel maximum de B' plutôt que de B, tandis que le temps potentiel maximum consacré au loisir demeure le même en A. La nouvelle contrainte budgétaire est donc AB' plutôt que AB. Cette nouvelle contrainte budgétaire renferme deux indications :

1— sa pente est plus accentuée, et

2— son niveau est plus élevé que AB.

Afin de considérer l'effet de pente seulement, on trace une parallèle à AB' qui est tangente à la première courbe d'indifférence ; c'est l'effet de substitution. Compte tenu de la forme de la courbe d'indifférence, le point de tangence b se situera à gauche de a. L'effet de substitution implique qu'une hausse de salaire conduit à une baisse du loisir et donc à une hausse des quantités de travail offertes. Le travail varie dans le même sens que le salaire.

Ceci est vrai à condition que le travailleur ne puisse améliorer son bien-être. Or, la nouvelle courbe AB' permet effectivement une amélioration du bien-être parce qu'elle est plus élevée que AB. Cette amélioration se décrit par un déplacement de b vers c, où c correspond à un point de tangence entre une courbe d'indifférence plus élevée I_2, et la nouvelle contrainte budgétaire AB'. Ce déplacement est appelé effet de revenu. Il implique qu'une hausse du revenu conduit à une plus grande consommation de loisir. Le point c doit donc se situer à droite de b. L'effet net ou l'effet de prix total (de a vers c) est égal à la somme de ces deux déplacements : effet de substitution (moins de loisir) et effet de revenu (plus de loisir).

GRAPHIQUE 2.25
Effets de substitution et de revenu

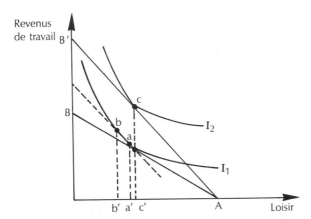

Si l'effet de revenu b' c' l'emporte sur l'effet de substitution (a'b'), les quantités de travail offertes diminuent avec l'augmentation de salaire ; c'est le cas d'une offre de travail à rebroussement. Si l'effet de substitution l'emporte sur l'effet de revenu, les quantités de travail varient dans le même sens que le salaire ; c'est le cas d'une offre de travail « normale ». Chacune de ces situations est illustrée au graphique 2.26. À priori, on ne peut prédire l'effet net d'une variation de salaire, l'un des deux effets pouvant être supérieur, égal ou inférieur à l'autre. Il appartient à l'analyse empirique des faits et des comportements de mesurer chacun de ces effets et de calculer l'effet net.

Aux graphiques 2.24 et 2.25, nous avons produit une situation où l'effet de revenu l'a emporté sur l'effet de substitution donnant lieu à une courbe d'offre à rebroussement, mais tel n'est pas nécessairement le cas dans toutes les situations. Le modèle théorique ne privilégie pas une forme de courbe d'offre plus qu'un autre, d'où son caractère plus général que le modèle de désutilité exposé antérieurement. Il permet d'expliquer l'une et l'autre forme. Comme nous l'avons dit, tout dépend de la somme ou du résultat net des effets de substitution et de revenu.

D'autres questions sont reliées à l'offre de travail, dont l'offre globale de travailleurs mesurée non pas en fonction du temps offert (heures, jours, semaines,...), mais en fonction du nombre de travailleurs qui désirent offrir leurs services de travail aux conditions spécifiées dans l'industrie, le caractère familial des décisions de travail et l'offre de travail à long terme (choix de profession).

GRAPHIQUE 2.26
Courbe d'offre de travail

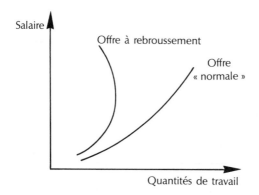

E.   L'OFFRE GLOBALE : HEURES TRAVAILLÉES ET NOMBRE DE TRAVAILLEURS

Le problème du nombre de personnes qui désirent offrir leurs services de travail à un moment donné nécessite l'élargissement du modèle antérieur à des considérations portant sur des revenus de provenance autre que le travail (paiements de transfert, loyers, rentes, revenus d'intérêts, revenus de placements,...). Certaines personnes demeurent hors du marché du travail parce que le revenu familial ou toute autre forme de revenu suffit pour équilibrer le non-emploi, ou encore parce que les dépenses que le travail entraîne (le salaire qu'il faut verser pour l'entretien du domicile, la garde des enfants) sont trop élevées par rapport aux bénéfices qu'il permet de retirer[14]. Les graphiques 2.27 et 2.28 servent à illustrer diverses situations possibles.

Au graphique 2.27 tout d'abord, la droite NN représente les revenus de non-travail. En B, on touche N revenus. Ces revenus peuvent provenir du principal soutien financier de la famille, de rentes ou encore de prestations de sécurité sociale (assurance-chômage, aide sociale, etc.). Pour sa part, la courbe AB, représente le taux de salaire possible sur le marché, à supposer une carte de courbes d'indifférence décrite par les courbes I_1, I_2 et I_3 au graphique 2.28.

GRAPHIQUE 2.27
Décision de travail et de non-travail : 1

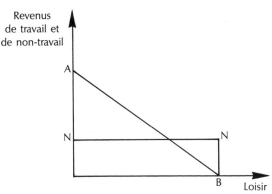

GRAPHIQUE 2.28
Décision de travail et de non-travail : 2

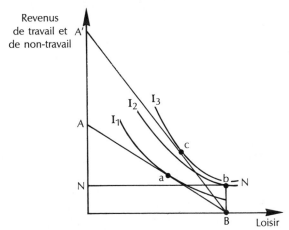

---

(14) Le chômage est une situation où on offre son travail, mais où, faute d'emploi, on ne travaille pas. Il est donc important de faire la distinction entre l'inactivité définie en vertu du marché du travail et le chômage, qui est une situation où le travailleur cherche activement un emploi aux conditions courantes sur le marché du travail.

Trois équilibres sont possibles. En a, l'individu préférera ne pas travailler puisqu'il retire une plus grande satisfaction en b, même si le revenu est alors inférieur. L'utilité du revenu additionnel ne compense pas la perte de loisir ou les coûts associés au travail. Il faudra attendre un taux de salaire beaucoup plus élevé (courbe A'B) pour qu'un équilibre d'emploi positif soit atteint en c. Donc, une hausse de salaire peut contribuer à attirer des personnes sur le marché du travail. Ce résultat permet également d'expliquer qu'au niveau macro-économique une hausse de salaire réel peut réduire les heures de travail et accroître simultanément le nombre de travailleurs qui se présentent sur le marché[15]. C'est le cas lorsque le taux de salaire passe de AB (pente de AB) à A'B (pente de A'B) au graphique 2.28. En c par exemple, la quantité de travail offerte mesurée en heures par semaine ou par année diminue, alors que le nombre de personnes qui désirent offrir leurs services de travail augmente. Il y a donc une distinction à faire entre le temps travaillé et le nombre de travailleurs qui offrent leurs services. Là aussi il existe des effets de compensation et des effets nets.

F.   L'OFFRE DE TRAVAIL ET L'UNITÉ FAMILIALE

Le graphique 2.28 met l'accent sur le caractère familial des décisions. Cet aspect de la décision d'offre vaut la peine d'être approfondi, car bien souvent il est plus pertinent que la seule considération d'un choix individuel. Pour différencier cet exemple du précédent, supposons que le nouveau salaire A'B caractérise une augmentation de salaire pour le principal soutien financier de la famille. Dès lors, dans la mesure où celui-ci en fait bénéficier les autres membres de l'unité familiale, les revenus des autres membres s'accroissent substantiellement : NN se déplace vers le haut. Si NN se déplace suffisamment, la participation des autres membres de l'unité familiale au marché du travail sera réduite (travail à mi-temps plutôt qu'à temps plein, retour aux études ou poursuite des études). Le revenu d'un des membres de la famille peut donc affecter la décision de travailler des autres membres. La décision de travailler constitue un phénomène complexe qui implique une forte interaction entre les diverses composantes d'une famille.

Un autre exemple d'interaction se produit dans le cas de l'offre de travail d'un ménage à longue échéance. Celle-ci peut être caractérisée par une décision de l'unité familiale de se priver temporairement de revenus au profit d'une scolarité plus longue d'un ou de plusieurs de ses membres. Cette décision réduit temporairement l'offre de travail mais a pour conséquence d'accroître, à long terme, la qualité de l'offre de travail. Cet aspect de l'économie du travail est spécifique à la théorie du capital humain (BECKER, 1975). Cette théorie requiert un développement qui lui est propre et qui s'écarte des considérations purement quantitatives ou néo-classiques qui, jusqu'à présent, font l'objet de notre analyse.

---

(15) Au graphique 2.25 par exemple, les heures de travail sont réduites, tandis qu'au graphique 2.28 de nouveaux travailleurs se joignent au marché du travail.

En résumé, d'un point de vue économique, les décisions de travailler ou de ne pas travailler, de même que celle des heures travaillées, dépendent fondamentalement d'un arbitrage (**trade-off**) entre les revenus tirés du travail et la satisfaction tirée du non-travail (coûts que l'on n'a pas à débourser, loisir pur, activités créatrices hors marché...) À la suite d'une variation du salaire sur le marché, deux effets influencent le comportement des individus : un effet de substitution qui va dans le même sens que la variation salariale (si le salaire augmente, la quantité offerte de travail augmente ; et vice versa si le salaire diminue, la quantité offerte de travail diminue aussi) et un effet de revenu qui va dans le sens contraire de la variation salariale (si le salaire augmente, la quantité de travail offerte diminue alors que si le salaire diminue, la quantité de travail offerte s'accroît). L'effet d'une variation salariale dépend du résultat net de ces deux forces contraires.

Nous avons appris aussi qu'il faut distinguer la notion de temps travaillé de celle du nombre de travailleurs qui offrent leurs services de travail. Dans ce dernier cas, il apparaît plus clairement qu'il faut tenir compte de l'unité familiale comme base de décision. Ainsi trouve-t-on que le modèle loisir–travail peut s'appliquer à diverses situations, sans que ses principes ne soient formellement remis en cause[16].

---

(16) Pour diverses applications aux programmes de sécurité du revenu, consulter GREEN, C. et J.-M. COUSINEAU (1976). Dans LECAILLON, J. et M. VERNIÈRES (1974), on trouvera aussi diverses applications au cumul des emplois, aux heures supplémentaires ainsi qu'au sous-travail et au sur-travail (heures de travail inférieures ou supérieures à celles désirées).

CHAPITRE 3
L'interaction de l'offre et de la demande et la détermination des salaires

Dans le chapitre précédent, nous avons vu que l'emploi dépendait :

1— du salaire,

2— du prix du capital,

3— du niveau de production,

4— de la technologie, et

5— de l'emploi retardé d'une période.

Dans les chapitres qui suivent, nous découvrirons que les principaux facteurs ou groupes de facteurs des disparités salariales sont :

1— la scolarité,

2— l'expérience,

3— le sexe,

4— l'appartenance à un syndicat,

5— certains aspects désagréables des emplois, et

6— l'industrie, l'occupation et la région.

À chacun de ces facteurs ou groupes de facteurs correspond une théorie :

1— la théorie du capital humain pour les facteurs de scolarité et d'expérience ;

2— la théorie de la discrimination pour le sexe ;

3— la théorie de la négociation collective pour l'effet syndical ;

4— la théorie hédoniste des salaires pour les aspects désagréables des emplois ; et

5— la théorie néo-classique du fonctionnement des marchés du travail pour l'industrie, l'occupation et la région.

D'autres aspects seront également considérés, tels la taille des entreprises, les modalités de rémunération (au rendement, à la commission, etc.), le degré de concentration dans l'industrie et la structure des marchés du travail et des produits, pour autant qu'ils ont été étayés sur le plan empirique. De façon générale, ils n'apparaissent pas aussi fréquemment que les autres facteurs précédemment mentionnés dans les équations standards de détermination des salaires qu'utilisent les économistes pour vérifier certaines de leurs hypothèses, mais ils peuvent cependant tous influencer la valeur du travail. La question préalable est donc de savoir à quoi correspond cette valeur ; la réponse à cette question aidera à comprendre pourquoi les salaires sont différents d'une industrie, d'une occupation et d'une région à l'autre.

3.1 LA FONCTION PRODUCTION, À COURT TERME

Dans le chapitre précédent, nous avons vu que le salaire était une donnée pour l'entreprise, le résultat de l'offre et de la demande de travail sur le marché du travail concerné. Partant de cette donnée, l'employeur cherche à minimiser ses coûts de production en choisissant des niveaux d'emploi et de capital appropriés pour un objectif de production donné. Ainsi, pour un objectif de 30 000 unités de production par année, l'employeur choisit des niveaux K* et T* de capital et de travail (graphique 3.1).

GRAPHIQUE 3.1
Choix des quantités de facteurs de production utilisées(*)

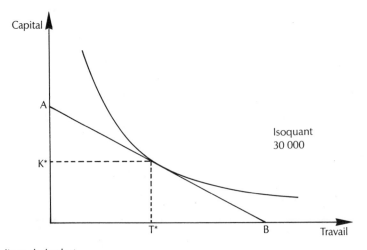

(*) AB = ligne de budget

Mais qu'arrive-t-il si après avoir effectué ces choix, les niveaux de production requis ne sont pas de 30 000, à supposer, par exemple, qu'ils soient variables dans le temps ? À court terme, l'employeur ne pourra pas s'ajuster en capital : il ne peut changer la taille de l'usine ; il y a des délais dans l'acquisition (ou la vente) de nouveaux équipements que, de toute façon, on ne se procure pas pour une seule commande additionnelle non prévue initialement, même si elle est substantielle. Pour répondre à de petites variations dans la demande pour son produit, l'employeur pourra s'ajuster en heures travaillées (au moyen d'heures supplémentaires, par exemple). Pour de plus grandes variations il devra modifier l'emploi ; par exemple, il se dessinera une fonction de production à court terme pour un niveau de capital initial donné et fixe. Le tableau 3.1 reproduit une fonction de production de ce type ; il correspond à une lecture horizontale de la carte de production du graphique 3.2 pour un niveau de capital donné K* = 10.

GRAPHIQUE 3.2
Carte de production

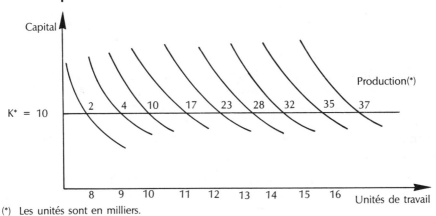

(*) Les unités sont en milliers.

TABLEAU 3.1
Fonction de production, à court terme

(1) Quantités de travail	(2) Production (en milliers d'unités)	(3) Productivité marginale (en milliers d'unités)
8	2	—
9	4	2
10	10	6
11	17	7
12	23	6
13	28	5
14	32	4
15	35	3
16	37	2

La courbe de production et la productivité marginale correspondante sont reportées au graphique 3.3 sous forme de rendements croissants puis décroissants.

GRAPHIQUE 3.3
Production et productivité marginale

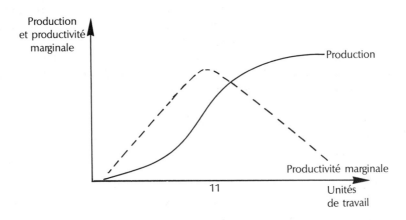

De l'origine jusqu'à 11 unités de travail, chaque unité additionnelle de travail accroît la production plus que proportionnellement. Ce résultat est attribuable à la spécialisation et à la division du travail : au début, les employés doivent effectuer toutes les tâches, puis, au fur et à mesure que leur nombre augmente, leur productivité s'accroît. C'est la phase des rendements croissants.

À partir de 12 unités de travail, les rendements sont décroissants : la production continue d'augmenter, mais à un rythme décroissant. À 12 unités de travail, la production s'accroît de 6 unités (voir colonne 3 du tableau 3.1) ; à 13 unités, elle ne s'accroît que de 5 unités ; et ainsi de suite jusqu'à 16 unités de travail où la 16e unité (le 16e travailleur) n'accroît plus la production que de 2 unités. Selon la loi des rendements décroissants, à partir d'un certain point, chaque fois qu'on ajoute un facteur de production variable (par exemple le travail) à un autre facteur demeuré constant (par exemple le capital), la production ne peut s'accroître qu'à un rythme décroissant. C'est ce qu'illustrent les données du tableau 3.1 et le graphique 3.3 à partir de la 12e unité de production.

3.2 LA VALEUR DE LA PRODUCTIVITÉ MARGINALE DU TRAVAIL

La troisième colonne du tableau 3.1 est très importante. Elle indique la productivité marginale du travail, c'est-à-dire la variation de la production associée à chaque travailleur additionnel (2 pour le 9ᵉ, 6 pour le 10ᵉ, 7 pour le 11ᵉ travailleur, etc.). Autrement dit, elle indique ce que rapporte en production chaque personne additionnelle[1].

La valeur du travail est égale à la valeur de la production, qui pour sa part est égale au prix du produit multiplié par la productivité marginale. La 12ᵉ personne rapporte une production additionnelle de 6 unités. Si l'employeur peut vendre ces unités 2 $ chacune, la productivité marginale vaut 12 $, et le 12ᵉ travailleur rapporte 12 $ à son employeur[2].

Compte tenu de ces données, la règle sera d'embaucher des travailleurs jusqu'à ce que le salaire soit égal à la valeur de la productivité marginale du travail (Vpm).

3.3 LE SALAIRE ET LA VALEUR DE LA PRODUCTIVITÉ MARGINALE

Si le salaire horaire est 10 $ sur le marché du travail et si l'unité de production vaut 2 $, la 10ᵉ personne embauchée rapporterait 12 $ (Vpm = 6 × 2 $) et son coût ne serait que de 10 $, laissant 2 $ d'excédent de revenus sur le coût. Une 11ᵉ personne rapporterait également plus (14 $) qu'elle ne coûte (10 $). Cet excédent de revenus sur le coût s'ajoute à celui réalisé avec la 10ᵉ personne (4 $ + 2 $)[3]. Ainsi en est-il de la 12ᵉ personne. Comme à la 13ᵉ, les bénéfices (Vpm) sont identiques aux coûts (salaire), l'embauchage s'arrête à la 13ᵉ personne (voir tableau 3.2 et graphique 3.4) ; au-delà de cela, le coût du travail (10 $) dépasse ce qu'il rapporte à l'entreprise (8 $).

Voici donc un théorème important de la théorie néo-classique du fonctionnement des marchés du travail : le salaire est égal à la valeur de la productivité marginale du travail. Il dépend principalement de deux éléments, soit le prix du produit (qui dépend à son tour de la demande pour le produit) et la productivité marginale du travail (qui résulte, en partie tout au moins, du ratio capital − travail, le capital accroissant la productivité du travail).

---

(1) Chacun des travailleurs est jugé semblable ; c'est suivant la loi des rendements décroissants que leur productivité diminue au fur et à mesure qu'on en augmente le nombre.

(2) Il s'agit d'un prix net des autres coûts de production.

(3) Cet excédent s'ajoute également à l'excédent réalisé avec les unités antérieurement embauchées (ici, 9 personnes), quoique dans ce cas il s'agisse de déficit. L'employeur n'embauchera pas à ces niveaux puisqu'il ne réaliserait pas des profits mais des pertes. La demande de travail n'existe donc que sur la partie décroissante de la valeur de la productivité marginale. Sur sa partie croissante, soit qu'il y ait des pertes (la Vpm est inférieure au salaire) soit qu'il y ait des gains additionnels nets à réaliser en accroissant l'emploi (par exemple, en passant de 9 à 10 unités de travail, la valeur de la productivité marginale de la 10ᵉ personne s'accroît substantiellement).

TABLEAU 3.2
La valeur de la productivité marginale

(1) Quantités de travail	(2) Prix du produit à l'unité	(3) Productivité marginale du travail(*) (en milliers d'unités)	(4) Valeur de la productivité marginale (2) × (3)(**)	(5) Excédent du revenu sur les coûts pour un salaire de 10 $
11	2 $	7	14 $	4 $
12	2 $	6	12 $	2 $
13	2 $	5	10 $	0 $
14	2 $	4	8 $	−2 $
15	2 $	3	6 $	−4 $
16	2 $	2	4 $	−6 $

(*) Données tirées de la colonne 3 du tableau 3.1.

(**) Pour l'explication du fait que ne sont retenues que les valeurs de la productivité marginale qui sont décroissantes avec l'emploi, voir la note 3.

GRAPHIQUE 3.4
Le salaire égale la valeur de la productivité marginale

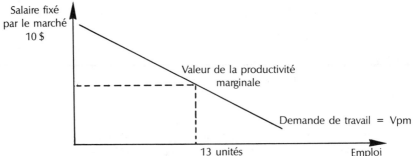

3.4 LES FACTEURS QUI INFLUENCENT LA VALEUR DE LA PRODUCTIVITÉ MARGINALE

Selon la théorie néo-classique standard, les principaux facteurs qui ont un effet sur la valeur de la productivité marginale sont les suivants.

1— L'offre de travail : selon que l'offre de travail est plus ou moins abondante, la valeur de la productivité marginale sera plus ou moins élevée (graphique 3.5).

2— Le ratio capital − travail : dans la mesure où le capital (équipement, machinerie) accroît la productivité du travail, la valeur de la productivité marginale sera plus ou moins élevée (graphique 3.6).

3— La demande pour le produit : dans la mesure où la demande pour le produit est élevée par rapport à l'offre, la demande de travail sera plus ou moins élevée (graphique 3.7).

GRAPHIQUE 3.5
Vpm et offre de travail

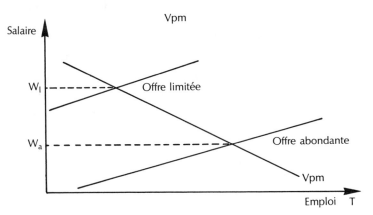

GRAPHIQUE 3.6
Vpm et ratio capital (K) − travail (T)

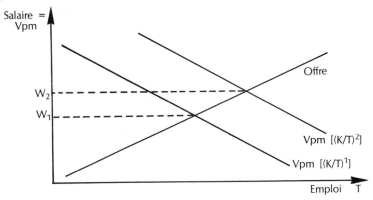

GRAPHIQUE 3.7
Vpm et demande pour le produit(*)

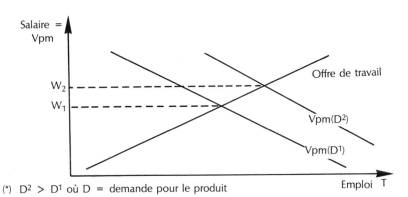

(*) $D^2 > D^1$ où D = demande pour le produit

3.5 LA DÉTERMINATION DES SALAIRES

Dans la mesure dès lors où l'offre de travail, le ratio capital — travail et la demande pour le produit sont variables d'une industrie à l'autre, d'une région et d'une occupation à une autre, cela explique les différences salariales respectivement interindustrielles, interrégionales et interoccupationnelles.

Si par exemple la demande pour l'hydro-électricité augmente considérablement à travers le temps à cause d'exportations vers les États-Unis, la demande de travail s'accroîtra pour les travailleurs et travailleuses de cette industrie et leur salaire (relatif) augmentera également. Si par ailleurs une région donnée connaît un développement économique accéléré (par exemple la Côte-Nord du Québec, la Beauce, etc.), la demande de travail s'accroîtra fortement dans cette région et les salaires augmenteront plus rapidement qu'ailleurs.

Une application intéressante de la théorie de l'offre et de la demande est que deux groupes de travailleurs peuvent avoir des caractéristiques absolument identiques, travailler pour des entreprises similaires et ne pas gagner le même salaire. Si l'offre de travail est différente, bien que les courbes de valeur de la productivité marginale soient identiques, la valeur de la productivité marginale comme telle sera différente.

Ces quelques exemples servent à illustrer l'incidence de certaines différences dans les conditions de l'offre ou de la demande de travail selon l'industrie, l'occupation ou la région. En somme, pour bien comprendre le processus de la formation des salaires, il convient de bien cerner toutes les variables qui entrent dans la composition de l'offre et de la demande sur chacun des marchés du travail.

ANNEXE
Applications

1 — Si une usine s'installe en Ontario, où l'offre de travail est relativement limitée (faible chômage) comparativement à l'Estrie ou à la Gaspésie (chômage élevé), quelle serait la différence de salaire à prévoir entre ces diverses régions ?

2 — Prenons une industrie dont le capital est élevé (par exemple l'industrie automobile) et une autre dont c'est plutôt la main-d'œuvre qui est nombreuse (par exemple le textile), à quelles différences salariales entre ces deux industries peut-on s'attendre ?

3 — S'il arrive, pour une raison ou une autre, que les infirmières soient relativement rares sur le marché du travail, quelles sont les conséquences probables sur l'évolution de leur rémunération relative ?

4 — À titre d'exercice, simuler les conséquences de l'application d'une politique d'uniformisation des salaires sur la base du plus haut salaire pour deux marchés où les conditions de l'offre ou de la demande de travail sont différentes :

a) si les salaires sont rigides, c'est-à-dire qu'ils ne peuvent plus changer une fois fixés ;

b) s'ils deviennent flexibles ;

c) s'il existe un troisième marché où les salaires sont flexibles.

CHAPITRE 4
La théorie du capital humain, la scolarité et l'expérience

La théorie du capital humain postule essentiellement que la poursuite des études et l'acquisition d'expérience sont assimilables à une certaine forme d'investissement que font les individus en eux-mêmes.

4.1 LA SCOLARITÉ

Par définition, un investissement représente une dépense ou un placement à un moment donné et qui produit, ultérieurement, une séquence de revenus étalés dans le temps. Pour constituer un investissement, une activité doit donc satisfaire deux conditions : il faut qu'il y ait, d'une part, une dépense ou un coût, et d'autre part, des revenus futurs attribuables à cette dépense ou à ce coût.

Le coût des études primaires est minime grâce à la gratuité scolaire et puisque le travail des enfants est interdit. Mais à partir du moment où l'étudiant peut occuper un emploi plutôt que de poursuivre ses études à temps plein, le coût de celles-ci est en partie composé du manque à gagner un revenu de travail à temps plein. Au niveau universitaire plus particulièrement, le coût des études se compose de ce manque à gagner, des frais d'admission et d'inscription ainsi que des frais de fournitures scolaires[1].

Les revenus (R), pour leur part, sont définis par la *différence* de salaire entre la rémunération du travail obtenue grâce à la scolarité additionnelle (W_s) et celle que l'individu aurait touchée autrement (W_{s-1}). La théorie du capital humain, par analogie avec la théorie de l'investissement, postule donc que les études comportent un coût (manque à gagner et frais de scolarité) et génèrent des bénéfices (différence de salaire) associés à une productivité plus élevée.

---

[1] Dans le cas des étudiants et étudiantes du soir ou à temps partiel, on peut dire que le coût correspond à une privation de loisir ou de détente ou encore à un manque à gagner si le temps consacré aux études pouvait être consacré à d'autres activités rémunératrices.

Pour qu'un investissement en capital humain soit jugé rentable sur le plan financier, deux conditions doivent être satisfaites. D'abord, il faut que la somme des revenus étalés dans le temps dépasse le coût d'acquisition du capital humain, ce qu'on peut écrire :

$$\sum_{t=n+1}^{N} R_t > \sum_{t=0}^{n} C_t \tag{1}$$

tel que la période 0 à n correspond à la durée des études, alors que la période n + 1 jusqu'à N correspond aux années de travail, N étant l'âge auquel l'individu prend sa retraite.

Dès que cette première condition est satisfaite, on en arrive à la conclusion que les salaires doivent être une fonction à pente positive du niveau de scolarité. En effet, si $W_s - W_{s-1} > 0$, ce qui est le cas lorsque $C_t > 0$, il s'ensuit que $W_s > W_{s-1}$, c'est-à-dire que le niveau de salaire avec une scolarité S est supérieur au niveau de salaire avec une scolarité S − 1. Cette condition est nécessaire pour qu'on puisse parler d'un investissement rentable sur le plan financier, mais elle n'est pas suffisante et une seconde condition doit aussi être satisfaite.

La seconde condition est que la somme des revenus *escomptés en valeur présente* soit égale ou supérieure à celle des coûts escomptés, soit :

$$\sum_{t=n+1}^{N} \frac{R_t}{(1+r)^t} > \sum_{t=0}^{n} \frac{C_t}{(1+r)^t} \tag{2}$$

En effet, parce que les revenus R_t sont touchés à des périodes éloignées dans le temps, il est nécessaire de les ramener, c'est-à-dire de les escompter, en valeur présente, et c'est ce que fait l'équation (2). Elle ramène en valeur présente ou valeur actuelle l'ensemble des montants engagés dans le futur pour un taux d'escompte donné r.

4.1.1 Le taux d'escompte

Le taux r dans la formule (2) est le taux d'escompte ou taux auquel on escompte le futur. Ce taux est égal au montant de revenus additionnels, exprimé en pourcentage, que l'on exige en retour d'un sacrifice de consommation. Si un individu A se prive de 1000 $ en une année donnée dans l'espoir de toucher 1050 $ l'année suivante, son taux d'escompte est de 5 % (50 $/1000 $). Si un individu B se prive de 1000 $ en une année dans l'espoir de toucher 1100 $ l'année suivante son taux d'escompte est de 10 %. Le taux d'escompte est le pourcentage minimal de compensation exigé pour se priver de consommation. C'est un taux subjectif et variable d'un individu à l'autre. Certains ont des taux d'escompte très élevés, d'autres beaucoup plus faibles. Dans les deux exemples précédents, si on offrait 1100 $ à l'individu A pour se priver d'un revenu de 1000 $ par année, il accepterait ; en fait, il accepterait de prêter son argent au taux de 5 %. Par contre, si on offrait 1050 $ à l'individu B pour se priver d'un revenu de 1000 $ pendant une année, il refuserait.

La formule (2) permet de comparer les bénéfices aux coûts de la scolarité pour différents taux d'escompte. Si la somme des bénéfices escomptés est égale ou supérieure aux coûts escomptés pour un taux d'escompte donné (par exemple 5 %), l'individu A choisira d'acquérir la scolarité supplémentaire. Si le taux annuel auquel l'individu B escompte le futur est plutôt de 10 % et qu'à ce taux, le ratio bénéfices − coûts est inférieur à l'unité, l'individu en conclura que la poursuite des études n'est pas rentable sur le plan financier[2]. On divise :

$$\sum_{t=n+1}^{N} \frac{R_t}{(1+r)^t} \text{ par } \sum_{t=0}^{n} C_t$$

pour obtenir :

$$B/C = \left(\sum_{t=n+1}^{N} R_t/(1+r)^t\right) \Big/ \left(\sum_{t=0}^{n} C/(1+r)^t\right)$$

En somme, l'opération consiste à calculer différents ratios bénéfices − coûts pour différents taux d'escompte. Les individus dont le taux d'escompte est plus faible opteront pour la poursuite des études, les individus dont le taux d'escompte est le plus élevé opteront pour le travail[3].

4.1.2 Le taux de rendement interne

Le taux de rendement interne de la scolarité est une autre façon d'envisager le même problème. Défini par le taux r (dans la formule (2)) qui égalise la somme des revenus ou bénéfices à la somme des coûts, c'est l'équivalent du taux d'intérêt sur une hypothèque. Tout se passe comme si l'étudiant prêtait le montant C_t (ou $\sum C_t$) à la société et que celle-ci lui remboursait ce capital investi tout au long de sa vie de travail au taux d'intérêt r. À la période N, tout le capital et les intérêts se trouveraient entièrement remboursés. Ce taux de rendement interne, que l'on peut obtenir en faisant diverses simulations sur r jusqu'à ce que

$$\sum_{t=n+1}^{N} \frac{R_T}{(1+r)^t} = \sum_{t=0}^{n} \frac{C_t}{(1+r)^t}$$

(2) B/C est une fonction inverse du taux d'escompte. Pour le visualiser rapidement il suffit de supposer que les coûts se réalisent en une période t = 0. Dès lors, plus r est élevé, plus $R_t/(1+r)^t$ est faible.

(3) Le taux d'intérêt ou l'accès au capital nécessaire pour financer des études entrerait également en ligne de compte dans la décision des individus, d'où la nécessité de bourses ou de prêts pour venir en aide aux étudiants les moins fortunés.

corresponde au taux de rendement ou de retour sur un capital investi. Il peut donc être comparé à d'autres formes d'investissement ou de placement, de même qu'au taux d'intérêt qu'il faut verser pour l'acquérir. Lorsque le taux r ainsi obtenu se compare avantageusement aux projets alternatifs et au taux d'intérêt nécessaire pour l'acquérir, la décision sera positive[4].

La scolarité n'est pas qu'une affaire financière, elle peut comporter des bénéfices qui ne sont pas monétaires, mais qui apportent du bien-être à l'individu. L'acquisition de savoir peut donc être assimilée à de la consommation. La somme des revenus escomptés devrait inclure également des probabilités d'emploi : si ces probabilités s'accroissent avec la scolarité, et c'est généralement le cas, les calculs qui n'en tiennent pas compte sous-estiment la totalité des bénéfices financiers associés à l'acquisition d'une scolarité additionnelle.

4.1.3 Critiques

Un des problèmes de la théorie du capital humain est qu'elle suppose implicitement que l'acquisition de connaissances formelles conduit automatiquement à une productivité supérieure sur le marché du travail. Cette hypothèse a été fortement critiquée. Certains prétendent que la scolarité n'est qu'une *proxy* ou variable reflétant approximativement l'intelligence des individus. D'autres prétendent plutôt que la scolarité n'est qu'un signal d'une capacité individuelle d'atteindre une certaine productivité. Ces différentes hypothèses ont été partiellement testées sur le plan empirique.

a) L'intelligence et la scolarité

Dans le cas de l'intelligence, il est apparu qu'elle constituait un complément à la scolarité plutôt qu'un substitut. Les travailleurs dont les habiletés intellectuelles et pratiques sont plus grandes que les autres rentabilisent davantage les mêmes niveaux de scolarité. Les capacités personnelles ajoutent plutôt qu'elles retranchent au rendement de la scolarité acquise.

Supposons par exemple que les rendements marginaux cumulatifs sur la scolarité sont décroissants (graphique 4.1), alors que les coûts marginaux de la scolarité sont croissants, en raison principalement de salaires de plus en plus élevés auxquels on renonce. Le choix optimal de l'individu se trouvera au point où le coût marginal de la scolarité est égal à son bénéfice marginal.

---

(4)   On suppose que l'individu a les capacités intellectuelles ou autres pour réussir ses études. Plus les études sont difficiles pour atteindre un niveau de performance standard, plus les coûts psychologiques sont élevés.

GRAPHIQUE 4.1
Choix de scolarité, aptitudes et rendements de la scolarité

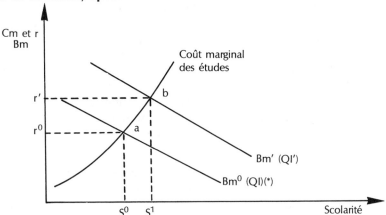

(*) QI = quotient intellectuel.

Supposons maintenant que le rendement de la scolarité s'accroît avec le niveau des capacités personnelles. La courbe de Bm se déplacera donc vers la droite Bm'. Il en résultera un nouvel équilibre b correspondant à un taux de rendement r' sur la courbe Bm' supérieur à r^0 sur Bm^0 de même qu'à un niveau de scolarité $S^1 > S^0$. L'intelligence entrerait en interaction plutôt que de se substituer à la scolarité[5].

b) La scolarité en tant que signal

On peut établir que même en l'absence de gains de productivité, la scolarité et l'éducation jouent un rôle économique positif dans le processus de sélection et dans l'adéquation des travailleurs et des emplois. La théorie des signaux postule par exemple que pour deux catégories de travailleurs ayant des productivités différentes, le degré de scolarité exigé pour certains emplois pourra aider les employeurs à sélectionner la main-d'œuvre adéquate.

Si par exemple le travailleur A a une productivité de niveau 1 et le travailleur B une productivité de 2, en l'absence de filtres ou signaux, les entreprises verseraient tout d'abord un salaire de 1,5 aux deux types de travailleurs. S'apercevant par la suite de la différence, elles essaieraient d'obtenir davantage de travailleurs du type B, ce qui ferait monter leur salaire à 2 et baisser celui des travailleurs de type A au niveau 1. Ce processus d'essais et erreurs est long et dispendieux.

---

(5) Tous les individus sont différents et tous les résultats peuvent se trouver dans le réel observé ; d'autres facteurs expliquent les disparités salariales. Ce type d'analyse théorique ne fait ici que proposer une explication à une observation systématique des faits dans plusieurs pays et à différentes époques et qui donne ce type de résultat observé en moyenne (voir LEIBOWITZ, 1974 ; WELLAND, 1980 ; GRILICHES et MASSON, 1972 ; et WILLIS, 1986). On ne pose pas non plus de jugement.

Si les coûts psychologiques d'acquisition de scolarité (dus à la difficulté des études) sont inversement proportionnels à la productivité, ce sont les travailleurs plus habiles qui pourront choisir un niveau de scolarité plus élevé. En conséquence, les employeurs peuvent être incités à fixer des normes de scolarité comme signal pour sélectionner les travailleurs du type B. Si cet indice était inutile, ils l'abandonneraient ; or l'usage des exigences minimales de scolarité est largement répandu. Dans les faits, il est aussi apparu que l'hypothèse de productivité 0 associée à la scolarité n'était pas en mesure de rendre compte de la réalité observée, dans les secteurs professionnels plus particulièrement (ROSEN, 1977). Dans le cas des programmes de formation générale par ailleurs, la scolarité peut servir, jusqu'à un certain point, d'indice sur le marché du travail[6].

En tout état de cause, quelle que soit la théorie adoptée, les revenus de travail associés à des niveaux de scolarité plus élevés apparaissent régulièrement supérieurs en moyenne aux revenus de travail associés à des niveaux de scolarité inférieurs (graphique 4.2). On remarque cependant dans le graphique que les revenus de travail, quel que soit le niveau de scolarité observé, ont tendance à épouser une forme de U inversé. Ils s'accroissent rapidement tout d'abord, puis de moins en moins rapidement pour diminuer sensiblement par la suite entre 45 et 54 ans jusqu'à l'âge de la retraite. L'âge et l'expérience étant étroitement corrélés, la théorie du capital humain explique pourquoi il en est ainsi de l'évolution des revenus de travail à travers le temps pour une même personne.

GRAPHIQUE 4.2
Observations sur les revenus de travail par âge et par grands niveaux de scolarité

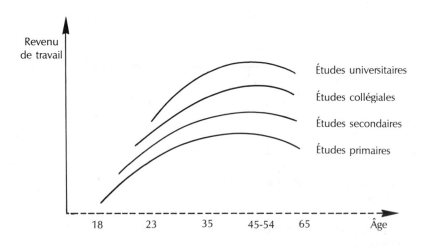

---

(6) Les travaux empiriques menés sur les agriculteurs tendent à montrer qu'en général, les revenus et la gestion des ressources sont meilleurs avec un degré de scolarité détenu ou acquis plus élevé.

4.2 L'EXPÉRIENCE

L'expérience est assimilable à l'acquisition d'un capital humain spécifique à l'entreprise. Contrairement à une formation générale, ce capital humain spécifique n'a de valeur que pour l'entreprise en question. Celle-ci a intérêt à fournir de la formation spécifique, mais comme elle court toujours le risque de perdre les services des personnes ainsi formées, elle cherchera à en partager les bénéfices et les coûts avec elles.

Dans un premier temps, la période d'acquisition d'expérience et de formation spécifique est intense. La productivité du travailleur ou de la travailleuse est alors faible, car il ou elle est occupé à apprendre plutôt qu'à produire, et l'entreprise lui versera tout de même un salaire supérieur à cette productivité. La personne en apprentissage pourra toutefois accepter un salaire inférieur à celui qu'elle aurait touché si elle ne suivait pas ce programme. Le coût pour l'entreprise est donc constitué de l'écart entre le salaire et la productivité du travail (voir C_e, au graphique 4.3). Le coût pour l'apprenti ou l'apprentie est égal à l'écart entre son salaire régulier et son salaire pendant l'apprentissage (voir C_t au même graphique). Pour l'entreprise, le bénéfice de l'apprentissage est donné par l'écart entre la nouvelle productivité du travail et le salaire versé à la personne une fois formée. Pour celle-ci, le bénéfice sera plutôt égal à l'écart entre le salaire qu'elle touche une fois formée et le salaire régulier, c'est-à-dire celui qu'elle aurait touché autrement si elle n'avait pas suivi ce programme d'apprentissage (graphique 4.3).

GRAPHIQUE 4.3
Investissement en formation spécifique

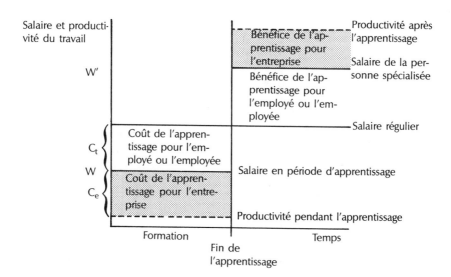

L'expérience étant une forme d'acquisition de formation spécifique, on s'attend donc que, tout comme dans le graphique 4.3, le salaire s'accroisse avec l'expérience, mais cette relation peut s'avérer continue plutôt que discontinue. Au fur et à mesure que s'accumule l'expérience, les accroissements successifs de productivité sont de moins en moins élevés, en accord avec la loi des rendements décroissants. L'incitation aux ajouts au capital humain initial diminue également avec l'âge du travailleur, parce que les bénéfices escomptés de la période de travail après l'investissement sont réduits par l'approche de la retraite. Finalement, comme tout capital, le capital humain se dégrade avec le temps, et les connaissances acquises vieillissent, subissant un taux de dépréciation dont l'effet n'était pas visible en début de carrière. La productivité du travail et le salaire finissent donc par refléter cet ensemble d'influences au fur et à mesure que les travailleurs avancent en âge[7].

Sur un plan plus micro-économique toutefois, il arrive que le salaire plafonne plutôt qu'il ne diminue. Le choix de verser le même salaire à partir d'un certain âge (sommet dans l'échelle suivi d'un plafonnement) amène nécessairement une discordance entre ce salaire et la productivité du travail. Dans ce cas, pour éviter la menace de mise à pied et pour garder l'entreprise profitable, les salaires versés aux travailleurs devraient être inférieurs à leur productivité *en début de carrière*.

GRAPHIQUE 4.4

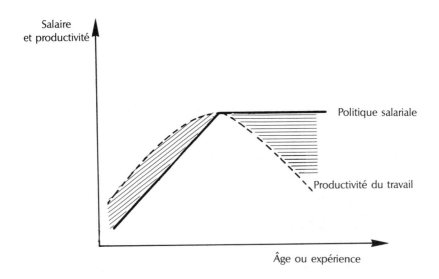

---

(7) La dégradation de la santé peut également constituer un facteur de réduction de la productivité inhérent à l'âge.

Comme le montre le graphique 4.4, l'écart entre la productivité du travail et le salaire versé en début de carrière est du salaire différé qui sera reporté en fin de carrière (pour autant qu'on connaisse assez bien l'âge de la retraite). Ainsi, certains groupes de travailleurs et d'entreprises favorisent des ententes tacites ou explicites définissant le profil de revenus selon l'expérience et l'âge de la retraite. De telles politiques servent l'intérêt des deux parties : le salaire différé favorise la loyauté des travailleurs et des travailleuses vis-à-vis de l'entreprise tout en leur offrant une stabilité de leurs revenus pour la dernière portion de leur vie active.

Dans l'ensemble cependant, cette politique n'est ou ne peut pas être appliquée partout parce que la survie de l'entreprise n'est pas garantie. La mobilité du travail s'effectue au gré des travailleurs ou des employeurs, et les professionnels à leur propre compte connaissent une évolution de leurs revenus de travail étroitement reliée au comportement de leur propre productivité. De façon générale, le profil des revenus avec l'âge ou l'expérience épouse donc une forme de U inversé, qui mathématiquement peut s'écrire :

$$W = a_0 + a_1 \exp + a_2 \exp^2 \text{ tel que } a > 0 \text{ et } a_2 < 0^{(8)} \tag{1}$$

---

(8) Pour comprendre cette formulation, calculer l'équation et en tracer la représentation graphique en indiquant le salaire en ordonnée et l'expérience en abscisse : $W = 10\,000 + 1000 \exp - 50 \exp^2$.
$\exp = 1$ implique $W = 10\,000 + 950 = 10\,950$;
$\exp = 10$ implique $W = 10\,000 + 10\,000 - 5000 = 15\,000$;
$\exp = 20$ implique $W = 20\,000 + 10\,000 - 20\,000 = 10\,000$.
L'équation (1) représente donc une fonction quadratique dont un terme fait augmenter le salaire (exp) et l'autre tend à le faire diminuer. Parce que $\exp^2$ s'accroît plus rapidement que exp, cette seconde variable finit par l'emporter sur l'effet de la première.

CHAPITRE 5
Les disparités salariales entre les hommes et les femmes

Dans les faits, on trouve généralement que la rémunération des femmes est sensiblement inférieure à celle des hommes. Pour de grandes catégories professionnelles données (administration, vente, emplois de bureau, etc.) et pour des emplois réguliers à plein temps, l'écart salarial entre les hommes et les femmes se situe en moyenne à 40 %[1]. Plusieurs facteurs sont invoqués pour expliquer cette importante différence, dont :

1— les différences dans les attributs reliés à la rémunération ou à la productivité du travail,

2— les goûts et les préférences discriminatoires,

3— la discrimination statistique,

4— la ségrégation sur les marchés du travail.

5.1 LES DIFFÉRENCES D'ATTRIBUTS

Parmi les attributs reliés à la rémunération du travail, on peut distinguer, d'une part les attributs positifs reliés à la scolarité, à l'expérience, à l'appartenance syndicale et aux heures de travail, et d'autre part les attributs négatifs reliés au taux d'absentéisme et au roulement de la main-d'œuvre. À sa façon, chacun de ces attributs peut influencer la productivité du travail et donc le salaire versé par les employeurs.

En ce qui a trait à la comparaison des hommes et des femmes sur le marché du travail, on a pu noter que les attributs positifs étaient plus faibles chez les femmes que chez les hommes alors que les facteurs ou attributs négatifs étaient plus élevés. Le niveau moyen de scolarité et d'expérience, le taux de syndicalisation et le nombre d'heures travaillées sont tous plus hauts chez les

---

(1) Cette mesure est communément retenue dans les travaux empiriques sur la question (EHRENBERG et SMITH, 1985 ; GUNDERSON et RIDDELL, 1988 ; ONTARIO, 1985).

hommes que chez les femmes, alors que le roulement de la main-d'œuvre et le taux d'absentéisme sont plus élevés chez les femmes que chez les hommes. Une partie de la différence salariale observée entre ces deux groupes peut donc s'expliquer par ces points.

Ces facteurs paraissent tout à fait objectifs ; dans les faits cependant, ils sont, en partie tout au moins, dus à la répartition des tâches au foyer. Tant et aussi longtemps que les femmes se verront confier la quadruple responsabilité du travail, des tâches ménagères, de l'éducation et des soins de santé à apporter aux enfants, on peut s'attendre que les heures consacrées à leur travail et les années d'expérience accumulées seront plus faibles que chez les hommes alors que leur taux de roulement et d'absentéisme seront plus élevés.

De plus, à titre d'effet secondaire ou indirect d'une telle inégalité dans la répartition des tâches, leur éducation et leur syndicalisation seront d'autant plus réduites que leur participation au marché du travail s'avère discontinue et aléatoire. Nous avons déjà démontré l'importance de la continuité du travail (somme des revenus étalés dans le temps) pour toucher les pleins rendements de l'éducation. Dans le cas de la syndicalisation, on peut également considérer qu'il s'agit d'un investissement en mesure de rapporter des bénéfices étalés dans le temps (protection contre l'arbitraire de l'employeur, avantages sociaux, fonds de pension, etc.). Si les rendements attendus de ces investissements sont plus faibles, ces investissements seront eux-mêmes plus faibles.

En somme, des facteurs apparemment objectifs de disparités salariales à l'intérieur des marchés du travail se révèlent rapidement le reflet d'une discrimination extérieure à ces marchés. Les différences dans les attributs reliés à la rémunération ou à la productivité du travail comptent pour plus de 50 % de l'écart salarial observé entre les hommes et les femmes : 16 % (sur 40 %) sont attribuables aux différences dans les heures de travail (à l'exclusion du travail à temps partiel), 5 à 10 % sont attribuables aux autres facteurs de rémunération (ONTARIO, 1985 ; EHRENBERG et SMITH, 1985).

5.2 LES GOÛTS ET PRÉFÉRENCES DISCRIMINATOIRES

Selon cette théorie, les employeurs, mais ce pourrait tout aussi bien être les travailleurs ou même les consommateurs (pour les professions qui impliquent un contact direct avec les consommateurs) ont un penchant pour la discrimination : leur satisfaction ou leur bien-être est plus faible en présence de travailleurs envers lesquels s'exerce une discrimination. En conséquence, les employeurs ne voudront pas embaucher de ces travailleurs, ou encore ils accepteront de les embaucher mais à un prix moindre (pour compenser leur perte d'utilité). Le premier cas (refus d'embaucher) mène à la ségrégation sur le marché du travail ; les travailleurs rejetés sont refoulés sur les autres marchés du travail, où se crée alors un surplus de l'offre par rapport à la demande. Le second cas relève de la discrimination salariale directe ; tout se passe comme si le coût du travail pour ce type de travailleurs (C^D) était plus élevé que leur taux de salaire (W^D). Écrivons :

$$C^D = W^D (1 + \delta) \text{ où } \delta = \text{ le taux de discrimination, } 0 < \delta < 1 \quad (1)$$

Dans ces conditions, pour que le coût du travail des travailleurs victimes de discrimination (C^D) soit égal à celui des autres travailleurs (C^{ND}), et pour $C^{ND} = W^{ND}$, le salaire de ces derniers. Il faut que :

$$W^D(1 + \delta) = W^{ND} \quad (2)$$

c'est-à-dire que :

$$W^D = \frac{W^{ND}}{(1 + \delta)} \quad (3)$$

soit que $W^D < W^{ND}$ pour $\delta > 0$ \quad (4)

Le salaire des travailleurs victimes de discrimination sera inférieur à celui des autres travailleurs d'un montant correspondant à la proportion δ. Voilà la théorie de la discrimination pure telle que proposée par BECKER (1971). Encore faut-il cependant que l'employeur ait la capacité ou le pouvoir d'administrer cette forme de discrimination[2].

5.3 LA DISCRIMINATION STATISTIQUE

La discrimination statistique est une autre forme de discrimination. Elle ne porte pas sur les goûts et les préférences comme la précédente, mais plutôt sur la perception qu'ont les employeurs de la productivité des travailleurs. Dans ce cas, l'employeur n'a pas nécessairement d'aversion pour les groupes victimes de discrimination, il croit tout simplement qu'ils ont une productivité plus faible que les autres travailleurs. Sa décision quant à l'embauchage ou à la rémunération se fonde alors sur des stéréotypes ou des statistiques globales qu'il ne prend pas la peine de vérifier chez le candidat ou la candidate à qui il a

---

(2) Cette forme de discrimination est plus facile à administrer en situation de concurrence imparfaite (oligopole ou monopole) qu'en situation de concurrence, où cela devient strictement impossible. En effet, en situation de concurrence le mécanisme de surenchère mène à la parité salariale pour des travailleurs et travailleuses comparables. Les oligopoles sont des situations de marché où peu d'entreprises contrôlent tout le marché. Dans un monopole, une seule entreprise contrôle tout le marché. Les marchés n'étant pas toujours parfaits, il pourra toujours exister des enclaves où la discrimination se pratique.

affaire[3]. Cela équivaut à la discrimination pure explicitée antérieurement. La valeur de la productivité marginale attendue des membres de groupes victimes de discrimination est supposée inférieure à celle des autres travailleurs :

$$\frac{D}{Vpm} = \frac{ND}{Vpm}(1 - \delta) \tag{5}$$

La règle de l'ajustement du salaire à la valeur de la productivité marginale estimée fait donc que le salaire des travailleurs subissant la discrimination sera inférieur d'un montant correspondant à $Vpm^{ND}\,\delta$ à celui des autres travailleurs. On estime à quelque 5 % sur 40 % (12,5 %), la part des effets de discrimination pure ou de discrimination statistique (ONTARIO, 1985). Si on définit la discrimination salariale pure et interne au marché du travail comme étant le fait d'attribuer une valeur (négative dans ce cas) à des caractéristiques ou traits, par exemple le sexe, complètement indépendants de la productivité du travail, c'est à ce titre et à ce titre seulement que le facteur sexe est une source interne de disparité salariale sur le marché du travail.

5.4 LA SÉGRÉGATION SUR LES MARCHÉS DU TRAVAIL

La ségrégation sur les marchés du travail est un phénomène non négligeable. Malgré les changements importants qui se manifestent à travers le temps, certains marchés du travail restent fort segmentés par rapport au sexe. Il reste encore des emplois majoritairement dominés par les hommes (cols bleus municipaux, ouvriers de la construction, travailleurs des mines, ingénieurs, gérants de banques, etc.) et des emplois majoritairement occupés par les femmes (secrétaires, commis de bureau, infirmières, caissières, diététistes, etc.). De plus, la proportion des femmes dans les emplois à plus faibles salaires (services, commerce, textile) est beaucoup plus grande que celle des hommes, ou encore que leur représentation dans l'emploi total. En somme, tout se passe comme si le marché du travail des femmes était congestionné par un surplus de l'offre par rapport à la demande (graphiques 5.1a et 5.1b) : À demande égale, il y a engorgement du marché B comparativement au marché A.

Les causes de la ségrégation sur les marchés du travail sont nombreuses. Elle peut résulter du phénomène de la discrimination vu précédemment, les

---

(3) Ce type de pratique est fort répandu dans le domaine des affaires (finances, assurances, prêts hypothécaires) ; pour minimiser les coûts d'information, le décideur se fiera à des caractéristiques externes (état matrimonial, âge, etc.). Pour le recrutement de la main-d'œuvre, on pourra considérer l'école ou l'établissement d'où provient le candidat ou la candidate, ou consulter les réseaux d'information. Ceux qui ont une certaine aversion pour le risque préféreront des dossiers en provenance de groupes ou d'établissements qu'ils ont déjà fréquentés et qui comportent pour eux des signaux plus clairs. Ces réseaux prennent du temps avant de se former et de se consolider. Dans ces cas, les coûts privés sont réduits, mais pas nécessairement les coûts sociaux, car les travailleurs victimes de discrimination se voient refuser des emplois pour lesquels ils pourraient être très performants.

employeurs refusant d'embaucher des femmes dans leur entreprise ou pour certaines occupations. Elle peut venir de barrières artificielles à l'entrée des femmes dans certaines occupations (taille, force, poids, etc.), des coutumes sociales, des goûts et des préférences des hommes et des femmes pour les différentes professions, de l'éducation familiale, des différences dans les aptitudes innées ou acquises, ou des différences dans les contraintes et les bénéfices attendus des diverses occupations. De plus, si les femmes font majoritairement partie d'un marché du travail secondaire où les emplois sont instables, la ségrégation tendra non seulement à exister, mais également à se perpétuer. Enfin, la ségrégation sur le marché du travail compte pour 25 % (10 % de 40 %) de l'écart salarial entre les hommes et les femmes.

GRAPHIQUE 5.1a   **GRAPHIQUE 5.1b**
Marché A   **Marché B**
Marché du travail des hommes   **Marché du travail des femmes**

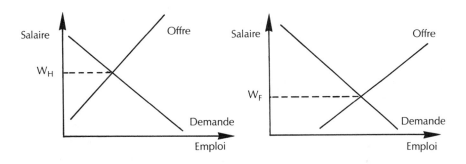

5.5 LES LOIS ET PROGRAMMES

Dans les faits, diverses lois, règlements, programmes et initiatives ont été instaurés pour enrayer la discrimination.

Les lois interdisant la discrimination à l'emploi lors du recrutement, de l'embauchage, des promotions ou des congédiements ou les lois garantissant l'égalité des chances d'emploi font partie des chartes des droits. La Commission des droits de la personne est l'organisme chargé de gérer ces lois.

Les lois interdisant la discrimination salariale sont de deux sortes. Les premières interdisent la discrimination salariale pour des emplois identiques ou largement similaires : on ne peut pas payer un cuisinier homme plus qu'un cuisinier femme. Les deuxièmes favorisent une rémunération égale pour des emplois équivalents ou dits de valeur égale. Dans ce cas, la comparaison interoccupationnelle est permise. Ce dernier type de lois, adoptées beaucoup plus récemment, implique habituellement le recours à la méthode d'évaluation des emplois. Cette méthode consiste principalement à accorder des points puis à pondérer quatre facteurs principaux : les qualifications, le degré de responsabilités, l'effort physique et intellectuel et les conditions de l'environnement (bruits, poussières, chaleur, froid, risques pour la santé et la sécurité au travail, etc.).

Les lois de premier type, qui interdisent la discrimination salariale intra-occupationnelle, tout comme les lois interdisant la discrimination à l'emploi, sont d'une efficacité restreinte et atteignent assez mal leur but. Les procédures sont coûteuses et embarrassantes pour les plaignantes et leur issue s'avère plutôt incertaine : la démonstration peut être difficile à établir ou à contrefaire, le processus est lent, l'employeur contrôle les définitions de tâches et l'organisation de la production, les pénalités sont parfois insuffisantes.

Par contre, la seconde procédure, lorsqu'elle a été appliquée et évaluée, semble donner des résultats supérieurs. Les salaires des travailleuses ont été haussés substantiellement et, dans les secteurs publics où elle a été appliquée tout au moins, l'effet négatif d'une telle hausse sur l'emploi s'est avéré relativement faible. Les effets à plus long terme toutefois ont été assez peu étudiés si ce n'est en Australie, où il a été trouvé que l'emploi féminin ne s'était accru qu'à un rythme de 3 % par année sur la période 1972-1978 au lieu des 4,5 % attendus. On attribue ce manque à gagner au relèvement du ratio des salaires des femmes par rapport à celui des hommes (de 0,774 à 0,933)[4].

Les programmes d'action positive constituent par ailleurs une autre forme d'action dite proactive. Ils consistent essentiellement à exiger de la part de certaines firmes certains quotas de personnel féminin (ou de divers groupes minoritaires) et un plan d'action ou de planification à moyen terme permettant le rattrapage des femmes dans le mécanisme des promotions. Ce type d'action aussi appelé *discrimination positive* s'est avéré efficace là où il a été appliqué[5]. L'emploi et la rémunération des femmes se sont améliorés substantiellement et dans des délais relativement courts.

Cette forme d'action comporte plusieurs avantages. Premièrement, elle est plus rapide que les politiques qui consistent à donner des chances égales aux femmes, à changer les attitudes et à encourager la mobilité du travail[6].

(4) Source : GREGORY et DUNCAN, 1981.

(5) Aux États-Unis, un tel programme existe depuis 1965 pour les entreprises qui font affaire avec l'État fédéral. Celles-ci doivent voir leur plan d'action approuvé par les autorités gouvernementales si elles veulent continuer de bénéficier de leurs transactions avec l'État. Au Canada, le gouvernement fédéral a adopté une loi incitant les entreprises sous sa juridiction (téléphone, transports, etc.) à développer des plans d'action.

(6) Non pas que l'on doive décourager ces politiques, mais plutôt que leur effet porte à plus long terme. Mentionnons à cet égard la subvention des garderies, les congés parentaux, les heures flexibles accessibles aux hommes comme aux femmes, qui sont toutes des politiques qui facilitent l'accès au marché du travail aux femmes qui le désirent.

Deuxièmement, elle entraîne directement ou force la mobilité occupation-nelle, contrairement aux programmes de salaires égaux pour des emplois équi-valents qui risquent même de l'empêcher temporairement. Troisièmement, l'action positive soutient et développe la demande de travail pour les femmes, ce qui entraîne par la même occasion des effets immédiats et positifs sur leur rémunération. De telles actions ou interventions peuvent donc être qualifiées à la fois d'efficientes et d'efficaces. Leur principal inconvénient est de resserrer davantage les standards de compétition chez les travailleurs masculins.

ANNEXE
Les effets de la concurrence imparfaite

Jusqu'à présent, notre analyse de la détermination de l'emploi et des salaires sur les marchés du travail laissait entendre qu'il y avait un certain degré de concurrence. L'entreprise prenait le taux de salaire comme une donnée et déterminait son niveau d'emploi en conséquence. Le salaire, pour sa part, était déterminé sur le marché du travail, c'est-à-dire à l'extérieur de l'entreprise, et dépendait des conditions de l'offre et de la demande. Dans le cas de la discrimination salariale toutefois, il devait exister un minimum de concurrence imparfaite pour qu'elle existe, et surtout qu'elle persiste. L'imperfection de l'information et la mobilité imparfaite de la main-d'œuvre[7] sont deux sources d'explication de l'inégalité des salaires.

Cette annexe va un peu plus loin dans l'analyse de la concurrence imparfaite et considère plus particulièrement deux grandes formes d'imperfections : les monopsones et les monopoles.

A. Les monopsones

Un monopsone peut être défini par une entreprise qui représente le seul ou le principal employeur d'un type de main-d'œuvre. Pour qu'il y ait un monopsone, il faut que les travailleurs soient absolument captifs de cette entreprise. Ils ne sont pas au courant de meilleures occasions d'emploi ailleurs ou ne peuvent y accéder.

Dans ces conditions, l'employeur, plutôt que de faire face à une offre de travail parfaitement élastique au taux de salaire courant pratiqué sur le marché, fait face à une courbe d'offre de travail à pente positive (graphique 5.2). Il sait exactement combien il doit payer pour s'attirer la quantité de travail souhaitée. En l'absence de politique de salaire minimum, un salaire de 1 $ l'heure attirerait 1 unité de travail. Un salaire de 1,50 $ l'heure en attirerait 2, et ainsi de suite pour des salaires et des quantités de travail variant respectivement de 2 $ à 3 $ (tableau 5.1).

Dans ces conditions, le coût marginal du travail n'est plus le taux de salaire en cours sur le marché, ni le salaire qu'il faut payer au travailleur additionnel pour l'attirer dans son entreprise. Le coût marginal du travail est égal au prix d'offre plus l'augmentation de salaire que devra verser l'employeur aux autres travailleurs pour les garder à son service.

---

(7) L'ampleur et l'importance relative de ces facteurs sont toutefois difficilement mesurables. À l'heure actuelle, nous ne connaissons pas de travaux de vérification empirique qui ont pu tester et quantifier ces facteurs de disparité.

GRAPHIQUE 5.2
Le cas du monopsone

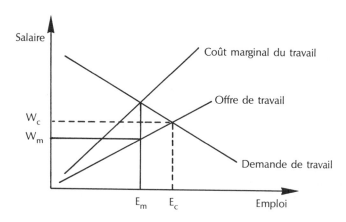

Pour embaucher un travailleur, l'entreprise devra verser 1 $ l'heure : le coût marginal du travail est égal à 1 $. Pour embaucher un deuxième travailleur, l'entreprise devra lui verser 1,50 $ l'heure afin de l'attirer dans son entreprise. Néanmoins, le 0,50 $ supplémentaire pour ce deuxième travailleur devra s'appliquer également à la paie du premier travailleur, de sorte que le coût réel du deuxième travailleur est égal à 1,50 $, plus le 0,50 $ d'augmentation de salaire à verser au premier travailleur. Le coût marginal du travail est donc de 2 $ l'heure.

Dans le cas du troisième travailleur, l'entreprise devra également majorer son salaire de 0,50 $. Le prix d'offre à verser pour obtenir les services de ce travailleur est de 2 $ l'heure. Le coût marginal du travail associé à l'embauchage du troisième travailleur est de 3 $, soit 2 $ pour le troisième travailleur et 0,50 $ d'augmentation pour les deux premiers.

En somme, le coût marginal du travail apparaît comme une fonction à pente positive située au-dessus de la courbe d'offre de travail et plus inélastique que cette dernière puisque les augmentations de salaire s'appliquent à des nombres de plus en plus élevés au fur et à mesure que doit s'accroître l'embauche (voir colonnes (3) et (4) du tableau 5.1).

Dès lors, pour une demande de travail (D) égale à la valeur de la productivité marginale (Vpm), le niveau d'emploi qui maximise les profits de l'entreprise s'établit à partir du point de rencontre entre la courbe de coût marginal du travail (Cmt) et la courbe des valeurs de la productivité marginale (Vpm). Le niveau d'emploi E_m ainsi arrêté par le monopsone (graphique 6.1) apparaît déjà inférieur à celui qui aurait été fixé par celui de la concurrence (E_c) au point de rencontre entre l'offre et la demande.

TABLEAU 5.1
Coût marginal du travail

(1) Quantités de travail	(2) Taux de salaire ou prix d'offre	(3) Coût marginal du travail (Cmt)	(4) Écart entre le Cmt et le prix d'offre (3) − (2)
1	1,00 $	1,00 $	0 $
2	1,50 $	1,50 $ + 0,50 $ = 2,00 $	0,50 $
3	2,00 $	2,00 $ + (2 × 0,50 $) = 3,00 $	1,00 $
4	2,50 $	2,50 $ + (3 × 0,50 $) = 4,00 $	1,50 $
5	3,00 $	3,00 $ + (4 × 0,50 $) = 5,00 $	2,00 $

Le salaire, pour sa part, ne sera pas fixé par la rencontre du coût marginal du travail et de la demande de travail, non plus que la rencontre de l'offre et de la demande sur le marché du travail. Il sera fixé strictement à partir de l'offre de travail pour le point correspondant au niveau d'emploi fixé ou arrêté par le monopsone. Pourquoi en est-il ainsi ? Parce que le monopsone n'a pas besoin de verser un salaire supérieur pour attirer la quantité souhaitée de travail. L'offre de travail lui donne exactement ce qu'il doit payer pour s'attirer cette quantité souhaitée de travail. Le salaire de monopsone W_m ainsi fixé apparaît lui aussi inférieur au salaire W_c qui aurait prévalu en situation de concurrence sur les marchés du travail. En conséquence, à l'intérieur du modèle du monopsone, les niveaux d'emploi et de salaire sont tous deux inférieurs à ceux de la concurrence. La différence entre le salaire de concurrence et celui de monopsone peut être qualifiée d'exploitation du travail.

Ce sont surtout les effets de salaire qui ont été testés sur le plan empirique, pour des catégories de travailleurs appartenant principalement au secteur public tels les enseignants, les infirmières, les policiers et les pompiers non syndiqués. Les conditions pour que se matérialisent les effets de monopsones (information et mobilité parfaitement imparfaites) sont tellement exigeantes qu'il n'est pas surprenant de trouver peu de cas probants.

B. Les monopoles

Un monopole peut être défini par une entreprise qui représente le seul vendeur d'un bien ou d'un service particulier. Pour qu'il y ait monopole, il faut que les consommateurs soient absolument captifs de cette entreprise et qu'il n'y ait aucune autre possibilité.

Dans ces conditions, l'élasticité de la demande pour le produit n'est plus parfaitement élastique au prix courant fixé sur le marché, et la courbe de demande est à pente négative (graphique 5.3). L'entreprise sait exactement combien elle doit charger au consommateur pour écouler son produit. Un prix de 1 $ l'unité lui permettrait de vendre 5 unités, un prix de 1,50 $, 4 unités seulement, et ainsi de suite pour des politiques de prix et des quantités vendues variant respectivement de 2 $ à 3 $ et de 3 à 1 unité (tableau 5.2).

GRAPHIQUE 5.3
Le cas du monopole

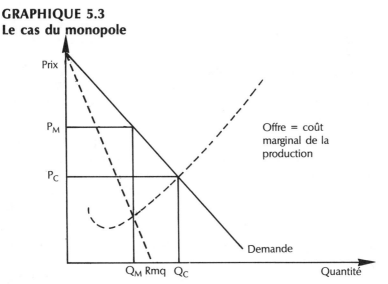

TABLEAU 5.2
Revenu marginal de la production

(1) Quantités produites et vendues	(2) Prix	(3) Revenu marginal de production (Rmq)	(4) Écart entre le prix de demande et le Rmq (2) − (3)
1	3,00 $	3,00 $	0 $
2	2,50 $	2,50 $ − 0,50 $ = 2,00 $	0,50 $
3	2,00 $	2,00 $ − (2 × 0,50 $) = 1,00 $	1,00 $
4	1,50 $	1,50 $ − (3 × 0,50 $) = 0 $	1,50 $
5	1,00 $	1,00 $ − (4 × 0,50 $) = (1,00 $)	2,00 $

Dans ces conditions, le revenu marginal de la production n'est plus égal au prix du produit. Le revenu marginal de la production est égal au prix du produit moins la baisse du prix qu'il faut consentir pour écouler une plus grande production.

Pour vendre une unité de production, l'entreprise peut charger un prix de 3 $ au consommateur : son revenu marginal de production est égal à 3 $. Pour écouler une seconde unité de production, elle devra consentir une réduction de son prix (p. ex. 2,50 $) ; la baisse de prix ainsi consentie devra toutefois s'appliquer à toutes les unités vendues. Le revenu additionnel net résultant de la vente d'une seconde unité du produit est donc égal à 2,50 $ moins le 0,50 $ de sacrifice que doit faire l'entreprise sur la vente du premier article. Le revenu marginal de production est alors égal à 2 $.

Dans le cas de la vente d'une troisième unité, l'entreprise devra également réduire son prix de 0,50 $, obtenant donc 2,00 $. Mais, à moins qu'il s'agisse d'un monopole parfaitement discriminant (prix différent pour chaque consommateur ou groupe de consommateurs), ce prix sera aussi celui qu'elle touchera pour les autres unités vendues. Le revenu marginal associé à la production de la troisième unité est donc égal à 1 $ (2 $ pour la troisième unité moins 0,50 $ sur les deux autres unités vendues).

En somme, la courbe du revenu marginal de la production (Rmq) apparaît comme une fonction à pente négative au-dessous de la courbe de la demande pour le produit et plus inélastique que cette dernière en raison du fait que les baisses de prix s'appliquent à des quantités de plus en plus grandes au fur et à mesure que s'accroît la production (voir colonnes 3 et 4 du tableau 5.2).

Dès lors, pour un coût marginal de production (Cmq) égal à l'offre (O), le niveau de production qui maximise les profits de l'entreprise s'établit à partir du point de rencontre entre la courbe de coût marginal de production (Cmq) et la courbe du revenu marginal de la production (Rmq). Le niveau de production Q_M ainsi défini par le monopole (graphique 5.3) s'avère inférieur à celui qui aurait été fixé par la concurrence (Q_c) au point de rencontre entre l'offre et la demande pour le produit.

Le prix du produit n'est pas non plus fixé au point de rencontre entre les courbes de Cmq et de Rmq, mais bien, à partir de la demande pour le produit strictement, au point correspondant au niveau de production fixé ou arrêté par le monopole. Le prix des produits fixé par un monopole (P_M) apparaît alors supérieur au prix de concurrence (P_C). C'est ce prix (P_M) que l'entreprise peut charger au consommateur pour écouler son produit. En conséquence, le niveau des prix fixé à l'intérieur du monopole est supérieur aux prix de concurrence, mais la quantité de biens et services produite par les entreprises en monopole est inférieure à celle qui aurait été produite autrement. Les monopoles, laissés à eux-mêmes, ont tendance à faire payer plus cher et à rendre moins de services à la population.

Une telle structure sur le marché des produits a des répercussions sur le marché du travail. La demande de travail ne sera plus égale à la valeur de la productivité marginale mais plutôt au revenu marginal du travail. Le revenu marginal du travail est pour sa part égal au revenu marginal de la production multiplié par la productivité marginale du travail. La courbe de revenu marginal du travail est inférieure et plus inélastique que celle de la valeur de la productivité marginale.

Remplaçons les quantités produites et vendues du tableau 5.2 par des chiffres sur la quantité de travail (colonne 1) et la productivité marginale du travail (colonne 2). Si la valeur de la productivité marginale du travail (colonne 5) est égale au prix du produit (colonne 3) multiplié par la productivité marginale du travail (colonne 2) alors que le revenu marginal du travail est égal au revenu marginal de production (habituellement *plus petit que le prix du produit*, colonne 4) multiplié par la productivité marginale (qui reste la même, colonne 2), il s'ensuit automatiquement que le revenu marginal du travail (colonne 6) est inférieur à la valeur de la productivité marginale (colonne 5).

TABLEAU 5.3
Revenu marginal du travail et valeur de la productivité marginale

(1) Quantités de travail	(2) Productivité marginale	(3) Prix du produit	(4) Revenu marginal de production	(5) Valeur de la productivité marginale (2) × (3)	(6) Revenu marginal du travail (4) × (2)
1	10	3,00 $	3,00 $	30,00 $	30,00 $
2	9	2,50 $	2,00 $	22,50 $	18,00 $
3	8	2,00 $	1,00 $	16,00 $	8,00 $
4	7	1,00 $	0 $	7,00 $	0 $

Source des colonnes 3 et 4 : colonnes 2 et 3 du tableau 5.2.

GRAPHIQUE 5.4
Revenu marginal du travail (Rmt) et emploi

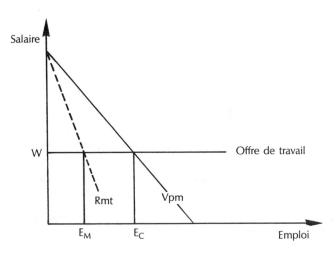

Si le monopole sur le marché des produits est en concurrence sur le marché du travail, cela ne change en rien le prix du travail. Le salaire reste le même quel que soit le niveau de concurrence sur le marché des produits. L'offre de travail est parfaitement élastique suivant le taux de salaire courant sur le marché du travail (graphique 5.4). Le niveau de l'emploi E_M s'avère cependant sensiblement inférieur à celui observé en situation de concurrence. La présence d'un monopole peut influencer le niveau de l'emploi à la baisse, mais elle n'influence pas directement le niveau des salaires[8].

EXERCICE

Reconstituer une situation où l'entreprise est en monopole sur le marché des produits et en monopsone sur le marché du travail. Comparer cette situation à celle de la concurrence et du monopsone pur.

---

(8) Le fait que la demande de travail soit plus inélastique qu'en situation de concurrence peut toutefois avoir un rôle à jouer dans le processus de fixation des salaires en présence d'un syndicat. Cet autre aspect de la question sera abordé dans un chapitre ultérieur.

On peut noter également qu'il n'y a pas que des situations de monopoles parfaits d'un côté et des situations de concurrence pure et parfaite de l'autre. Des situations intermédiaires peuvent se présenter lorsque le produit est légèrement différencié d'une entreprise à l'autre (marques de savons, produits analgésiques, parfums, etc.), ou autre lorsqu'il n'y a que deux (duopole) ou très peu (oligopole) d'entreprises en concurrence. Chacune de ces situations s'apparente à celle du monopole pour la fixation des prix, de la production, de l'emploi et des salaires.

CHAPITRE 6
L'effet syndical

Le syndicalisme est une institution importante sur les marchés du travail. Il influence, directement ou indirectement, de 30 % à 40 % de la main-d'œuvre canadienne ou québécoise.

Le syndicalisme, à plusieurs égards, peut influencer les diverses facettes du milieu et des conditions de travail. Dans un premier temps toutefois, pour ne pas perdre de vue l'objectif que nous nous sommes fixé, à savoir l'étude des principaux facteurs de disparités salariales sur les marchés du travail, nous limiterons notre analyse du syndicalisme à son effet sur les salaires de même qu'aux modèles et à la théorie qui permettent de l'expliquer[1].

Dans un tel contexte, sur le plan de l'analyse économique, nous pouvons considérer tout d'abord que la décision de demeurer syndiqué ou d'ahérer à un syndicat dépend strictement d'un calcul des bénéfices et des coûts associés à la syndicalisation. Tout comme pour un actif, on peut supposer que les bénéfices et les coûts s'étalent d'une certaine façon à travers le temps, suivant cette formule :

$$\sum \frac{R_t}{(1 + r)^t} > \sum \frac{C_t}{(1 + r)^t} \tag{1}$$

où

R_t = revenus ou bénéfices de la syndicalisation,

C_t = coût de la syndicalisation, et

r = taux annuel auquel on escompte le futur.

Les coûts de la syndicalisation se composent de coûts fixes et de coûts variables. Les coûts fixes sont ceux de l'implantation et l'organisation syndicale (dépenses d'infrastructure, approche personnelle, argumentation, démarches légales, dossiers et documents d'information). Les coûts variables sont ceux de la cotisation syndicale prélevée directement par l'employeur pour le compte du syndicat.

Dans la mesure où les coûts de la syndicalisation sont positifs ou non nuls, il s'ensuivra, pour respecter les termes de l'équation (1), que la somme

---

(1) La deuxième partie de ce volume est réservée à l'analyse économique du syndicalisme dans son ensemble.

des revenus escomptés et actualisés devra elle aussi être positive. Si on définit alors les revenus escomptés (R_t) par l'écart salarial entre les travailleurs syndiqués (W^s) et les travailleurs non syndiqués (W^{ns}), il s'ensuivra automatiquement que W^s devra être plus grand que W^{ns}, c'est-à-dire que, toutes choses égales par ailleurs, le salaire des travailleurs syndiqués sera supérieur à celui des non-syndiqués.

6.1 L'EFFET DE POUVOIR

Encore faut-il, cependant, que les syndicats aient le pouvoir de générer cette différence de salaires entre les travailleurs syndiqués et les travailleurs non syndiqués. Ce pouvoir leur est conféré par leur monopole de représentation, car le syndicat dûment accrédité est le seul à pouvoir négocier les conditions de travail pour les travailleurs qu'il représente, mais surtout par la menace d'un arrêt de travail. Pour les travailleurs qu'il représente, un syndicat a le pouvoir de retirer de façon massive et concertée toute l'offre de travail à un employeur.

Le modèle ou la théorie du monopole syndical suppose donc que les syndicats ont la capacité de tronquer l'offre de travail à partir d'un taux de salaire W^s supérieur au salaire d'équilibre W^e sur le marché du travail : en dessous du salaire W^s, aucun travailleur n'offrira ses services de travail à l'employeur (graphique 6.1). Dans ce modèle, le syndicat fixe les conditions salariales (W^s), et l'entreprise fixe les conditions de l'emploi (E^s). Mais là ne s'arrête pas l'effet du syndicalisme sur les salaires.

GRAPHIQUE 6.1
L'offre de travail en présence d'un syndicat

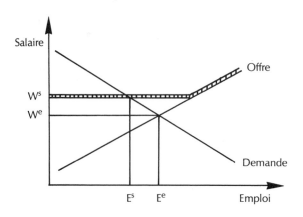

6.2 L'EFFET DE MARCHÉ

Comme l'indiquent les graphiques 6.2a et 6.2b, la poussée qu'exercent les syndicats sur les salaires a pour effet de réduire l'emploi à un niveau (E^s) inférieur à ce qu'il serait autrement (E^e).

GRAPHIQUE 6.2a
Marché A

GRAPHIQUE 6.2b
Marché B

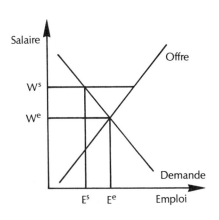

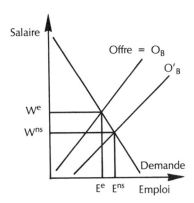

Le surplus de main-d'œuvre ainsi engendré sur le marché A syndiqué (E^e − E^s) est refoulé sur le marché B (non syndiqué). Il en résulte un accroissement de l'offre de travail (O'_B plutôt que O_B) sur le marché B et un nouveau niveau de salaire d'équilibre W^{ns} pour l'ensemble des travailleurs non syndiqués. L'écart salarial total observé entre les travailleurs syndiqués et les travailleurs non syndiqués (W^s − W^{ns}) se compose donc de deux effets : un effet de pouvoir (W^s − W^e) et un effet de marché (W^e − W^{ns}).

C'est la façon dont la théorie néo-classique du fonctionnement des marchés du travail explique l'écart salarial observé, toutes choses égales par ailleurs, entre les travailleurs syndiqués et les travailleurs non syndiqués. En moyenne, cet écart se situe à 15 %. Il est variable d'une profession à une autre (plus élevé pour les cols bleus que pour les cols blancs, par exemple) de même que selon le niveau de compétence (plus faible, et même négatif, au fur et à mesure que celui-ci s'accroît[2].

---

(2) Cet effet non expliqué dans la théorie précédente est attribuable au fait que le syndicalisme comprime la structure salariale (SIMPSON, 1985).

CHAPITRE 7
La théorie hédonique des salaires

La théorie hédonique des salaires suppose que les individus sont principalement à la recherche de plaisirs. Pour accepter un emploi qui comporte des désagréments, il faudra donc leur verser une différence de salaire compensatoire. Comme le montre le graphique 7.1, on suppose que pour maintenir un niveau d'utilité constant, le salaire doit être une fonction directe et positive de l'intensité du désagrément lié à différents emplois.

GRAPHIQUE 7.1
Salaire et quantité de désagréments

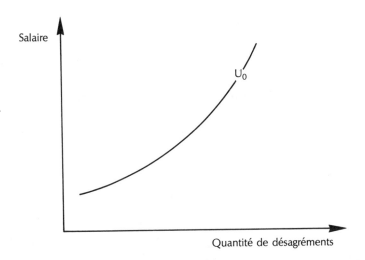

Comme dans la plupart des circonstances toutefois, le salaire n'est pas déterminé seulement par les préférences des travailleurs, il importe de considérer également le comportement des employeurs. Dans l'analyse qui suit nous considérerons les préférences des travailleurs dans un premier temps, le comportement des employeurs dans un deuxième temps, puis l'équilibre conjoint et simultané des travailleurs et des employeurs dans un troisième temps.

7.1 LES PRÉFÉRENCES DES TRAVAILLEURS

Supposons par exemple que le désagrément qui est en cause est le risque d'accidents du travail. Puisque personne n'aime ou ne souhaite avoir un accident du travail, on fait l'hypothèse que plus un métier ou une profession comporte de risques, moins il sera recherché par les travailleurs, à moins que la différence salariale soit suffisante pour en compenser la présence. Dans ces conditions, l'axe des x sera celui des risques d'accidents du travail (pourcentage de chances d'avoir un accident du travail), alors que l'axe des y sera celui des salaires. Le métier, la profession ou l'occupation R_1 aura des risques r_1 ; le métier, la profession ou l'occupation R_2 aura des risques $r_2 > r_1$, et ainsi de suite jusqu'à la profession R_N qui aura des risques $r_n > r_{n-1} > ... > r_2 > r_1$.

GRAPHIQUE 7.2
Comparaison des emplois et des salaires

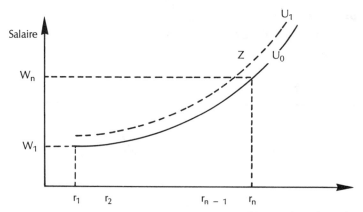

Risques d'accidents du travail

Un individu donné occupera indifféremment la profession R_n ou la profession R_1 si et seulement si le salaire $W_n > W_1$ du montant indiqué par la courbe d'indifférence U_0 au graphique 2. S'il arrive que le salaire Z versé sur le marché du travail pour la profession R_n est supérieur à la différence $(W_n - W_1)$, l'individu optera plutôt pour cette profession. De cette façon, il se situera sur une courbe d'iso-utilité U_1 supérieure à U_0. Le marché du travail détermine donc des taux de salaire pour chacune des différentes professions. Ces salaires sont ensuite supposés être comparés au taux de salaire minimum requis par les individus pour compenser le ou les différents désagréments liés à chacune de ces professions. Si le salaire versé dépasse le minimum requis, l'individu offrira ses services de travail dans la profession en cause. Dans le cas contraire, c'est-à-dire si la différence compensatoire est insuffisante pour attirer l'individu, celui-ci décidera de ne pas se présenter sur ce marché du travail particulier.

GRAPHIQUE 7.3
Différences salariales compensatoires et degré d'aversion au risque

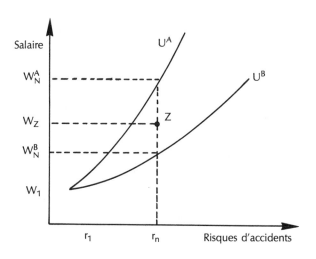

Prenons pour exemple une profession réputée dangereuse en matière d'accidents du travail, celle d'ouvrier du secteur de la construction (R_N). Deux individus différents dans leur degré d'aversion pour le risque se présentent sur le marché du travail. Le premier individu A ayant beaucoup d'aversion au risque, la pente de sa courbe d'iso-utilité est très accentuée (U^A au graphique 7.3). Cela signifie qu'il exige, pour occuper des emplois marginalement plus dangereux, une prime ou différence salariale relativement élevée. L'individu B, pour sa part, a peu d'aversion au risque (est beaucoup moins craintif du danger). La pente de sa (ses) courbe(s) d'iso-utilité est donc beaucoup moins accentuée (courbe U^B), et il n'exige que des primes salariales modestes pour accepter des emplois marginalement plus risqués.

Si par ailleurs pour ce type d'emploi (R_N), le salaire versé sur le marché est W_Z, comme le montre le graphique 7.3, alors le travailleur B offrira ses services de travail pour la profession R_N. La compensation ($W_Z - W_1$), où W_1 est le salaire versé dans la profession de rechange, est supérieure à la compensation minimale exigée par l'individu B pour travailler dans l'occupation R_N ($W_N^B - W_1$). L'individu A, par contre, n'offrira pas ses services sur le marché du travail de la profession R_N, la compensation ($W_Z - W_1$) s'avérant inférieure à la compensation minimale ($W_N^A - W_1$) dont il a besoin pour y être attiré.

Cette analyse économique du comportement des travailleurs mène à deux conclusions principales, qui sont valables pour l'ensemble des diverses caractéristiques désagréables des emplois[1] :

---

(1) Si on voulait généraliser ces propositions, on devrait parler d'aversion pour toutes les conditions désagréables des emplois (poussière, bruit, chaleur, humidité, etc.).

1– Les individus ayant le moins d'aversion au risque sont ceux qui choi-
sissent les professions les plus risquées alors que les individus ayant le
plus d'aversion au risque sont ceux qui optent pour les emplois les
plus sécuritaires.

2– L'offre de travail dans une profession risquée dépend de la prime salariale
de risque associée à chacune des diverses professions. C'est ce qu'indique
le graphique 7.4 en présentant, sur une courbe normale de distribution,
la proportion des individus qui offriront leurs services de travail à un taux
de salaire donné et pratiqué sur le marché du travail pour un emploi R_N
comportant des risques de niveau r_n.

Au taux de salaire W_N, les individus choisiraient indifféremment les
emplois R_N ou R_1 (emploi de rechange), suivant le hasard.

GRAPHIQUE 7.4
Distribution de l'offre de travail pour un emploi R_N

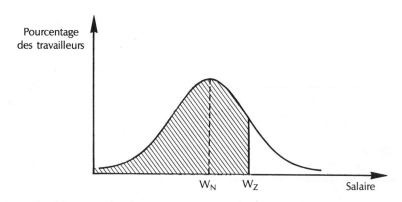

Si par contre le salaire versé sur le marché est W_Z, on prévoit que la proportion
$\propto$ de travailleurs (partie tramée de la courbe normale) offrira ses services de travail pour l'emploi en question. Cette proportion variera en fonction du salaire
W_Z versé sur le marché.

7.2 LE COMPORTEMENT DES EMPLOYEURS

Les employeurs, il va sans dire, sont aussi concernés ou visés par la
question du versement de primes ou de différences salariales compensatoires.
Pour un niveau de profit concurrentiel donné (13 à 15 % en moyenne dans
l'économie)[2], l'entreprise doit comparer le coût des différences salariales

---

(2) Profits bruts avant impôt.

compensatoires avec ce qu'il en coûterait pour réduire les risques d'accidents du travail ou d'autres conditions désagréables des emplois (bruit, vibration, chaleur, etc.).

GRAPHIQUE 7.5
Salaire versus risques d'accidents du travail dans l'entreprise

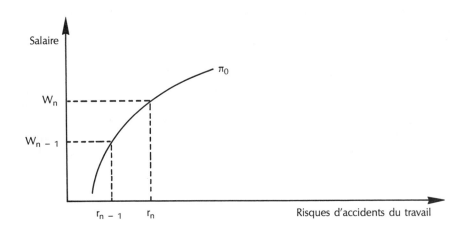

La théorie suppose ici que l'entreprise devra dégager des ressources spécifiques et additionnelles à la seule fin de rendre l'environnement de travail plus sain et sécuritaire. Dans ces conditions (graphique 7.5), la courbe d'iso-profits de l'entreprise se caractérise par une fonction croissante et concave des salaires par rapport aux risques. Cela est dû au fait que pour réduire les risques r_n dans un emploi donné, il lui faudra investir dans la prévention (garde-fous, grillages, systèmes d'arrêts automatiques, ralentissement du rythme de travail, etc.) et donc réduire les salaires de façon à conserver un niveau de profits compétitif (π_0)[3].

À l'inverse, pour fonctionner à un niveau de risque r_n, l'entreprise sera prête à verser un salaire W_n supérieur à W_{n-1}. La concavité de la courbe signifie que le coût des investissements ou mesures de prévention croît en raison inverse du taux de risque. Il serait de plus en plus difficile et coûteux de réduire davantage les risques au fur et à mesure qu'ils s'abaissent. La pente de la courbe d'isoprofits s'accentue au fur et à mesure que le niveau de risques se rapproche de l'ordonnée à l'origine.

---

(3) Si l'entreprise n'est pas en mesure de toucher des profits concurrentiels, elle abandonnera ses activités pour se diriger vers des activités plus rentables. La théorie suppose donc qu'il faut un minimum de profits (à long terme) pour que l'entreprise maintienne et développe ses activités.

Bien entendu, la capacité ou la facilité qu'a une entreprise pour réduire les risques dépend en large partie du produit fabriqué et principalement de la technologie de production. Réduire les risques de brûlures dans les fonderies est certainement plus coûteux que réduire les risques de brûlures dans l'industrie de la coiffure (p. ex. en abaissant la température de l'eau chaude). Les courbes d'isoprofits auront donc des allures variables selon l'industrie, l'occupation et la technologie de production.

Dans les industries où la technologie de production rend très onéreuse la réduction marginale des risques (p. ex. l'industrie de la construction), la courbe d'isoprofits sera très accentuée et sa pente globale très aiguë. Dans les industries où la technologie de production permet des réductions substantielles de risques pour des coûts de prévention relativement modestes (p. ex. le port d'un masque et de gants pour éliminer efficacement tout contact avec des produits chimiques peu invasifs, dans l'industrie chimique), la fonction d'isoprofits sera caractérisée par une pente globale peu accentuée. Les courbes π^b et π^a du graphique 7.6 représentent ces différences de contraintes pour chacune des industries visées, soit l'industrie b pour laquelle il est plus difficile et coûteux de réduire les risques à la marge, et l'industrie a pour laquelle c'est plus facile et beaucoup moins coûteux.

GRAPHIQUE 7.6
Technologie de production et courbes d'isoprofits

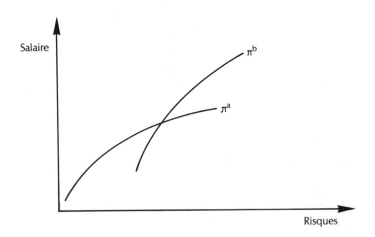

7.3 L'ÉQUILIBRE ENTRE LES TRAVAILLEURS ET LES EMPLOYEURS

Si nous supposons à partir de maintenant qu'il y a autant d'emplois caractérisés par des risques r_i ($i = 1, ..., n$) que d'individus (n) pour les occuper, la courbe enveloppe des isoprofits (CC) du graphique 7.7 correspondra aux points de tangence entre les courbes d'indifférence des travailleurs et chacune des courbes d'isoprofits des entreprises. La courbe enveloppe ou courbe de contrats définit alors une relation directe et positive entre les risques d'accidents du travail d'une part, et les différents taux de salaires en cours sur le marché du travail d'autre part.

Toutes choses égales par ailleurs, le marché du travail est donc en mesure de définir une relation positive entre les risques d'accidents du travail et la rémunération du travail. C'est une des grandes conclusions à laquelle nous conduit la théorie hédonique des salaires. C'est également cette théorie qui est avancée pour expliquer les différences salariales observées et quantifiées principalement chez les travailleurs manuels et les cols bleus entre des emplois comportant beaucoup de risques d'accidents du travail et d'autres plus sécuritaires.

GRAPHIQUE 7.7
Courbe enveloppe ou courbe de contrats

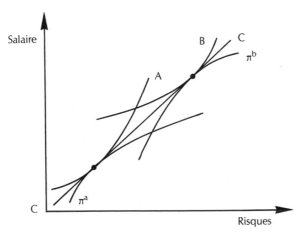

Pour chaque augmentation de 10 points dans le taux des accidents du travail, la rémunération horaire s'accroît de l'ordre de 2 à 3 %. Il arrive également que les salaires varient en fonction de la gravité (mesurée par exemple par le nombre de jours d'absence au travail) des accidents types liés à une profession ou à une industrie. Dans le cas des risques de décès la réaction est encore plus marquée : un accroissement de 1 point commande une différence de salaire de l'ordre de 50 000 $ par année (en dollars de 1989)[4].

---

(4) Estimé à partir de COUSINEAU, LACROIX et GIRARD (1988). L'ordre de grandeur des risques de décès est plutôt de 1 décès par 10 000 travailleurs plutôt que de 1 par 100 travailleurs. Il s'agit donc d'une extrapolation qui déborde de 100 fois le champ d'observation usuel sur les risques de décès professionnels.

7.4 CONCLUSION

La théorie hédonique des salaires propose une explication au fait observé que, toutes choses égales par ailleurs, il en coûte plus cher en salaires dans les entreprises où la technologie de production comporte plus de risques d'accidents du travail. De telles différences dans les conditions de travail peuvent donc figurer parmi les facteurs de disparités salariales observées sur le marché du travail.

Pour d'autres différences telles le bruit, la force, les conditions de chaleur, le stress, etc., les résultats d'observation sont beaucoup moins clairs. La recherche scientifique dans ce domaine n'est qu'à ses débuts et de nombreuses conditions doivent être satisfaites pour en arriver à des estimations rigoureuses de l'effet des conditions ou des caractéristiques désagréables des emplois sur la rémunération du travail. Il faut d'abord s'assurer que la caractéristique en cause est véritablement désagréable. Dans le cas des accidents du travail, le problème ne se pose pas, mais le rythme rapide de travail, l'effort intellectuel ou encore l'effort physique ne peuvent être associés automatiquement à des conditions de travail désagréables. Jusqu'à une certaine limite bien évidemment, certains individus préfèrent un rythme relativement rapide de travail, ou un effort intellectuel plutôt que physique ; d'autres préfèrent plutôt le travail physique en plein air au travail de bureau. En somme, la subjectivité est un élément présent dans plusieurs cas.

Et même en sachant que certaines caractéristiques sont réellement désagréables et aisément mesurables (ce qui est plus difficile et dispendieux à savoir dans le cas du stress, par exemple), il est très difficile d'isoler ou d'extraire leur effet. Il faut respecter la condition « toutes choses égales par ailleurs » et observer un grand nombre de données individuelles sur les salaires et les caractéristiques socio-démographiques et économiques des individus et des emplois (âge, sexe, scolarité, appartenance syndicale, industrie, ...). Or, pour respecter ces conditions, il faut disposer des techniques statistiques appropriées, ce qui est le cas depuis le début des années 1930, et disposer des observations individuelles nécessaires et des ordinateurs ayant les capacités suffisantes pour les traiter, ce qui n'est le cas que depuis le début des années 1970.

Dans les années à venir, on peut donc espérer en savoir et en connaître davantage sur l'effet et l'importance relative de ces différents aspects dans le processus de la détermination des salaires. Ils sont d'une importance primordiale pour les politiques d'évaluation des emplois.

La théorie hédonique des salaires complète notre revue des principales théories sur les disparités salariales sur le mraché du travail, disparités qui ont fait l'objet de recherches et d'études intensives sur le plan de l'observation et de l'estimation. Bien sûr, il y a d'autres théories ou estimations ; nous ne voudrions pas passer sous silence la théorie des marchés *dual*, celle des marchés segmentés et, finalement, celle des marchés internes[5].

Il faut mentionner également que la taille des entreprises et leur degré de contrôle de l'industrie apparaissent comme des facteurs différenciant les salaires sur le marché du travail. De même en est-il du type de rémunération (à la commission, au rendement, etc.) et, il va sans dire, de la durée du travail. En coupe instantanée, c'est-à-dire pour un point donné dans le temps et sur la base d'un très grand nombre d'observations sur des individus, l'ensemble des différents facteurs passés en revue explique environ 50 % de la réalité observée. Quand on considère des groupes plus spécifiques cependant (p. ex. 350 occupations différentes) les degrés d'explication montent très rapidement (autour de 90 %). C'est dire que les facteurs que nous venons d'énoncer et les théories proposées rendent assez bien compte des différences salariales observées entre les principaux groupes occupationnels et industriels. Au chapitre des différences interindividuelles toutefois, des progrès restent à être effectués.

---

(5) Pour une revue de ces diverses théories, voir DOERINGER et PIORE (1971), GUNDERSON et RIDDELL (1988) et BOCCAGE (1988). Ces théories ont été exclues de notre revue parce que nous nous sommes imposé la double contrainte d'un cadre théorique déductif et de travaux d'estimation relativement abondants.

ANNEXE
Les avantages sociaux

Nous avons décidé de présenter l'analyse des avantages sociaux à la suite de la théorie hédonique des salaires parce que, comme l'indique leur dénomination, ils devraient constituer un avantage d'un emploi. Or, la théorie hédonique des salaires, dans son sens le plus large, porte à la fois sur les désavantages et les avantages des emplois. D'autre part, il est un fait que la rémunération du travail n'est pas constituée uniquement de salaires mais aussi d'avantages sociaux.

Ceux-ci se composent principalement de trois grandes catégories :

1— le temps rémunéré mais non travaillé (vacances, jours fériés, congés de maladie, congés parentaux, etc.) ;

2— les assurances privées (p. ex. assurance-maladie complémentaire, ou pour les soins dentaires) ou publique (assurance-chômage, Commission de la santé et de la sécurité du travail, assurance-maladie du Québec, etc.) ; et

3— les fonds de pension privés (p. ex. cotisation des employeurs à une caisse de retraite) ou publics (p. ex. Régime des rentes du Québec).

Au Canada, ces diverses dépenses ou coûts pour les employeurs correspondent à plus de 30 % de la rémunération moyenne des travailleurs (THORNE, STEVENSON et KELLOG, 1984). Ce n'est donc pas une partie négligeable de la rémunération totale du travail.

On se demande toutefois pourquoi les travailleurs et leurs employeurs préfèrent voir une partie de la rémunération versée sous forme d'avantages sociaux plutôt que de salaire direct. Après tout, un montant versé en espèces apparaît généralement supérieur à un paiement versé en nature. Les paiements en salaire donnent la liberté de choix dont l'acquisition ou l'achat personnel des divers avantages sociaux (p. ex. assurances et fonds de pension)[6]. En fait, un avantage social ne sera préféré par un travailleur qu'à la condition qu'il lui coûte moins cher et le compense pour sa perte de liberté de choix.

Divers facteurs sont présents pour réduire le coût des avantages sociaux pour les travailleurs et leurs employeurs. D'une part, " l'inclusion des avantages sociaux dans la rémunération du travail réduit les frais de recherche, [de démarches] et d'information relatifs à l'acquisition de services de placements, d'assurances et de régimes de pension " (COUSINEAU et LACROIX, 1984, p. 8).

---

(6) À l'exception du temps payé mais non travaillé, qui ne peut être pris que dans l'entreprise même. Le reste de l'exposé portera donc principalement sur les assurances et les fonds de pension.

D'autre part, les gouvernements encouragent la création des fonds de pension et des régimes d'assurance-vie et maladie privés dans la mesure où la contribution que font les employeurs au nom des employés n'est pas directement taxable. Le salarié bénéficie du plein montant de cette contribution[7] alors que si elle lui était versée en salaire, il n'en toucherait que la partie nette de l'impôt sur le revenu.

Finalement, nous savons tous que l'achat de groupe permet généralement de réaliser des économies appréciables. Le monde des assurances et des fonds de pension ne fait pas exception à la règle. L'entreprise étant un lieu privilégié de regroupement des travailleurs, il constitue une occasion particulière pour la réalisation d'économies substantielles. Donc, la réduction des frais de transaction, les économies d'impôt et les économies d'échelle sont trois facteurs réduisant le coût des avantages sociaux pour les travailleurs.

Par ailleurs, il n'y a pas que les travailleurs qui manifestent un certain intérêt pour les avantages sociaux. L'employeur peut également y trouver son compte. Un fonds de pension non transférable (à d'autres entreprises) peut constituer un moyen efficace pour protéger l'investissement de l'entreprise dans le capital humain de ses travailleurs : la perte totale ou partielle de la contribution de l'employeur en cas de départ avant la retraite limite la mobilité des travailleurs. De plus, si la satisfaction au travail et la productivité du travail sont améliorées du fait d'une meilleure combinaison de salaires et d'avantages sociaux, l'employeur en bénéficie également.

Pour toutes ces raisons, on s'attend donc à ce qu'une partie de la rémunération globale des travailleurs soit composée d'avantages sociaux. Cette portion pourra varier cependant en fonction de diverses variables. Les travaux empiriques consacrés à cette question ont confirmé, à cet égard, un certain nombre d'hypothèses.

Les réductions fiscales étant d'autant plus élevées que le revenu est élevé, l'importance absolue et relative des avantages sociaux s'accroît à mesure que le revenu augmente. Les salaires ou les revenus du travail ne mesurent donc ici que les effets de prix relatifs (économies d'impôt)[8]. Également, plus la taille des entreprises est grande, plus les économies de prix sont appréciables, c'est pourquoi on trouve une plus forte concentration des avantages sociaux dans les entreprises de plus grandes tailles. Finalement, les plus fortes concentrations d'avantages sociaux apparaissent généralement là où les degrés de formation spécifique sont les plus élevés (ST-PIERRE 1988).

---

(7) Jusqu'à certain montant maximum.

(8) Par ailleurs, comme il se doit et en conformité avec la théorie hédonique des salaires, les salaires et les avantages sociaux constituent des substituts mutuels (WOODBURY, 1983). Lors de la négociation collective ou individuelle, cet aspect entre en ligne de compte.

Les revenus de travail, la taille des entreprises et le degré de qualification apparaissent donc comme les principaux facteurs de l'importance relative des avantages sociaux dans la composition de la rémunération globale du travail. Ils expliquent pourquoi certains individus ou groupes d'individus disposent de plus ou de moins d'avantages sociaux dans leur rémunération globale.

Deux autres facteurs valent toutefois la peine d'être mentionnés, soit les préférences individuelles et l'effet syndical. Dans le premier cas, nous ne disposons pas de confirmations formelles et précises. Dans le second cas, nous réservons l'analyse de cette question à une présentation plus élaborée du rôle des syndicats et de leurs effets sur les marchés du travail, telle que développée dans la deuxième partie de ce volume. Qu'il suffise de retenir pour l'instant que la présence syndicale a généralement pour effet d'accroître les dépenses de l'employeur en matière d'avantages sociaux.

En résumé, il apparaît que les avantages sociaux sont appréciés par les travailleurs parce qu'ils représentent des économies de transaction, d'impôt et des économies d'échelle. D'autre part, pour les employeurs, ils peuvent hausser la productivité du travail et préserver les investissements en formation spécifique. Dans les faits, on trouve que les travailleurs qui ont les plus hauts salaires, travaillent dans les entreprises de plus grande taille et reçoivent le plus de formation spécifique sont aussi les groupes qui reçoivent le plus d'avantages sociaux.

CHAPITRE 8
L'évolution des salaires à travers le temps

Les salaires ne sont pas statiques : ils évoluent dans le temps, généralement à la hausse (graphique 8.1).

GRAPHIQUE 8.1
Évolution de la rémunération hebdomadaire moyenne au Canada

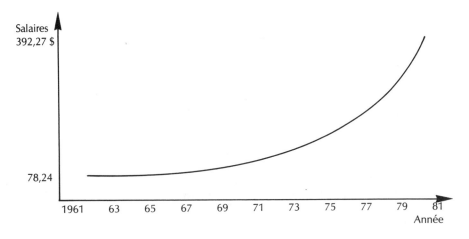

Cependant, la variation annuelle dans les salaires est très différente d'une
année à l'autre. En certaines périodes, les augmentations sont de l'ordre de 3 à
4 % alors qu'en d'autres, elles vont plutôt de 10 à 14 %. Nous verrons principalement dans ce chapitre les principaux facteurs de ces variations, soit :

1— la productivité ;

2— l'inflation ;

3— le taux de chômage ;

4— le rattrapage ;

5— les clauses d'indexation ;

6— les augmentations obtenues ailleurs.

Année	Salaire hebdomadaire ($)	Augmentation annuelle (%)
1961	78,24	—
1962	80,54	2,9
1963	83,28	3,4
1964	86,50	3,9
1965	91,01	5,2
1966	96,30	5,8
1967	102,79	6,7
1968	109,92	6,9
1969	117,83	7,2
1970	126,78	7,6
1971	137,64	8,6
1972	149,22	8,4
1973	160,45	7,5
1974	178,08	11,0
1975	203,34	14,2
1976	228,03	12,1
1977	249,95	9,6
1978	265,37	6,2
1979	286,46	8,7
1980	317,59	10,1
1981	355,38	11,9
1982	390,92	10,0
1983	418,26	7,0
1984	436,27	4,3
1985	451,54	3,5
1986	467,18	2,8

Source : KUMAR, PRADEEP, MARY LOU COATES et DAVID ARROWSMITH (1987), *The Current Industrial Relations Scene in Canada*, Industrial Relations Centre, Queen's University.

Les variations salariales peuvent être différentes selon le secteur d'activité, mais aussi ces mêmes facteurs exercent des influences différentes selon chacun de ces secteurs. Nous considérerons à cet effet la dichotomie entre le secteur *exposé* et le secteur *abrité* de la concurrence internationale. Nous verrons notamment comment un secteur exposé particulièrement important pour les économies canadiennes et québécoises, le secteur des ressources naturelles, réagit différemment des autres secteurs d'activité, et comment il peut servir de courroie de transmission des chocs inflationnistes internationaux.

GRAPHIQUE 8.2
La variation annuelle dans les salaires (Canada 1961-1982)

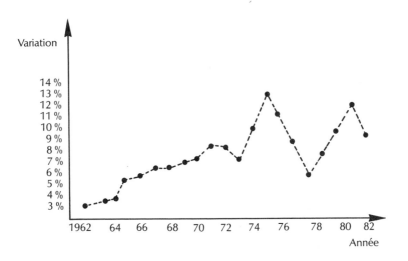

8.1 LA PRODUCTIVITÉ

La productivité est considérée comme un facteur positif de rémunération du travail. En effet, si on considère que la productivité est la quantité de production issue de l'utilisation d'une unité de facteur de production en moyenne, son accroissement signifie plus de biens et de services à se partager pour l'ensemble des travailleurs. Définissons la productivité moyenne par X/E, où X = quantité produite et E = nombre d'employés. Et supposons que X/E augmente : il devient évident alors que le même nombre d'employés E aura à se partager une plus grande quantité de X.

Au niveau macroéconomique, il peut difficilement en être autrement, à moins que la part des profits dans le revenu national augmente de façon structurelle. Or, il est apparu que sur une très longue période, la part du revenu national consacrée aux profits est restée à peu près inchangée. Elle se situe essentiellement entre 13 et 15 %[1] du produit intérieur brut.

Dès lors, si on suppose que la part des profits dans le revenu national est relativement stable à long terme et que rien ne se crée ni ne se perd, à long terme les salaires auront tendance à s'accroître du même montant que la pro-

---

(1)   Ce qui ne l'empêche pas de varier considérablement d'une année à l'autre en raison, principalement, du cycle des affaires.

ductivité[2]. Le graphique 8.3 illustre l'effet de la productivité sur la rémunération du travail à court terme à l'échelle macroéconomique. Le raisonnement est simple : si la productivité augmente, la demande de travail (égale à la valeur de la productivité marginale) augmente également[3] et il en résulte, toutes choses égales par ailleurs, une augmentation des salaires pour les travailleurs (de W_0 à W_1)[4].

GRAPHIQUE 8.3
Productivité et salaires ; aspects macroéconomiques

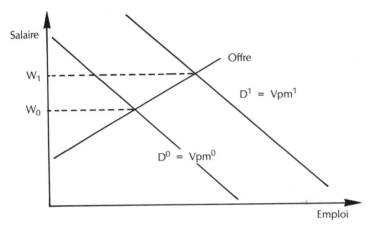

Au niveau microéconomique cependant, le problème est plus complexe. La hausse de la productivité peut contribuer à réduire la demande de travail si le niveau de production visé demeure le même, ou encore si elle entraîne une baisse dans le prix des produits. D'autre part, pour une entreprise particulière, la hausse de productivité peut entraîner une hausse de la demande mais, advenant que l'offre de travail y soit parfaitement élastique, il pourra ne pas y avoir de hausse salariale. Ce n'est donc que si la hausse de la productivité se fait sentir dans l'ensemble d'un marché du travail particulier qu'elle pourra se répercuter sur les salaires.

---

(2) Une part des gains de productivité peut être prise sous forme d'avantages sociaux ou encore sous forme de réduction dans les heures travaillées par semaine. Si les gains de productivité se reflètent par des baisses de prix plutôt que par des hausses salariales, ce sera l'ensemble des consommateurs qui en bénéficieront plutôt que le seul groupe des travailleurs. Finalement, par le biais de l'impôt sur le revenu, une partie des gains salariaux est transférée aux gouvernements.

(3) Si la productivité moyenne augmente, il s'ensuit que la productivité marginale en fait de même.

(4) Si on suppose que les gains de productivité n'influencent pas l'emploi sur le plan macroéconomique, la hausse de salaire sera exactement égale à la hausse de la productivité, et la part des profits et des salaires dans le revenu national sera maintenue constante.

L'effet de la productivité sur les salaires est donc complexe. Il reste vrai que, toutes choses égales par ailleurs, les différences intersectorielles et inter-occupationnelles dans la productivité du travail influencent les salaires. Néan-moins, il n'est pas garanti que la variation salariale annuelle reflète la variation annuelle dans la productivité du travail au niveau de l'entreprise. Au contraire, il y a de fortes chances que ces deux facteurs soient relativement indépen-dants, au niveau microéconomique et à court terme à tout le moins.

Dans cette question de l'effet de la productivité sur les salaires, il faut considérer tout d'abord qu'il s'agit d'un facteur macroéconomique tendanciel qui modifie les salaires à la hausse au niveau microéconomique à plus long terme. Ce n'est donc pas le niveau de productivité qui est en cause ici, mais sa variation annuelle tendancielle ou moyenne sur une longue période. C'est ainsi, par exemple, que les salaires réels ont pu, dans l'ensemble, croître plus rapidement dans les années 1960 jusqu'au milieu des années 1970 à cause de gains de productivité tendanciels plus élevés. Ils ont pu croître beaucoup moins rapidement par la suite à cause du déclin observé dans l'évolution de la productivité. Au niveau macroéconomique tout au moins et sur une longue période, la productivité constitue donc le premier facteur d'enrichissement des travailleurs.

8.2 L'INFLATION

L'inflation pour sa part peut être jugée comme une menace pour le pou-voir d'achat des travailleurs. Néanmoins, si on juge que ceux-ci ne sont pas vic-times d'*illusion monétaire*, les salaires devraient s'accroître au même rythme que l'inflation. En effet, les travailleurs qui occupent un emploi sont en droit de s'attendre à ce que leur pouvoir d'achat se maintienne tout au moins d'une année par rapport à l'autre. La théorie économique ne contredit pas ces attentes mais elle en nuance la portée. L'inflation, et l'inflation anticipée plus particuliè-rement, est censée influencer les salaires. Il n'est pas garanti toutefois que l'élasticité salaires − prix soit parfaitement unitaire à court terme, c'est-à-dire que les salaires augmentent automatiquement et toujours au même rythme que l'inflation. Voici pourquoi.

Supposons que les prix à la consommation s'accroissent. Cela aura pour effet d'augmenter le prix des marchandises et, donc, la valeur de la producti-vité marginale (prix du produit × productivité marginale)[5].

---

(5) Certains préfèrent parler de revenu marginal du travail, une notion plus vaste que la valeur de
     la productivité marginale. Cela ne modifie en rien toutefois les conclusions auxquelles nous
     arriverons sinon que la démarche devient plus complexe.

GRAPHIQUE 8.4
Inflation et demande de travail

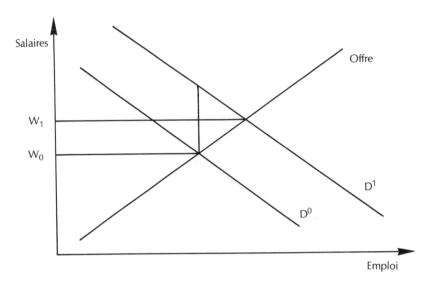

Comme le montre le graphique 8.4, l'accroissement de la demande de travail entraînera, toutes choses égales par ailleurs, un accroissement des salaires. Néanmoins, nous sommes à même de constater que l'accroissement dont il est question ($W_1 - W_0$) ne couvre pas en entier l'accroissement des prix à la consommation (mesuré par l'écart vertical entre les deux demandes de travail D^0 et D^1). La raison en est que l'offre de travail n'est pas parfaitement inélastique (verticale). Ce n'est donc qu'à la condition expresse que l'offre de travail soit parfaitement inélastique que les travailleurs recouvreront leur pouvoir d'achat.

D'autre part, autant il est vrai que les travailleurs consomment un ensemble de biens et de services diversifiés, dont les prix augmentent en moyenne d'un montant correspondant à l'indice général des prix à la consommation (IPC), autant ils ne produisent que l'un de ces biens dont le prix n'augmente pas forcément du même montant que l'IPC. Il s'ensuit donc des situations de conflits ou de tensions potentielles entre les travailleurs et les entreprises qui ne connaissent pas des augmentations de prix (revenus) comparables à l'augmentation générale des prix à la consommation. L'élasticité salaires – prix au niveau microéconomique pourra donc varier en fonction de l'élasticité du prix des différents biens produits par rapport à l'indice général des prix. Cette élasticité peut, bien entendu, varier d'un secteur d'activité à l'autre.

Mais, l'inflation n'affecte pas que la demande de travail, elle affecte également l'offre de travail. En effet, si on suppose au départ que les travailleurs ne souffrent pas d'illusion monétaire, on peut s'attendre à ce que la courbe d'offre de travail varie en rapport inverse avec l'inflation anticipée. C'est dire qu'à un taux de salaire nominal constant (W_0), moins de travailleurs offriront leurs services (graphique 8.5). Il s'ensuit que, toutes choses égales par ailleurs, les salaires devront augmenter en fonction de l'inflation ($W_1 > W_0$). Tout comme dans le cas précédent toutefois, il n'est pas garanti que les salaires augmentent du même montant que l'inflation (mesurée par l'écart vertical entre les deux fonctions d'offre de travail $O^1 - O^0$). Dans un tel contexte, l'élasticité salaires − prix dépendra de l'élasticité de la demande de travail. Ce n'est donc que si la demande de travail est parfaitement inélastique que nous observerons une élasticité salaires − prix égale à l'unité[6].

GRAPHIQUE 8.5
Inflation et offre de travail

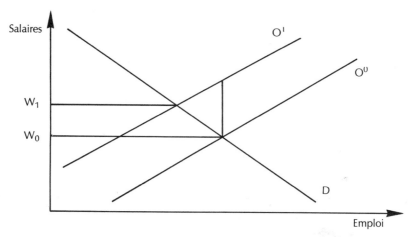

Pour être plus réaliste, il convient de réunir dans un même graphique les effets de l'inflation sur l'offre et la demande de travail. Comme le montre le graphique 8.6, c'est seulement si l'offre diminue et la demande augmente du même montant que l'inflation que nous aurons une parfaite élasticité des salaires par rapport aux prix à la consommation. À court terme, et pour les différents sous-secteurs de l'économie, il n'est pas garanti que toutes ces conditions soient réunies. L'inflation peut surprendre les travailleurs et les marchés du travail peuvent prendre un certain temps à réagir aux nouvelles conditions de l'inflation. C'est pourquoi l'élasticité salaires − prix à court terme a tendance à être inférieure à l'unité[7]. À long terme cependant, elle a tendance à

(6) Une demande de travail est parfaitement inélastique lorsque le salaire augmente et que l'emploi ne diminue pas. Une offre de travail est parfaitement inélastique lorsque les quantités de travail offertes sont indépendantes des salaires.

(7) Dans certains secteurs, cette élasticité a pu dépasser temporairement l'unité en raison de l'accélération attendue de l'inflation. Ce fut le cas notamment du secteur public québécois au milieu des années 1970. Un tel comportement des salaires mène à une spirale inflationniste.

se rapprocher de plus en plus de l'unité. C'est dire que sur une période suffi-samment longue, les travailleurs ont tendance à toucher des gains de salaires nominaux qui, toutes choses égales par ailleurs et sur le plan macroéconomique, couvrent la variation des prix à la consommation. Sur le plan microéconomique, des différences peuvent se faire sentir.

GRAPHIQUE 8.6
Effets de l'inflation sur l'offre et la demande de travail

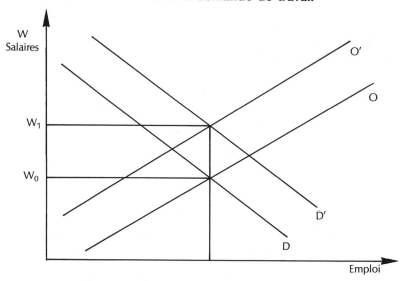

8.3 LE CHÔMAGE

Le chômage est une troisième variable fort importante dans l'explication des fluctuations conjoncturelles des salaires à travers le temps. En effet, si on retient le chômage comme étant une variable qui reflète de façon inverse le degré de tension ou de resserrement sur le marché du travail, on devra s'attendre à une relation inverse entre le taux de chômage et les variations annuelles dans les salaires nominaux (graphique 8.7).

Comme le montre le graphique 8.7, on s'attend à ce qu'en période de chômage élevé (U^1), les variations de salaire nominal soient faibles ($\dot{W}^1$). En revanche cependant, au fur et à mesure que le chômage se contracte, on devrait être en mesure d'observer, toutes choses égales par ailleurs, un accroissement marqué et progressif dans la variation annuelle des salaires ($\dot{W}^2$ et U^2). Cette courbe représentant la relation d'arbitrage entre la variation annuelle dans les salaires et le taux de chômage est aussi appelée courbe de Phillips. Comme nous l'avons dit antérieurement, le chômage peut donc jouer le rôle de *proxy* ou variable reflétant le degré de resserrement ou de demande excédentaire sur les marchés du travail.

Supposons pour débuter qu'il existe un taux de salaire W^0 versé initialement sur les marchés du travail. Il arrivera qu'une pression à la hausse s'exerce sur ces différents marchés. Cette pression est quantifiable et égale exactement à $W^1 - W^0$ (graphique 8.8).

GRAPHIQUE 8.7
La relation d'arbitrage variations de salaires − chômage

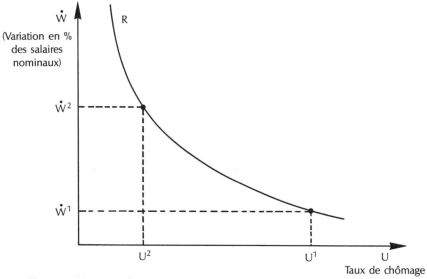

GRAPHIQUE 8.8
Demande excédentaire et pression à la hausse sur les salaires

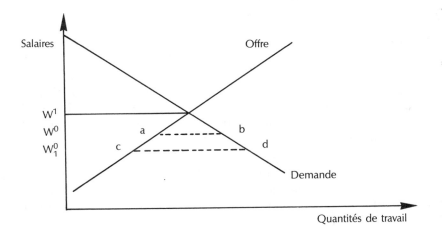

Supposons maintenant que le salaire initial n'est plus W^0 mais W_1^0. Il s'ensuit automatiquement une augmentation de la pression sur les salaires : l'accroissement de salaire nécessaire pour rétablir l'équilibre n'est plus $W^1 - W^0$, mais $W^1 - W_0^1 > W^1 - W^0$.

Cette hypothèse peut être érigée en loi, à savoir : plus la demande excédentaire (De) est forte, plus forte sera la variation de salaires attendue ($\dot{W}$). Écrivons :

$$\dot{W} = f^+(De) \tag{1}$$

où :

$\dot{W}$ = variation en pourcentage des salaires,

De = demande excédentaire de travail, et

f^+ signifie « fonction positive de ».

La demande excédentaire est définie par l'écart entre les quantités de travail demandées et offertes pour un taux de salaire donné. En W^0, elle est égale à ab ; en W_1^0 elle est égale à cd. Comme prévu, il s'ensuit que $\dot{W}$, la variation annuelle en pourcentage des salaires (($W^1 - W_0^1)/W_0^1$) est plus élevée lorsque la demande excédentaire est égale à cd qu'en situation où la demande excédentaire n'est égale qu'à ab (($W^1 - W^0)/W^0$).

Dans ces conditions, le problème n'est pas tellement de contester ces attentes mais plutôt de disposer d'un indicateur statistique fiable, en mesure de refléter adéquatement l'ampleur de la demande excédentaire sur les marchés du travail. Dès lors, si on suppose que le niveau de la demande excédentaire est en rapport inverse avec le taux de chômage, on pourra dire que plus le chômage est élevé, plus la demande excédentaire est faible ; à l'inverse, plus le chômage est faible, plus la demande excédentaire est élevée.

Or, il y a de bonnes raisons de penser que le niveau de la demande excédentaire est en rapport inverse avec le taux de chômage. En effet, le fait que la demande excédentaire soit élevée signifie que la main-d'œuvre est en pénurie relative. Il faut donc pour cela que le taux de chômage soit faible. À l'inverse, lorsque le niveau de la demande excédentaire est faible, cela signifie qu'il y a peu de pénuries et que la main-d'œuvre est au contraire particulièrement abondante. Il s'ensuit que le taux de chômage est élevé.

Donc, quand le taux de chômage est élevé, la demande excédentaire est faible et les variations de salaire nominal seront faibles, et lorsque le taux de chômage est faible, la demande excédentaire est élevée et les variations du salaire nominal seront élevées. Voilà pourquoi on devrait s'attendre et on trouve que, toutes choses égales par ailleurs, les variations annuelles en pourcentage des salaires nominaux ont tendance à évoluer dans un rapport inverse avec le taux de chômage[8].

8.4 LE RATTRAPAGE

Dans la discussion relative à l'incidence de l'inflation anticipée sur la variation annuelle des salaires, nous avons déjà mentionné que les travailleurs pouvaient être surpris par une accélération imprévue de l'inflation. Que se passe-t-il alors si l'inflation monte plus rapidement que prévu ? Pour les travailleurs non syndiqués, on peut prévoir que les ajustements se feront au fur et à mesure des changements annuels dans le rythme de l'inflation. Pour les travailleurs syndiqués toutefois, si les conventions collectives ne prévoient pas de clause de réouverture en de telles circonstances, un tel ajustement n'aura pas lieu et le salaire réel sera différent de celui escompté. Lors du renouvellement de ces conventions, il est donc à prévoir que les travailleurs demanderont une forme de rattrapage *ex post* pour compenser les erreurs d'anticipation.

Dans les faits, lorsque le phénomène s'est massivement produit au début des années 1970, environ la moitié des pertes de salaires réels ont pu être récupérées sous cette forme (COUSINEAU et LACROIX, 1977). Néanmoins, le rattrapage salarial ainsi défini a pu varier selon le secteur d'activité ; dans la moitié des cas, il s'approchait de 100 % (p. ex. dans les télécommunications), alors que dans l'autre moitié, il était quasiment nul. Mais cette variable, qui a pu exercer un effet significatif dans les périodes où l'inflation était très forte ne s'est plus montrée aussi importante par la suite, l'inflation étant plus modérée et en décroissance (PRESCOTT et WILTON, 1988).

8.5 LES CLAUSES D'INDEXATION

Les clauses d'indexation peuvent servir de protection plus ou moins automatique du pouvoir d'achat des travailleurs. De façon typique, elles spécifient que les salaires devront varier en fonction du mouvement de l'IPC.

Ces clauses d'indexation comprennent généralement un seuil minimal d'inflation en deçà duquel elles n'entrent pas en vigueur, de même qu'un maximum d'ajustement salarial, c'est-à-dire un montant salarial additionnel qui ne peut être dépassé même si l'inflation dépasse un certain niveau. C'est pourquoi l'élasticité prix des clauses d'indexation se maintient généralement en deçà de l'unité. La raison en est également que les travailleurs qui en bénéficient sont déjà assurés d'une augmentation salariale de base (p. ex. 2 %, 3 %, 5 %, etc.).

---

(8) Compte tenu des différences institutionnelles sur le plan international, il arrive que cette relation soit très différente d'un pays à l'autre ; voir GRUBB et LAYARD, 1983.

La clause d'indexation intervient donc comme une police d'assurance du pouvoir d'achat des travailleurs. Tout se passe comme si de telles polices d'assurance ne se trouvant pas à l'extérieur de l'entreprise, celle-ci était un vendeur d'assurance et les travailleurs les acheteurs potentiels.

Comme toute police d'assurance a un prix cependant, on s'attend à ce que les conventions collectives incluant une clause d'indexation comportent une augmentation salariale de base inférieure aux autres conventions. Dans les faits, il est apparu que les conventions collectives indexées dans le milieu des années 1970 disposaient, toutes choses égales par ailleurs, d'augmentations salariales d'environ deux points de pourcentage inférieures aux conventions non indexées. C'est pourquoi, en période d'inflation élevée et instable, il convient de retenir le facteur clause d'indexation pour expliquer des différences dans les variations salariales et entre les conventions collectives.

Cela ne veut pas dire toutefois qu'après coup, c'est-à-dire une fois les ajustements salariaux appropriés réalisés, les conventions collectives indexées se concluent par des augmentations salariales moins élevées que les conventions collectives non indexées. Ces augmentations peuvent tout aussi bien s'avérer plus élevées ou moins élevées, selon le type de clause inscrite dans la convention collective et selon le comportement effectif de l'inflation au cours de la période observée. Si l'inflation observée monte plus vite que prévu, les travailleurs dont le salaire est indexé en bénéficient. Si au contraire elle monte moins vite que prévu, ce pourrait être les travailleurs dont les salaires ne sont pas indexés qui jouissent d'un avantage relatif[9].

8.6 LES AUGMENTATIONS SALARIALES OBTENUES AILLEURS

Les variations salariales en cours sur les marchés constituent un autre facteur qui a été analysé par les économistes. Dans ce dernier cas, on suppose que les travailleurs tiennent compte non pas du coût de la vie dans leur demande salariale, mais plutôt des augmentations obtenues par les autres travailleurs. Dans ce contexte, l'offre de travail sur un marché du travail particulier dépend beaucoup moins de l'inflation comme telle (graphique 8.5) que des augmentations salariales en cours ailleurs. La courbe d'offre de travail variera dès lors en rapport inverse avec ces augmentations. En effet, à taux de salaire constant, une partie des travailleurs quitteraient ou menaceraient de quitter

---

(9) Prenons l'exemple où l'inflation prévue est de 10 %, les conventions indexées comprennent une pleine clause d'indexation complémentaire à une augmentation de base de 5 % et les conventions non indexées une augmentation de 10 %. Si l'inflation réalisée est de 7 %, alors les conventions indexées génèrent une augmentation totale de 7 % et les conventions non indexées restent à 10 %. Si par contre l'inflation monte à 12 %, les conventions indexées génèrent une augmentation totale de 12 % et les conventions non indexées restent à 10 %.

leurs employeurs pour se diriger vers les autres marchés. La courbe d'offre de travail se déplace donc vers la gauche au fur et à mesure que s'élèvent les salaires négociés ailleurs dans des unités comparables.

GRAPHIQUE 8.9
Variations salariales en cours ailleurs et offre de travail

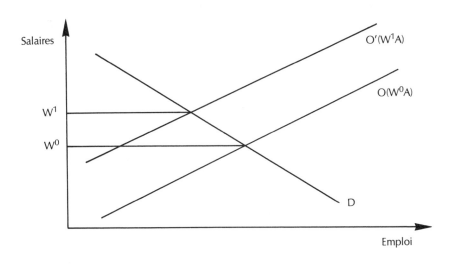

Face à de telles conditions, les employeurs devraient alors ajuster leurs propres salaires en fonction de ces autres variations. Comme le montre le graphique 8.9, l'élasticité salaire − salaires dépendrait alors de l'élasticité de la demande. Dans les faits, en prenant comme référence les 12 dernières conventions signées dans le même secteur ou la même région, ou encore l'ensemble des conventions collectives du même secteur ou de la même région signées au cours des six derniers mois, il a été trouvé que l'élasticité salaire − salaires n'est pas négligeable.

Ce phénomène que l'on qualifie d'effet de débordement (*spillover effect*) a d'importantes conséquences pour la politique économique. Il peut signifier notamment qu'il faut un certain temps avant que les conditions changeantes du marché affectent l'ensemble de la dynamique des salaires. Les variations du salaire nominal peuvent être qualifiées de rigides.

En effet, si par exemple la demande de travail chute abruptement alors qu'elle était élevée auparavant, la théorie de l'offre et de la demande nous fait prévoir que les augmentations salariales auront elles aussi tendance à chuter aussi abruptement. Mais si les conventions collectives sont de longue durée (disons de 2 à 3 ans), les salaires n'enregistreront pas cette chute. De plus, si ces mêmes conventions collectives sont désynchronisées et se chevauchent mutuellement, l'effet de débordement aura pour conséquence de maintenir les salaires à des niveaux plus élevés que prévu parce que les variations de salaires ne refléteront pas les conditions récentes du marché mais les précédentes, beaucoup meilleures. Le coût d'une telle rigidité salariale dans les salaires sera un taux de chômage beaucoup plus élevé qu'autrement.

Cela décrit à peu près ce qui a pu se passer au début des années 1980. La grande récession a frappé à la fin de l'année 1981 puis au début de l'année 1982. Les salaires n'ont commencé que vers le troisième trimestre de 1982 à décélérer. Ce comportement a donc pu contribuer à hausser le chômage initialement attribuable à la récession. En revanche cependant, la reprise économique s'est manifestée très tôt vers le début de 1983. Depuis ce temps, l'augmentation des salaires est beaucoup plus modérée, ce qui a permis d'accroître l'emploi plus rapidement. En fait, ce n'est qu'après six ans d'expansion continue de l'emploi (1983-1988) que les salaires ont commencé à montrer des signes d'inflation dépassant la marque des 5 %.

L'hypothèse d'une certaine rigidité des salaires nominaux pour le Québec et le Canada est donc fort plausible. Le problème est qu'elle n'explique pas aussi bien les variations salariales sur le plan macroéconomique que ne peut le faire l'inflation et le chômage. On peut difficilement expliquer quelque chose par lui-même, d'autant plus qu'on ne sait toujours pas ce qui explique la variation des salaires qui en influence une autre.

L'hypothèse de la rigidité des salaires nominaux ne contredit pas l'influence de l'inflation et du chômage sur la variation annuelle des salaires, elle explique pourquoi la réaction des salaires à l'inflation et au chômage est relativement faible à court terme.

8.7 LE CONTRÔLE DES PRIX ET DES SALAIRES

Lorsque l'augmentation des salaires et des prix dépasse certains seuils, les gouvernements réagissent. Différents moyens se présentent pour lutter contre l'inflation : la hausse des taux d'intérêt, les restrictions budgétaires (hausse des impôts ou réduction des dépenses gouvernementales), et les politiques de contrôle des prix et des salaires.

Entre 1975 et 1978, le Canada a connu une telle politique de contrôle des prix et des salaires, dont un des principaux éléments consistait à fixer un plafond aux augmentations salariales. Mais une telle politique risque de générer des augmentations de salaires supérieures à ce qui en aurait été autrement ; voici comment.

GRAPHIQUE 8.10
Effet des contrôles sur les variations de salaires

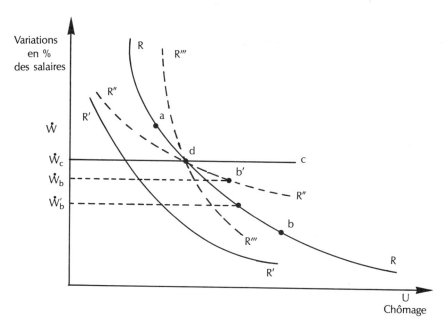

Supposons une relation d'arbitrage RR entre le taux de chômage et la variation en pourcentage des salaires nominaux (graphique 9.10). L'objectif d'une politique de contrôle est de ramener cette courbe RR vers l'origine (R'R') en diminuant les anticipations inflationnistes[10]. Il pourrait arriver toutefois que les augmentations fixées par le gouvernement constituent un minimum plutôt qu'un maximum. Si l'économie avait tendance à se déplacer du point a au point b, l'imposition d'une contrainte $\dot{W}_c$ pourrait conduire l'économie sur le sentier du segment de droite $\dot{W}_c$C et ainsi à des augmentations de salaires $\dot{W}_c$ plus grandes que s'il n'y avait pas eu cette politique ($\dot{W}_b$).

La même politique peut aussi faire pivoter la courbe RR autour du point d. En permettant des exceptions à la règle, les augmentations de salaires négo-ciées pouvaient dépasser $\dot{W}_c$ pour certains groupes de travailleurs. À gauche du point d par exemple, il pouvait arriver que des groupes en pénurie relative, avec l'accord de l'employeur, négocient des ententes salariales supérieures aux normes dictées par la Commission de lutte à l'inflation. Cette Commission devait par la suite examiner le bien-fondé de telles ententes. Si l'augmentation salariale convenue se montrait respectueuse de liens dits historiques (p. ex. un groupe obtient une augmentation qui respecte les écarts précédents avec

---

(10) Si on diminue les anticipations inflationnistes, on suppose qu'à tout taux de chômage donné les travailleurs exigeront des augmentations salariales plus faibles. Il existerait donc une courbe RR pour chaque niveau d'inflation anticipée. Et cette courbe serait d'autant plus rap-prochée de l'origine que l'inflation anticipée est faible.

d'autres groupes de travailleurs), il pouvait arriver que la Commission sanctionne cette entente, même si elle dépassait les normes admises. À droite de d par contre, il pouvait arriver que les conditions du marché dictent une augmentation égale à $\dot{W}_b$ mais, comme nous l'avons dit précédemment, $\dot{W}_c$ joue le rôle d'un minimum demandé par les travailleurs, et la solution de compromis pourrait se situer entre b et c.

Dès lors, si pour les cas à gauche de d, les ententes peuvent se situer entre a et $\dot{W}_c$, et qu'à droite de d, elles peuvent se situer entre b et c, il en résulte une rotation de la courbe de Phillips. Cette rotation conduit à un affaiblissement du lien entre la demande excédentaire de travail et les variations de salaires nominaux (p. ex. R"R") et, là aussi, à des augmentations salariales $\dot{W}_b$, supérieures à ce qui en aurait été autrement ($\dot{W}_b$). On peut craindre également que les travailleurs et les employeurs anticipent la période de contrôle et qu'une *bulle* ou explosion salariale se crée avant son instauration. Finalement, on peut s'attendre à ce qu'une autre bulle salariale se crée après les périodes de contrôle, pour des raisons de rattrapage.

Ces différentes hypothèses ont été testées sur le plan empirique. On a trouvé que les contrôles de 1975-1978 avaient au contraire contribué à diminuer significativement les augmentations salariales observées et qu'il n'y avait pas eu d'augmentation anticipatrice ou de rattrapage. La courbe de Phillips, plutôt que d'adopter le profit de la courbe RR, aurait épousé une forme plus accentuée du style R'''R'''. Comment a-t-il pu en être ainsi ? La réponse peut se trouver à partir de notre discussion précédente sur la rigidité des salaires nominaux.

Si, à la base, les salaires ont tendance à s'imiter mutuellement, l'imposition d'une politique de contrôle des prix et des revenus pourra avoir pour effet de briser ce processus. Les parties ne pourraient alors s'en remettre que davantage aux facteurs de marché qui leur sont propres, et la qualité de l'ajustement des salaires aux marchés s'en trouvera automatiquement rehaussée. La politique de contrôle aurait donc contribué à briser la chaîne des débordements et à raccourcir les délais d'ajustements (LACROIX et ROBERT, 1987).

La politique de 1975-1978 aurait donc eu les effets attendus et il convient de l'intégrer explicitement comme variable complémentaire sur cette période si on veut mieux comprendre les variations salariales qui ont pu y être observées.

8.8 LE SECTEUR D'ACTIVITÉ

On peut convenir au départ que les conditions de l'offre et de la demande ne sont pas homogènes pour tous les secteurs, de même qu'elles ne réagissent pas de la même façon aux conditions macroéconomiques. Certains secteurs (p. ex. les biens durables comme les automobiles et les équipements

ménagers, et tout le secteur de la construction) sont habituellement plus sensibles aux changements conjoncturels que les secteurs des services publics
(tels l'éducation et la santé) ou encore la production de biens non durables (p. ex.
l'alimentation). À moyen terme, les déplacements de l'offre et de la demande
sont aussi variables d'un secteur à l'autre. Ainsi, pour des sous-périodes données, les augmentations salariales peuvent être, toutes choses égales par ailleurs, variables selon les différents secteurs d'activité. Sur la période de
1967-1975 par exemple, on a trouvé que le secteur des forêts et celui des services
privés ont connu les plus fortes augmentations salariales, alors que ceux des
mines et des manufactures ont connu les plus faibles. Dans le secteur public,
ce seraient les sous-secteurs de l'éducation et de la santé de même que le
sous-secteur municipal qui ont connu les plus fortes hausses salariales, les plus
faibles ayant été enregistrées dans les administrations fédérales et provinciales
(COUSINEAU et LACROIX, 1977).

Dans ce même esprit, il est une dichotomie qui peut s'avérer fort utile
pour une meilleure compréhension de la dynamique des salaires particulière
aux économies canadiennes et québécoises : la dichotomie entre le secteur
exposé et le secteur abrité de la concurrence internationale. Cette façon
d'aborder la question des variations salariales à travers le temps pour ces deux
économies est intéressante et pertinente d'une part, elles sont toutes deux
fortement exposées à la concurrence internationale, et il est à prévoir qu'elles
le seront davantage dans les années à venir. D'autre part, il y a de fortes raisons
de penser que les processus d'ajustements salariaux sont différents d'un secteur à l'autre, d'où l'intérêt de vérifier leurs différences, de saisir l'interaction
entre eux et d'en définir les retombées pour comprendre l'évolution des salaires
dans ce type d'économie.

GRAPHIQUE 8.11
Secteurs exposés et demande de travail

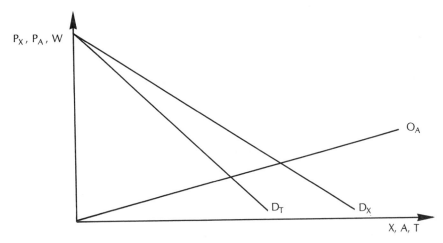

La base de cette approche consiste à supposer que les entreprises opérant sur les marchés internationaux n'ont aucun contrôle sur le prix de leurs produits. Ces prix sont supposés fixés tout à fait en dehors de leur influence (p. ex. par la bourse internationale des métaux et minéraux, des pâtes et papiers, etc.). Ces entreprises doivent obéir aux contraintes de la demande et du prix fixé pour leur produit. Comme l'indique la courbe de demande pour leur produit (D_X), le prix fixé sur les marchés internationaux devient le prix maximum (B_X) qu'elles peuvent espérer obtenir (graphique 8.11).

Si on suppose par ailleurs qu'elles doivent payer un prix minimum correspondant à l'offre des facteurs de production autres que le travail (O_A), il s'ensuivra un résidu entre le prix maximum qu'elles obtiennent pour leur produit (P_X) et le prix minimum (P_A) qu'elles doivent payer pour d'autres facteurs de production (y inclus les profits normaux qui constituent la *rémunération* du facteur *capitaliste*). La différence entre ces deux prix constitue le salaire (W) qui est disponible pour les travailleurs de ce secteur[11]. Écrivons alors :

$$W = P_X - P_A \tag{2}$$

Si on effectue cette opération pour tous les points correspondant à D_X et O_A, on obtient une courbe de demande de travail (D_T) exprimant le salaire qui peut être versé aux travailleurs (à supposer une part constante des profits à long terme par rapport aux revenus de l'entreprise) pour différentes quantités de travail données. Cette représentation indique que les salaires de ce secteur seront particulièrement sensibles aux fluctuations de la demande pour leur produit, au prix de leur produit et au coût de leurs intrants autres que le travail.

En revanche, dans les secteurs abrités de la concurrence, on peut supposer que l'évolution des salaires dépendra plus des variations de salaires négociées ou observées dans leur environnement immédiat. Étant protégées de la concurrence, les entreprises de ces secteurs sont en meilleure position pour refiler les hausses salariales sous forme de hausses de prix, d'autant plus qu'elles sont assurées que leurs concurrentes les ont déjà absorbées ou encore qu'elles les absorberont. Il n'en est pas de même, bien évidemment, des entreprises du secteur exposé à la concurrence internationale.

Dans le cas du secteur abrité, le mécanisme des comparaisons et des effets de débordement devrait dominer dans l'explication de la dynamique salariale. Dans le cas du secteur exposé, ce sont plutôt les fluctuations de la demande qui sont en cause.

Toutes ces hypothèses ont été soigneusement examinées pour, dans l'ensemble, être confirmées. Le secteur exposé à la concurrence internatio-

---

(11) On suppose ici une fonction de production particulière :
    1 – si on double l'usage d'un facteur, on devra doubler également l'usage de l'autre facteur, et
    2 – si on double l'usage des deux facteurs, on doublera automatiquement le niveau de la production.

nale, et plus particulièrement celui des ressources naturelles qui constitue plus de 40 % des biens exportés par le Canada et qui connaît d'importantes fluctuations dans ses prix de vente (le prix du cuivre, du zinc, de l'or ou d'autres métaux peut augmenter ou baisser de plus de 50 % à l'intérieur d'une période de 3 à 5 ans), est un secteur très flexible sur le plan salarial et sensible aux changements dans la demande excédentaire de travail. Les secteurs abrités de la concurrence seraient moins sensibles aux conditions variables de la demande, et les variations de salaires s'expliqueraient davantage par les effets de débordement qui temporisent et ralentissent les ajustements salariaux par rapport aux conditions du marché.

Les économies canadienne et québécoise sont donc des économies mixtes, composées à la fois de ces deux grands secteurs d'activité. Les chocs internationaux dans la demande pour les produits d'exportation sont transmis par la voie des secteurs exposés à la concurrence internationale sur les secteurs abrités. De plus, le mécanisme de transmission est rapide dans les régions où il y a de fortes concentrations d'entreprises soumises à la concurrence étrangère (régions habituellement éloignées des grands centres urbains), mais ils sont beaucoup plus lents à se transmettre dans les régions (urbaines) où ce type d'industries est moins présent. L'interconnexion entre ces deux secteurs est fort complexe, ce qui donne, en moyenne, pour le Canada et le Québec une configuration de la dynamique salariale particulière sur le plan international. Elle se situe à mi-chemin entre les économies américaines (plus rigides sur le plan salarial)[12] et japonaises (plus flexibles en raison d'un fort secteur d'exportations[13].

Il est intéressant d'évaluer les implications qu'ont les différentes configurations de la dynamique salariale d'une économie sur l'emploi et le chômage.

Comme le montre le graphique 8.12, la rigidité parfaite des salaires nominaux implique de forts ajustements en emploi. La demande de travail fluctue de D^1 à D^0 et les salaires ne bougent pas. Il en résulte une forte diminution de l'emploi en période de baisse de la demande. L'emploi passe de E^1 à E^0. La flexibilité des salaires aurait conduit, pour sa part, à une réduction plus modeste de l'emploi (E^1 à E_1^0, au nouveau point d'équilibre entre l'offre et la demande).

---

(12) Pour la période de 1970-1982 (Cousineau, 1987), le secteur des exportations américaines est important en termes absolus mais beaucoup moins en termes relatifs, c'est-à-dire par rapport à leur production domestique, qu'il ne l'est pour l'économie canadienne.

(13) Le cas japonais présente un intérêt particulier parce qu'il montre une variabilité inverse à la variabilité canadienne. Ce qui est un prix et une source de revenus pour l'économie canadienne (p. ex. les ressources naturelles) est un coût pour l'économie japonaise. Dans les pays européens, la configuration dominante des marchés du travail en auraient été une de rigidité des salaires réels.

GRAPHIQUE 8.12
Emploi et configuration de la dynamique salariale

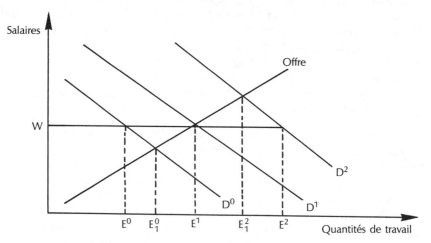

En revanche, le relèvement de la demande de travail de D^1 à D^2 implique un accroissement plus rapide de l'emploi dans l'économie à salaires rigides (de E^1 à E^2) que dans l'économie à salaires flexibles (de E^1 à E_1^2). Ces prédictions sont tout à fait conformes aux faits observés : l'économie japonaise n'a connu que de très faibles fluctuations dans le niveau de son emploi au cours des chocs pétroliers de 1973 et 1979 et de la récession du début des années 1980. En revanche, l'emploi a considérablement diminué aux États-Unis pendant la récession alors qu'il s'est accru très rapidement par la suite. Le Canada se situe à mi-chemin avec une hausse de chômage tout d'abord moins forte qu'aux États-Unis mais une baisse beaucoup plus lente par la suite.

GRAPHIQUE 8.13
Emploi et rigidité des salaires réels

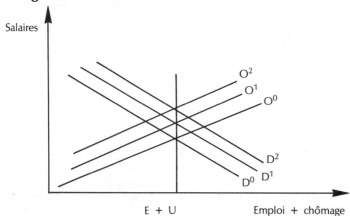

Pour l'Europe, il faudrait plutôt parler de rigidité des salaires réels (à cause des clauses d'indexation au début des années 1970 plus particulièrement). Le chômage qui s'est accru à la suite du premier choc pétrolier n'a jamais réellement diminué par la suite. Si, à l'équilibre, il y avait déjà du chômage, la rigidité des salaires réels empêche tout déplacement ou amélioration de la situation de l'emploi (graphique 8.13).

Parce que les travaux de recherche dans ce domaine ne font que débuter et parce que les économies ont tendance à réagir et à ajuster leurs institutions en fonction des problèmes qu'elles rencontrent, on ne peut affirmer qu'une telle représentation simplifiée du comportement des marchés du travail sur le plan international rend compte des développements plus récents et des tendances futures. L'exercice nous est toutefois apparu utile en ce qu'il constitue une application des principes et des analyses élaborées dans les sections antérieures.

Ces travaux indiquent également :

1— qu'il existe une certaine forme d'arbitrage entre la flexibilité des salaires et la variabilité de l'emploi : plus les salaires sont flexibles et plus l'emploi est stable alors qu'à l'inverse, plus ils sont rigides plus c'est l'emploi qui devient instable ;

2— qu'il existe un lien très étroit entre les institutions et la dynamique des salaires. Les économies où les conventions collectives sont de longue durée, où elles sont désynchronisées et se chevauchent dans le temps et où il y a peu de formules de flexibilité dans les salaires (bonus, formules de participation aux revenus ou aux profits des entreprises)[14] sont celles qui connaissent également le plus de rigidité salariale ;

3— qu'un gel des salaires réels tend, toutes choses égales par ailleurs, à geler les conditions de chômage ; et

4— qu'une économie à salaires flexibles tend à favoriser le plein emploi.

8.9 RÉSUMÉ DES OBSERVATIONS

Comme nous l'avons vu au début de ce chapitre, les salaires varient dans le temps, tendant généralement à augmenter. Néanmoins, ces augmentations apparaissent très variables d'une année et d'une période à l'autre. À certains moments, elles sont de l'ordre de 3 à 4 %, à d'autres, elles dépassent les 10 %. Qu'est-ce qui fait que les variations de salaire sont si inégales ?

(14) Le Japon est caractérisé par des conventions collectives décentralisées, de courte durée, qui ne se chevauchent pas (toujours renégociées au printemps) et qui comportent souvent des clauses de participation aux profits des entreprises (GUNDERSON et RIDDELL, 1988).

La réponse à cette question nous est donnée principalement par deux facteurs : l'inflation et le chômage. Lorsque le chômage est élevé comme en 1983, 1984 et 1985, les augmentations de salaires tendent à diminuer radicalement. Lorsque le chômage est faible comme en 1973, 1974 et 1975, elles tendent à s'accélérer. Néanmoins, le chômage n'est pas le seul responsable de ces fluctuations. L'inflation (celle des années 1974 et 1975 tout comme celle de la fin des années 1970) a pu également contribuer à accroître les augmentations de salaires nominaux. Tout comme la baisse marquée de l'inflation au cours des années 1983 à 1988 a pu contribuer à expliquer leur baisse au cours de cette même période. Pour ce qui est des années antérieures il est possible d'observer une courbe de Phillips presque parfaite durant la période 1961-1966 : le chômage diminue systématiquement alors que la hausse des salaires progresse systématiquement.

En somme, l'inflation et le chômage sont, pour le Canada, les deux principaux éléments sur lesquels il faut compter à la base pour mieux comprendre et prévoir l'évolution des salaires nominaux[15]. La confirmation de ces éléments dans les faits tend à corroborer le cadre théorique selon lequel les salaires sont déterminés par l'offre et la demande. Leurs variations intertemporelles sont des ajustements dictés par les pénuries ou surplus relatifs sur les différents sous-marchés du travail.

En dehors de ces forces principales, d'autres facteurs ont pu jouer un rôle temporaire ou contribuent à mieux expliquer le type de relation qu'on trouve entre les variations de salaires nominaux et le chômage. *déplacements.*

Premièrement, le rattrapage salarial, défini comme la récupération partielle ou totale des pertes de pouvoir d'achat attribuables à une mauvaise anticipation de l'évolution du coût de la vie, a pu jouer un certain rôle au cours des périodes où l'inflation s'avérait relativement imprévisible. Deuxièmement, les clauses d'indexation sont apparues comme un moyen d'adaptation des travailleurs et des employeurs face à l'incertitude accrue en période d'inflation élevée et variable.

Troisièmement, la politique de contrôle des prix et des revenus en vigueur entre octobre 1975 et avril 1978 est un facteur circonstanciel qui a eu son importance dans l'explication des variations salariales observées au cours de cette sous-période. Elle a pu contribuer à accélérer le processus d'ajustement des salaires aux conditions du marché. De telles politiques peuvent avoir cet effet lorsque leur instauration est imprévue (le gouvernement de l'époque s'était fait élire en promettant de ne pas appliquer la politique de contrôle) et que les salaires nominaux sont rigides initialement. Il est à noter également que la période qui a suivi les contrôles n'en a pas été une de rattrapage.

---

(15) Parce que l'évolution des salaires réels est un résidu entre l'évolution des salaires nominaux et celle des prix à la consommation, elle est beaucoup moins prévisible que l'évolution des salaires nominaux. En effet, on ne connaît qu'après coup l'évolution des prix à la consommation.

Finalement, les différences intersectorielles peuvent être importantes. D'une part, les variations salariales observées et les particularités de chaque secteur ne sont pas les mêmes pour ce qui est de la sensibilité à une même conjoncture macroéconomique. D'autre part, la dynamique des salaires peut varier en raison de contraintes institutionnelles et économiques différentes. La différence entre les secteurs exposés et abrités s'est avérée particulièrement utile à cet égard, pour le Canada et le Québec. Ces différences sont apparues fort importantes dans les ajustements des économies aux mêmes chocs internationaux et dans leurs répercussions sur l'emploi et le chômage au niveau national et international.

CHAPITRE 9
Conclusion de la première partie

L'objectif principal de cette première partie était d'expliquer le fonctionnement de deux réalités fondamentales des marchés du travail, soit la formation de l'emploi et des salaires dans une économie de marché.

9.1 L'EMPLOI

Les principaux facteurs de l'emploi sont : la production, le salaire ou le prix du travail, le prix du capital, la technologie et l'emploi retardé d'une période (l'emploi ne s'ajustant que partiellement à court terme aux fluctuations de la production).

Sur le plan analytique, l'emploi serait formé par la chaîne causale suivante :

1— Un besoin naît dans l'esprit des consommateurs ;

2— Il s'exprime, si la contrainte du revenu le permet, par une demande pour différents biens ou services ;

3— En réponse à cette demande, l'entreprise produit, si l'opération s'avère rentable, un certain nombre de biens et services ;

4— Il en résulte la création d'un certain nombre d'emplois dont l'ampleur varie en fonction de la technologie, du prix du capital et du prix du travail.

Les trois graphiques 9.1a, 9.1b et 9.1c reproduisent le processus en cause à court terme. Au graphique 9.1a, l'offre et la demande sur le marché des produits déterminent le prix. Par la suite, ce prix entre dans la détermination de la valeur de la productivité marginale (au niveau de l'industrie). Il en résulte, au graphique 9.1b, la formation d'un salaire au niveau de l'industrie, par l'interaction de l'offre et de la demande de travail. Finalement, ce salaire est repris pour chaque entreprise individuelle qui détermine son niveau d'emploi en conformité avec la règle de l'égalisation du salaire à la valeur de la productivité marginale.

GRAPHIQUE 9.1a
Marché des produits

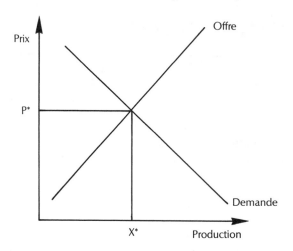

GRAPHIQUE 9.1b
Marché du travail (industrie)

GRAPHIQUE 9.1c
Marché du travail (entreprise)

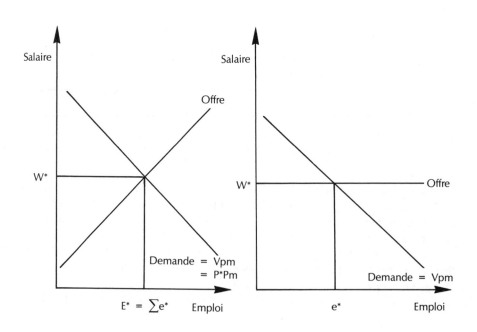

Les graphiques 9.2a, 9.2b et 9.2c, pour leur part, établissent la correspondance entre la formation de la production sur le marché des produits et la détermination de l'emploi au niveau de l'entreprise type à long terme.

L'offre et la demande déterminent le prix du bien ou du service au niveau de l'industrie (graphique 9.1a). Ce prix devient une contrainte au niveau de l'entreprise, puis celle-ci choisit sa production (x) au niveau où le coût marginal de production (C_m) est égal au prix (P) (graphique 9.2b). Ce choix de production entraîne la formation d'un niveau d'emploi correspondant au point où le taux marginal de substitution technique est égal au prix relatif des facteurs de production, c'est-à-dire au point où la contrainte budgétaire AB est la plus rapprochée de l'origine et est tangente à l'isoquant de production précédemment déterminé au graphique 9.2b. Dès lors, tout ce qui influence l'un ou l'autre de ces facteurs influencera le niveau de l'emploi.

9.2 LES SALAIRES

L'analyse de la formation des salaires s'est effectuée en deux temps. Nous avons examiné les facteurs des différences tout d'abord dans les niveaux de salaires, puis dans les variations annuelles des salaires.

GRAPHIQUE 9.2a
Formation du prix (industrie)

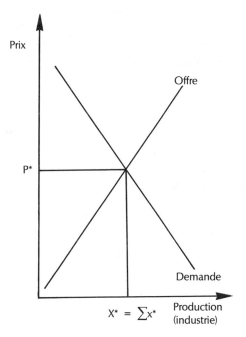

GRAPHIQUE 9.2b
Formation de la production (entreprise)

GRAPHIQUE 9.2c
Formation de l'emploi (entreprise)

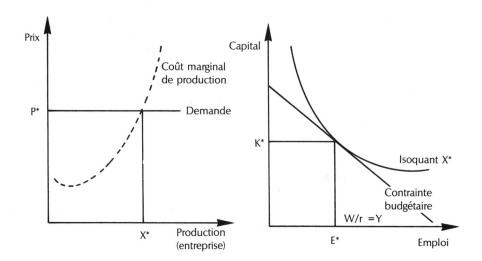

Sur le plan des disparités salariales, nous avons trouvé que celles-ci résultaient principalement de l'interaction de l'offre et de la demande de travail. Les facteurs qui influencent l'une ou l'autre de ces composantes influeront donc sur le niveau des salaires observés. Les principaux facteurs identifiés par la théorie et observés sont : l'industrie, l'occupation, la région, la scolarité, l'expérience, le sexe, l'appartenance syndicale et les risques pour la santé et la sécurité au travail.

Sur le plan des variations annuelles dans les salaires, nous avons trouvé que les principaux facteurs étaient de deux ordres soit premièrement, institutionnels et, deuxièmement, concernant les déséquilibres sur les marchés du travail.

Pour les facteurs institutionnels, nous avons mis l'accent principalement sur le phénomène des clauses d'indexation et la présence de politiques de contrôle des prix et des revenus. En ce qui a trait aux facteurs de déséquilibre, les variables suivantes ont pu être identifiées et vérifiées : le rattrapage, l'industrie, les augmentations salariales obtenues ailleurs, l'inflation et le chômage.

PARTIE 2

Le syndicalisme et la négociation collective

CHAPITRE 10
Les objectifs économiques des syndicats

Comme point de départ à l'étude du syndicalisme, il convient de s'interroger sur ses objectifs. Différentes hypothèses se présentent : la maximisation des salaires, la maximisation de la masse salariale, le modèle du monopole syndical et le modèle coopératif. Nous considérerons tour à tour chacune de ces diverses approches.

10.1 LA MAXIMISATION DES SALAIRES

On pourrait croire que certains syndicats poursuivent un objectif de maximisation des salaires. Sur le plan logique, cette hypothèse est insoutenable, car elle signifie que la politique des syndicats est d'obtenir un salaire de plus en plus élevé au prix d'un emploi de plus en plus réduit. Sur une courbe de demande de travail, la maximisation des salaires aboutit à la fermeture de l'entreprise ou encore à un niveau d'emploi réduit au minimum (graphique 10.1). Il est donc clair que les syndicats poursuivent d'autres objectifs. Ils tiennent compte, entre autres, des effets des salaires sur le niveau de l'emploi.

GRAPHIQUE 10.1
Maximisation des salaires

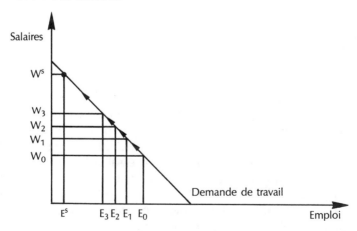

10.2 LA MAXIMISATION DE LA MASSE SALARIALE

L'hypothèse de la maximisation de la masse salariale a ceci d'intéressant qu'elle tient compte à la fois du niveau des salaires et de l'emploi. En effet, la masse salariale (MS) se compose de deux éléments : le salaire (W) et l'emploi (E), soit :

$$MS = W \times E \tag{1}$$

Cette hypothèse signifie que le syndicat cherche à atteindre le taux de salaire tel que le produit W × E est à son maximum. Le graphique 10.2 illustre cette situation. En W, le produit W × E est à son maximum.

GRAPHIQUE 10.2
Maximisation de la masse salariale

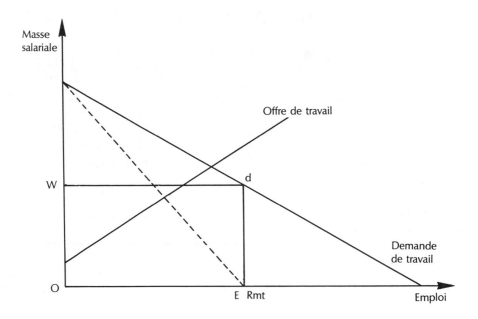

Le rectangle OWdE couvre la surface qu'il est impossible de dépasser. Tout autre taux de salaire génèrerait une surface plus petite. Cette combinaison est atteinte à partir du point où le revenu marginal du travail est nul. En effet, comme le montre le graphique 10.3, la masse salariale ou le revenu total consacré au travail est maximisé au point où le revenu marginal est nul. En deçà de ce point (six employés), le revenu marginal est positif et la masse salariale s'accroît. Au delà de ce point, le revenu marginal est négatif (p. ex. 7, 8, 9 et 10 employés) et la masse salariale diminue.

GRAPHIQUE 10.3
Maximisation de la masse salariale ou du revenu total consacré au travail

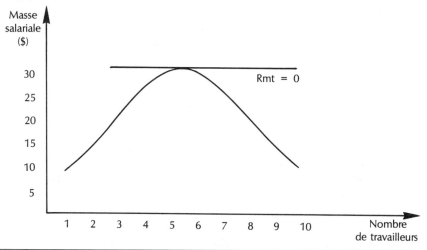

Nombre de travailleurs	Salaires ($)	Masse salariale ou revenu total ($)	Revenu marginal du travail = $\dfrac{\Delta MS}{\Delta T}$ ($)
T	W	MS	Rmt
1	10	10	10
2	9	18	8
3	8	24	6
4	7	28	4
5	6	30	2
6	5	30	0
7	4	28	− 2
8	3	24	− 4
9	2	18	− 6
10	1	10	− 8

Cette hypothèse présente deux difficultés principales : elle laisse supposer une fonction de préférence très particulière pour les leaders syndicaux et, surtout, le salaire n'a pas à être au-dessus du salaire du marché. En effet, si on traçait une courbe d'offre de travail qui intercepte la demande de travail au-dessus du point d (graphique 10.2.), cela laisserait supposer que les syndicats visent, obtiennent et négocient des salaires inférieurs par rapport à la concurrence, ce qui est contredit par les faits[1].

---

[1] Historiquement, cette hypothèse a été avancée par DUNLOP (1944) ; elle s'opposait à celle de ROSS (1948) qui argumentait plutôt sur la base de la maximisation des salaires. De nos jours, cette controverse n'a plus sa place, chacune des hypothèses ayant perdu sur le plan des fondements logiques et empiriques.

10.3 LE MONOPOLE SYNDICAL

En remplacement des deux précédentes hypothèses, il a été proposé d'adopter un modèle plus flexible sur le plan des préférences syndicales. On suppose donc une fonction d'utilité syndicale (U^s) composée essentiellement de deux arguments : le salaire (W) et l'emploi (E). La contrainte serait la demande de travail (D) d'un côté, et le taux de salaire alternatif (W^a) de l'autre.

Les leaders syndicaux sont alors perçus comme des individus cherchant à maximiser leur propre fonction d'utilité, composée de leurs revenus personnels, de leur prestige et de leur idéologie. Dans la mesure toutefois où ils représentent leurs membres et dans la mesure où ils cherchent à être réélus, ils devraient considérer les intérêts de ces membres. Le processus démocratique à l'intérieur du syndicat est donc très important pour déterminer les caractéristiques de la fonction d'utilité syndicale. L'intérêt des membres prendra plus ou moins de place selon que le processus démocratique est plus ou moins élaboré[2]. Les éléments de revenus personnels et de prestige sont supposés étroitement reliés pour leur part aux salaires de leurs membres et à la taille du syndicat (nombre d'employés). C'est pourquoi la fonction d'utilité syndicale peut se réduire à ces deux derniers arguments, à savoir le salaire et l'emploi des travailleurs syndiqués.

GRAPHIQUE 10.4
Le monopole syndical

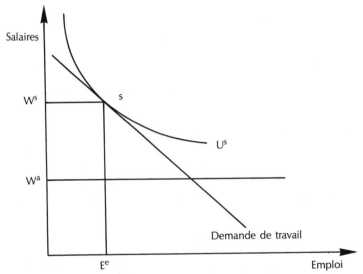

---

(2) La concurrence intersyndicale est un phénomène qui tendra également à conduire au même résultat.

Dans ces conditions (graphique 10.4), le salaire négocié par le monopole syndical[3] sera celui qui correspond au point de tangence entre la courbe d'utilité syndicale la plus éloignée de l'origine et la courbe de demande de travail. Le syndicat impose le salaire (W^s), l'entreprise fixe le niveau d'emploi (E^e) correspondant.

10.4 LE MODÈLE COOPÉRATIF

L'analyse présentée dans la section précédente décrit une situation où le syndicat gagne tout et l'employeur perd tout sauf sa capacité de fixer le niveau de l'emploi. Or, il est possible d'imaginer une solution ou un ensemble de solutions meilleures pour les deux parties.

Pour cela, il convient tout d'abord de construire une fonction d'isoprofits pour les employeurs. Cette fonction sera concave par rapport à l'abscisse dans l'espace salaires – emploi. Elle correspondra à des niveaux de *profits d'autant plus élevés qu'elle se déplace vers l'abscisse.*

GRAPHIQUE 10.5
Fonctions d'isoprofits

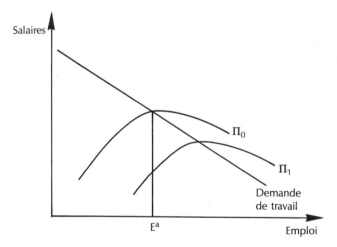

Le graphique 10.5 illustre de telles fonctions. Pour des niveaux d'emploi inférieurs à E^a, nous avons déjà vu que la valeur de la productivité marginale était supérieure au salaire. L'employeur avait donc intérêt à accroître son

---

(3) Seul vendeur autorisé des services de main-d'œuvre auprès de l'employeur, avec la capacité de retirer collectivement ces services pour une période indéterminée (grève ou arrêt de travail).

emploi car ce faisant, il augmentait ses profits. La courbe Π_0 indique le montant compensatoire en salaires pour annuler cet effet d'enrichissement, c'est-à-dire pour maintenir les profits au même niveau (courbe d'isoprofits).

À droite de a, nous avons vu par ailleurs que l'embauchage de travailleurs additionnels réduisait les profits. Pour maintenir le niveau des profits, il faut que les salaires diminuent. La courbe d'isoprofits est donc concave par rapport à l'abscisse. Elle croît à gauche de a, atteint un maximum en a , puis décroît à droite de a.

Également, plus la courbe est près de l'abscisse, plus les profits sont élevés. Les niveaux de salaires et d'emploi diminuent tous deux au fur et à mesure qu'on s'en rapproche, pour tout niveau de production, de revenu et d'emploi ($\Pi_1 > \Pi_0$). Qu'en est-il alors de la solution s proposée au graphique 10.4 ? Elle correspond, comme le montre le graphique 10.6, à un niveau de profits sensiblement inférieur à celui auquel serait arrivée l'entreprise en l'absence de syndicat.

Au niveau des salaires de concurrence (W^a), le niveau des profits Π_a serait nettement supérieur aux profits Π_0 obtenus en présence d'un syndicat. Une fois cette contrainte admise toutefois (présence d'un syndicat dans l'entreprise), il est possible de concevoir une solution coopérative qui soit avantageuse pour l'une des deux parties sans nuire à l'autre, ou encore qui soit avantageuse pour les deux parties à la fois.

GRAPHIQUE 10.6
Solutions PARETO Optimales

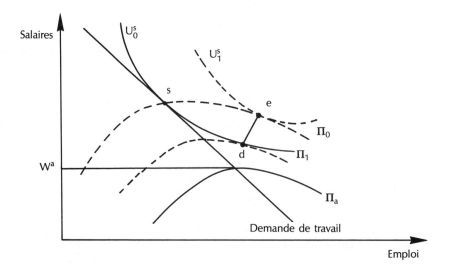

Si on convient que le point s correspond au niveau d'utilité syndicale U_0^s, il est possible d'imaginer une solution d correspondant au point de tangence d avec le même niveau d'utilité U_0^s pour le syndicat mais pour un niveau de profit $\Pi_1 > \Pi_0$ pour l'entreprise.

Par ailleurs, si on maintient le niveau de profits Π_0, il devient possible pour le syndicat d'atteindre un niveau d'utilité supérieur U_1^s correspondant au point e, sans changer les profits de l'entreprise. Entre d et e se trouvent alors des situations qui avantagent simultanément les deux parties (plus de profits et plus d'utilité syndicale à la fois). Le segment de est appelé courbe de contrats PARETO optimaux ou PARETO supérieurs, du nom de VILFREDO PARETO, qui l'a inventé[4].

Dans le schéma coopératif, on note que le niveau de salaire reste supérieur à celui de la concurrence mais qu'il apparaît inférieur à celui du monopole syndical. En échange cependant, le niveau d'emploi négocié est supérieur à celui réalisé en situation de monopole syndical pur. Une des difficultés de ce modèle est qu'il exige beaucoup d'information et de confiance entre les parties. L'employeur doit bien connaître les préférences des leaders syndicaux (sacrifices qu'ils sont prêts à faire pour que le niveau de l'emploi soit plus élevé) et le syndicat doit bien connaître la fonction de profits des entreprises. Si l'un ou l'autre triche sur ses préférences ou ses profits, il y aura *exploitation* de l'un par l'autre. La confiance et l'honnêteté doivent donc régner.

Une façon de s'assurer du respect du contrat est de spécifier les niveaux d'emploi et de salaires convenus, ce qui n'est pas toujours possible dans tous les secteurs d'activité. Là où la demande pour le produit fluctue fortement par exemple, l'employeur a toujours intérêt à réduire le niveau de l'emploi. Les divers niveaux d'emploi devront donc être convenus d'avance pour chacune des diverses circonstances pouvant se présenter. Une façon de procéder consiste alors à lier l'emploi à la production ou encore à l'usage d'autres facteurs de production : par exemple, trois pilotes par avion, un professeur pour 30 étudiants, un nombre minimal de musiciens par spectacle, etc. En somme, des contrats PARETO optimaux sont possibles mais exigeants sur le plan de l'information, de la confiance et de la définition des mesures de contrôle et de supervision.

Les diverses expériences sur la question tendent à montrer que les ententes salariales se conforment au schéma coopératif dans certains cas mais ne sont pas encore généralisables à l'ensemble du secteur syndiqué. Dans l'état actuel

---

(4) Un contrat ou un échange est PARETO optimal lorsqu'il devient impossible d'améliorer le sort de l'un sans diminuer celui d'un autre pour des conditions données au point de départ. Ainsi, pour U_0^s donné, le point d représente une situation où il est impossible d'accroître les profits de l'entreprise sans réduire l'utilité syndicale. Pour diverses situations données entre U_0^s et Π_0, les combinaisons comprises le long de de correspondent à des contrats PARETO optimaux.

des connaissances, il apparaît que c'est plutôt le modèle du monopole syndical qui a cours[5].

---

(5) Nous n'avons pas montré le cas d'un monopole syndical faisant face à un monopsone patronal. La raison en est que les cas de monopsone patronal sont difficilement observables si ce n'est pour un certain nombre d'employés du secteur public. Le lecteur a cependant tous les outils en main pour pouvoir comparer ces deux solutions sur un même graphique. Dans ce cas, on notera que les salaires négociés seront supérieurs aux salaires alternatifs de monopsone, mais pas nécessairement supérieurs aux salaires de concurrence. La solution a également toutes chances de générer des niveaux de salaires *et d'emploi* supérieurs à ceux qui résulteraient de la solution du monopsone pur. Dans le cas du secteur public toutefois, d'autres modèles sont en concurrence les uns avec les autres pour expliquer le fait que le salaire et l'emploi sont supérieurs dans le secteur syndiqué des administrations publiques et des services parapublics de l'éducation et de la santé. Pour plus de détails sur ces différents modèles, se référer à COUSINEAU et GIRARD (1989).

CHAPITRE 11
Le rôle des syndicats

Dans le chapitre précédent, nous avons vu que les syndicats pouvaient contribuer à accroître le salaire de ses membres grâce à son pouvoir de monopole de représentation et de retrait collectif de ses effectifs. Dans ce chapitre, nous verrons que le rôle des syndicats ne se limite pas à influencer les salaires à la hausse. Pour examiner ces autres considérations, il convient de se référer à des schémas d'analyse plus fondamentaux et universels, mais dont l'application à la syndicalisation comporte un grand intérêt. Ces schémas se rapportent à la façon dont les institutions s'adaptent aux pressions de l'environnement. Nous présenterons d'abord le modèle de HIRSCHMAN ou modèle d'"exit-voice", puis l'adaptation qu'en a faite Freeman au fonctionnement des marchés du travail.

11.1 LE MODÈLE DE HIRSCHMAN *exit-voice*

HIRSCHMAN (1970) est le premier à avoir proposé l'idée que les institutions et la société en général disposent essentiellement de deux mécanismes pour corriger une situation incorrecte ou qui se détériore : l'*exit* ou le *voice*.

L'exit est cette forme de protestation qui consiste à quitter un marché dont le produit n'est pas jugé adéquat par les consommateurs : un consommateur n'aime pas la cuisine d'un certain restaurant, il n'y revient plus ; les consommateurs ne sont pas satisfaits d'une certaine marque d'automobile, ils se tournent vers d'autres marques ou fabricants ; des citoyens d'une certaine municipalité trouvent que les taxes sont trop élevées ou que les services municipaux sont insuffisants, ils déménagent vers les municipalités voisines. En fait, le mécanisme d'exit correspond à celui du marché : il est courant, répandu, efficace et peu coûteux. Une très vaste partie des économies industrielles modernes fonctionne sur cette base et il a été démontré que ce fonctionnement est efficace.

La compagnie ou l'entreprise qui voit ses clients l'abandonner (p. ex. parce que ses automobiles rouillent prématurément) en recherche les causes. Si les pertes ne sont pas trop radicales[1], elle aura le temps de s'ajuster, effectuera les corrections nécessaires et pourra espérer rétablir sa part du marché.

---

(1) Dans la mesure où il y a une certaine fidélité, loyauté ou un certain attachement d'une partie tout au moins des consommateurs à un produit ou à une marque de produit.

HIRSCHMAN a su démontrer toutefois que ce mécanisme d'exit n'était pas toujours efficace, et pouvait même être, en certaines circonstances, *contreproductif*. Il prend pour exemple une compagnie publique de chemins de fer, qui d'aucune façon ne respectait ses horaires, et offrait des services de pauvre qualité. Dans ce cas, plutôt que de se corriger, l'entreprise en question laissait aller les choses parce que personne ne s'en plaignait. Le mécanisme d'exit fonctionnait bel et bien, et les consommateurs prenaient d'autres moyens de transport (automobile, autobus, avion). En un certain sens, il aurait été préférable, nous dit HIRSCHMAN, que les consommateurs soient captifs du service ferroviaire. Ils auraient uni leurs voix, se seraient plaints auprès de l'organisation et auraient exercé des pressions telles que celle-ci aurait dû procéder aux ajustements souhaités. Le mécanisme d'exit, en permettant la sortie des gens qui accordent le plus de poids à la qualité du service, nuisait plutôt qu'il n'aidait à l'améliorer.

La leçon à tirer de cet exemple est que le marché ou le mécanisme d'exit est bien souvent efficace, mais pas toujours. Dans ce dernier cas (pour les biens publics plus particulièrement), le mécanisme de voice, soit l'expression collective et organisée du mécontentement, peut lui être supérieure.

11.1.1 Son application aux relations industrielles

FREEMAN appliqua cette analyse aux relations industrielles. Dans le cas des biens publics, c'est-à-dire les avantages sociaux et les conditions de santé et de sécurité au travail par exemple, qui touchent tous les travailleurs, FREEMAN avance que le système de marché n'est pas en mesure de fournir les bons indicateurs aux employeurs.

Si par exemple, une entreprise privée souffre d'un problème de roulement de la main-d'œuvre (les départs sont élevés), ses moyens pour corriger la situation sont limités. D'une part, en l'absence de syndicat, le travailleur hésitera à se plaindre de certaines conditions car il risque d'être mal vu de son employeur et même de perdre son emploi. D'autre part, l'entreprise qui chercherait à savoir pourquoi les travailleurs quittent leur emploi par l'intermédiaire de questionnaires ou d'entrevues personnalisées au moment de leur départ, risque de ne pas tirer grand-chose d'une telle opération. Les travailleurs en question n'ont aucun avantage à dire la vérité, et ils peuvent même être pénalisés sous forme d'une mauvaise réputation ou encore de mauvaises références auprès de leurs employeurs potentiels. FREEMAN va encore un peu plus loin dans cette démonstration en affirmant que, dans ces circonstances, on ne peut être assuré que le mécanisme d'exit conduira spontanément aux corrections nécessaires. C'est un mécanisme de tâtonnements, d'essais et erreurs qui, dans ces circonstances particulières, ne mène pas automatiquement aux solutions recherchées.

Pour toutes ces raisons, le mécanisme de voice peut apparaître supérieur au mécanisme d'exit. Dans une entreprise syndiquée, le syndicat peut précisément jouer le rôle de canalisation des préférences pour les biens collectifs. Transmises par la voie syndicale, c'est-à-dire par des représentants de l'ensemble des travailleurs, ces préférences sont couvertes par l'anonymat et la protection syndicale, d'où la diminution des risques de représailles de la part des employeurs.

En présence d'un syndicat, conclut FREEMAN, les entreprises courent la chance d'obtenir de meilleurs contrats avec leurs employés. À moment égal, la répartition des coûts pour le travail sous forme de biens privés et de biens publics sera meilleure. Les travailleurs seront plus satisfaits, le roulement de la main-d'œuvre diminuera, l'entreprise sera plus incitée à investir en formation spécifique (puisque le roulement anticipé aura diminué) et, tous comptes faits, la main-d'œuvre sera plus productive. Ce long raisonnement démontre de quelle façon le syndicalisme peut conduire à un accroissement de la productivité du travail au niveau de l'entreprise syndiquée.

Les chercheurs qui ont mené des études sur la question restent divisés. Certains soutiennent l'hypothèse d'une productivité plus élevée en présence d'un syndicat, d'autres démontrent le contraire. Pour un même secteur d'activité, il peut aussi arriver que les résultats passent du positif au négatif, ou vice versa, selon la période considérée.

On peut donc poser l'hypothèse que, dans les périodes et pour les secteurs où le syndicat se comporte comme une courroie de transmission des préférences des travailleurs pour les biens collectifs et si l'entreprise l'entend de cette façon, la productivité s'accroît. Toutefois, lorsque toutes ces conditions ne sont pas réunies c'est l'effet contraire qui pourrait se produire[2].

D'autres effets du syndicalisme sont prévus à partir de cette même approche. Il suffit, pour les expliquer, de la combiner avec la théorie de l'*électeur médian*, selon laquelle les politiciens (les leaders syndicaux dans ce cas-ci) cherchent à être réélus et que, pour ce faire, ils veulent plaire au plus grand nombre. L'électeur médian (le travailleur médian dans ce contexte-ci) est celui qui a toutes les chances d'être privilégié. Nous verrons à la section 18.2 le détail de la théorie de l'électeur médian. Disons simplement pour l'instant que, par définition, l'électeur médian est l'électeur majoritaire ou encore celui qui forme la majorité[3].

---

(2) Parmi les effets négatifs du syndicalisme sur la productivité, on trouve la rigidité dans la définition des tâches, les règles de production et de promotion (ancienneté). Dans le cas de l'ancienneté toutefois, FREEMAN invoque le fait qu'elle facilite la transmission des connaissances pratiques des plus vieux aux plus jeunes puisque les premiers ne se sentent pas menacés par ces derniers. Finalement, FREEMAN mentionne que l'effet sur la productivité, en admettant qu'il soit positif, ne compense pas les coûts accrus de travail et, donc, que les effets nets sur les profits restent négatifs.

(3) En termes mathématiques, la médiane est le point tel que, sur une distribution normale, 50 % des gens se trouvent à droite et 50 % à gauche. L'électeur médian (revenu médian, âge médian, etc.) se trouve donc au centre de cette distribution, là où la concentration de personnes est la plus forte. Lui plaire correspond donc à plaire à une majorité.

11.2 LE TRAVAILLEUR SYNDIQUÉ ET LES AVANTAGES SOCIAUX

La théorie de l'électeur médian conduit à la prédiction que les travailleurs syndiqués bénéficieront d'avantages sociaux plus importants en termes relatifs[4]. En effet, le travailleur médian d'une entreprise syndiquée serait différent du travailleur marginal, et il se perçoit comme devant rester longtemps au service de la même entreprise. Il accorde donc plus de poids aux avantages sociaux dont le rendement dépend, pour une bonne partie, de l'ancienneté dans l'entreprise (vacances plus longues, assurances, fonds de pension etc.).

Le travailleur marginal pour sa part est plus jeune, c'est le dernier arrivé. L'entreprise cherche à lui verser le salaire et le montant ou la proportion d'avantages sociaux juste nécessaire pour l'attirer[5]. Celui-ci n'a pas encore développé de loyauté vis-à-vis l'entreprise et son intérêt pour les avantages sociaux est plus limité. Dans le cas du travailleur médian, il devra donc y avoir plus d'avantages sociaux. Dans le cas du travailleur marginal, il devra y en avoir moins.

Or, comme dans une entreprise syndiquée, le travailleur médian est celui qui réélit les leaders syndicaux, ceux-ci devraient défendre plutôt les intérêts de ce groupe de travailleurs pour les avantages sociaux. La plupart des études sur la question confirment cette hypothèse. Toutes choses égales par ailleurs, il apparaît que les travailleurs syndiqués disposent d'une plus forte concentration d'avantages sociaux dans leur rémunération totale que les travailleurs non syndiqués.

Les syndicats n'ont donc pas de l'influence uniquement sur les salaires, ils en auraient également sur la composition de la rémunération du travail, la satisfaction au travail[6], le roulement de la main-d'œuvre, l'investissement en formation spécifique, la productivité et les profits[7]. Leur rôle dans les entreprises ne peut être confiné aux seuls aspects salariaux, il les déborde largement, à condition, bien sûr, que ces mêmes syndicats disposent d'un certain pouvoir.

---

(4) En termes absolus, c'est l'effet du monopole syndical qui entre en jeu.

(5) Au point d'équilibre entre l'offre et la demande, nous nous référons toujours au travailleur marginal, c'est-à-dire au salaire juste nécessaire pour attirer une offre de travail supplémentaire sur le marché.

(6) Pour ce qui en est de la satisfaction, un certain effet paradoxal est apparu. À première vue, les travailleurs syndiqués se montrent plus mécontents et plus insatisfaits de leurs conditions de travail en même temps que leur taux de roulement est plus faible. La raison en serait, selon FREEMAN, que les travailleurs sont habitués au voice, et donc à l'expression de leurs sources de mécontentement, alors que ce n'est pas le cas chez les travailleurs non syndiqués.

(7) Voir note 2 de ce chapitre.

CHAPITRE 12
Le pouvoir syndical

Le pouvoir syndical peut être défini comme la capacité d'un syndicat d'arracher des concessions à l'entreprise. Ce pouvoir dépend essentiellement de deux grands facteurs : l'élasticité de la demande de travail et le pouvoir de négociation. Dans le présent chapitre, nous expliciterons chacun de ces aspects du pouvoir syndical.

12.1 L'ÉLASTICITÉ DE LA DEMANDE DE TRAVAIL

Par définition, l'élasticité de la demande de travail est la variation en pourcentage de l'emploi associée à une variation en pourcentage des salaires. Si l'emploi diminue de peu à la suite d'une forte progression salariale, le syndicat sera jugé plus fort que si l'emploi diminue de beaucoup à la suite d'une faible augmentation salariale.

Le graphique 12.1 présente deux situations de demande de travail : une demande peu élastique (D_0) et une demande fortement élastique (D_1). Si on suppose une même variation salariale ($W^1 - W^0$), il devient évident que la baisse de l'emploi est beaucoup moins prononcée en D_0 qu'en D_1. Le syndicat faisant face à une demande de travail inélastique de type D_0 sera plus puissant que le syndicat faisant face à une demande D_1. Le coût en emploi d'une poussée salariale est beaucoup moins grand dans le premier cas que dans le second[1]. Dès lors, les facteurs qui influencent l'élasticité de la demande de travail seront ceux qui influencent le pouvoir syndical. Ces facteurs sont au nombre de quatre :

1— l'élasticité de substitution technique entre les facteurs de production ;

2— la part des coûts du travail dans les coûts totaux de production ;

3— l'élasticité de la demande pour le produit ;

4— l'élasticité de l'offre des autres facteurs de production.

---

(1) S'il est prévu que la demande D_0 s'accroîtra, l'effet salarial pourra même ne pas être perçu. L'emploi sera plus faible qu'autrement mais pourra s'avérer inchangé ou légèrement plus élevé après la syndicalisation.

GRAPHIQUE 12.1
Élasticité de la demande de travail et pouvoir syndical

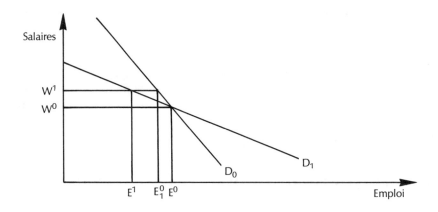

12.1.1 L'élasticité de substitution entre les facteurs de production

Les possibilités de substitution technique entre un facteur de production et le travail jouent un rôle déterminant dans la configuration de la demande de travail. Si le travail en question est essentiel à l'activité de production et n'est pas remplaçable à court terme par des machines ou d'autres types de travailleurs, le pouvoir de négociation du syndicat sera plus élevé. Il pourra obtenir de fortes augmentations de salaires sans qu'il y ait réduction appréciable de l'emploi (à court terme tout au moins).

L'élasticité de substitution technique entre les facteurs de production se rapporte au degré de convexité des courbes d'isoquant. Plus celles-ci sont convexes par rapport à l'origine, moins il sera facile de substituer un facteur par un autre. Moins elles sont convexes, plus il sera facile d'effectuer cette substitution[2].

_____

(2)   L'élasticité de substitution technique se définit par la variation en pourcentage de l'utilisation d'un facteur pour compenser la réduction en pourcentage d'un autre facteur de production afin de maintenir le même niveau de production.

GRAPHIQUE 12.2a
Élasticité de substitution
et emploi : isoquant convexe

GRAPHIQUE 12.2b
Élasticité de substitution
et emploi : isoquant peu convexe

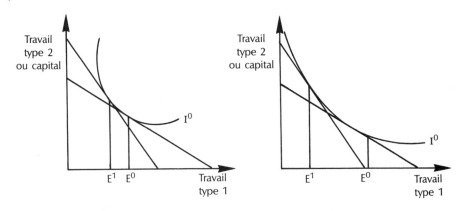

Pour un même changement de prix relatifs, on constate au graphique 12.2a que la variation de l'emploi sur un isoquant plus convexe est sensiblement inférieure à la variation de l'emploi sur un isoquant moins convexe. Il s'ensuit que les caractéristiques techniques de la production à laquelle est affecté un groupe de travailleurs syndiqués auront une certaine influence sur leur capacité d'obtenir des gains salariaux vis-à-vis de leur employeur.

12.1.2 L'importance relative des coûts du travail

Le second facteur est la part du travail dans les coûts totaux de production, ou l'« importance de ne pas être important ». En effet, posons les hypothèses suivantes :

1— L'emploi est une fonction positive de la production.

2— La production (les ventes) est une fonction négative du prix de vente du produit.

3— Le prix du produit contient une marge bénéficiaire (*mark-up*) de k % sur les coûts de production (p. ex. P = 1,15 × Coûts moyens par unité produite).

4— Les coûts de production sont une somme pondérée des différents coûts associés à chacun des facteurs de production. Écrivons :
C moyens = $a_1W + a_2AC$
où W = salaires,
AC = autres coûts,
a_1 et a_2 = poids respectifs des coûts du travail et du coût des autres facteurs de production.

Si a_1 est grand, les hausses de W se répercuteront vivement sur les coûts moyens (4), puis sur les prix (3), puis sur la production (2) et, finalement sur l'emploi (1). À l'inverse, si a_1 est petit, la hausse salariale n'y paraîtra presque pas sur les coûts de production et, donc, sur les prix, la production et l'emploi.

Bien évidemment, il y a des limites à ce processus car l'avantage d'être petit peut se traduire par le désavantage d'être plus facilement remplaçable. Il en coûte moins cher de remplacer un petit groupe qu'un grand groupe. En fait, l'incidence de la part des coûts du travail dans les coûts totaux de production sur le pouvoir syndical dépend de l'élasticité de substitution et de l'élasticité de la demande pour le produit. À cet égard, J.R. HICKS a formellement démontré que l'élasticité de la substitution entre les facteurs de production ne doit pas dépasser l'élasticité de la demande pour le produit.

12.1.3 L'élasticité de la demande pour le produit

La preuve que l'élasticité de la demande pour le produit influence le pouvoir syndical se fait de la façon suivante.

Supposons une fonction de production telle que la composition des facteurs de production doit toujours demeurer dans des proportions fixes : 1 travailleur, 1 machine ; 2 travailleurs, 2 machines ; etc. Supposons de plus que le niveau de production constitue un multiple constant de l'usage des facteurs : 2 unités de produits pour le couple 1 travailleur, 1 machine ; 4 unités de produits pour le couple 2 travailleurs, 2 machines ; et ainsi de suite. Nous pouvons alors représenter sur un même axe l'usage des facteurs de production et le niveau de production lui-même ; c'est ce qu'indique l'axe des x du graphique 12.3. Correspondant à cet axe, on peut tracer une courbe de demande (D_x) pour le produit X. Cette demande définit le prix maximum que peut toucher l'entreprise pour son produit[3] : à deux unités de production, elle peut obtenir 8 $ l'unité, à 4 unités de production elle ne peut toucher que 7 $ l'unité, et ainsi de suite.

Traçons maintenant une courbe d'offre du facteur machines (O_M) et supposons qu'à 4 $ l'unité l'entreprise peut en obtenir la quantité qu'elle désire. L'offre de ce facteur de production sera parfaitement élastique au prix de 4 $ l'unité. Ce prix constitue le prix minimum qu'elle doit payer pour obtenir du facteur de production autre que le travail. En supposant de plus que le prix de ce facteur intègre le profit minimum (3,50 $ la machine + 0,50 $ de marge

---

(3) On suppose ici une situation de concurrence imparfaite sur le marché des produits. Dans les cas de concurrence parfaite, la demande pour le produit serait parfaitement horizontale. La productivité marginale du travail est aussi supposée constante.

GRAPHIQUE 12.3
Élasticité de la demande pour le produit et élasticité de la demande de travail

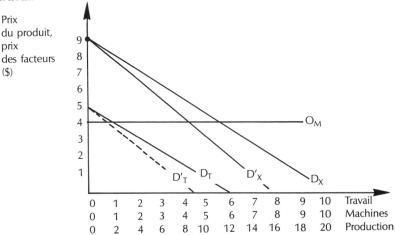

bénéficiaire pour l'entreprise)[4], la différence entre le prix maximum pour le produit et le prix minimum pour le facteur coopérant formera la demande de travail.

La demande de travail apparaît ainsi dérivée de la demande pour le produit de laquelle on soustrait l'offre du ou des facteurs coopérants. Géométriquement, cela donne une demande de travail $D_T = D_X - O_M$. À 6 unités de travail, $D_T = 0$ parce que le prix de O_M égale le prix de X (O_M et D_X se croisent). À 0 unité de travail, le prix du travail égale 5 $, ce qui correspond à la différence entre le prix maximum (9 $) et le prix minimum (4 $). En tous points, le segment D_T correspond à la soustraction de ces deux prix.

Supposons maintenant que la demande pour le produit soit plus inélastique. Il s'ensuit que la nouvelle demande de travail sera aussi plus inélastique que la première. En effet, pour D'_X plus inélastique que D_X et pour $D'_T = D'_X - O_M$, D'_T sera plus inélastique que D_T (graphique 12.3).

Dès lors, si une demande pour le produit plus inélastique confère une plus grande inélasticité à la demande de travail, il s'ensuit que l'inélasticité de la demande pour le produit d'une entreprise confère plus de pouvoir au syndicat. Un syndicat aura donc plus de pouvoir face à une entreprise à caractère monopolistique dont la demande pour le produit est inélastique[5].

---

(4) Pour qu'un entrepreneur ou une entrepreneuse exerce sa profession, il ou elle doit être en mesure d'attendre un rendement concurrentiel sur le capital (machines, équipement, etc.) investi.

(5) Le monopole confère plus d'inélasticité à la demande de travail alors que l'élasticité de la demande pour un produit dépend de son caractère essentiel et de l'absence de proches substituts.

12.1.4 L'élasticité de l'offre des autres facteurs de production

La dernière règle du pouvoir syndical[6] se rapporte à l'élasticité de l'offre des autres facteurs de production. Cette règle peut être facilement démontrée sur notre schéma de base.

GRAPHIQUE 12.4
Élasticité de l'offre des autres facteurs de production et élasticité de la demande de travail

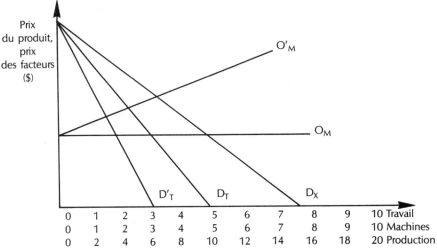

S'il est vrai que $D_T = D_X - O_M$, alors D_T sera d'autant plus inélastique que l'offre du facteur O_M est elle-même inélastique (graphique 12.4). En effet pour O'_M plus inélastique que O_M, il apparaît immédiatement que D'_T (calculé par la différence entre D_X et O'_M) est plus inélastique que D_T. Cela est vrai pour deux facteurs de production qui sont strictement complémentaires comme dans l'exemple dont nous nous servons.

Mais cela est tout aussi vrai dans le cas où les deux facteurs de production sont des substituts. L'intuition qui mène à ce résultat est la suivante. Si le syndicat réussit à augmenter le prix du travail et qu'il n'en coûte presque rien à l'entreprise pour obtenir de grandes quantités de capital (l'offre de capital est élastique) en remplacement du travail, le pouvoir syndical sera faible. À l'inverse, plus il est coûteux d'obtenir de telles quantités de capital en remplacement du travail (l'offre de capital est inélastique), plus la substitution sera difficile et plus grand sera le pouvoir syndical.

---

(6) On peut parler de règles de pouvoir en référence aux règles établies par ALFRED MARSHALL et en définissant les facteurs d'influence de l'élasticité de la demande de travail.

12.2 LE POUVOIR DE NÉGOCIATION

Comme nous l'avons mentionné en introduction à ce chapitre, l'élasticité de la demande de travail ne constitue pas le seul facteur conférant un certain pouvoir aux syndicats. Encore faut-il qu'ils aient la capacité de négocier des salaires le long d'une courbe de demande inélastique au-dessus du salaire d'équilibre concurrentiel. Ce pouvoir ou cette capacité provient essentiellement de la menace de grève, c'est-à-dire des coûts que le syndicat peut imposer à l'entreprise par un arrêt de travail.

En période de grève, l'entreprise doit continuer d'assumer ses coûts fixes, par exemple les assurances générales, le loyer et les intérêts. Dans la mesure où elle réalisait des profits sur ses coûts variables, elle risque également de perdre ces profits. Finalement, si la grève lui fait manquer ses obligations vis-à-vis ses principaux clients, elle risque d'en perdre un certain nombre[7]. En revanche cependant, la grève ne comporte pas que des coûts pour l'entreprise ; elle comporte des coûts pour le syndicat (p. ex. paiement d'allocations de grève, frais d'organisation de l'arrêt de travail) et ses membres (manque à gagner)[8].

Finalement, tout comme il y a des coûts associés à une grève, il y a des coûts à accepter trop vite une proposition d'entente salariale. Pour le syndicat, le coût d'un accord trop rapide est égal au montant auquel il renonce en acceptant les termes de la proposition patronale. Si on suppose, comme le font CARTTER et MARSHALL (1972), que ce montant est une fonction inverse du taux de salaire offert, on aura une fonction de coût d'accord pour le syndicat qui est inversement reliée au salaire offert par la partie patronale. C'est ce qu'indique la fonction CA^S au graphique 12.5a[9].

Le coût de l'accord pour la partie patronale est supposé une fonction directe et linéaire du taux de salaire lui-même. En effet, plus le taux de salaire négocié est élevé, plus le coût de l'accord est supposé élevé. C'est la fonction CA^e tracée au graphique 12.5b.

Le coût d'une grève pour les syndicats et leurs membres est supposé une fonction positive du salaire. En effet, plus le salaire auquel on renonce en manifestant son désaccord est élevé plus le coût de la grève est supposé élevé. C'est ce que représente la fonction CG^S pour les travailleurs syndiqués (gra-

(7) Certaines ventes pourraient être récupérées, au prix toutefois d'un travail rémunéré en heures supplémentaires ou encore par le travail des cadres non syndiqués.

(8) Certaines de ces pertes peuvent être récupérées par le travail à heures supplémentaires après la grève ou avoir été épargnées grâce à l'accumulation des inventaires de l'entreprise avant l'arrêt de travail (en prévision de celui-ci).

(9) On suppose donc qu'accepter trop vite une offre de 10 $ l'heure coûte plus cher, toutes choses égales par ailleurs, qu'accepter trop vite une offre de 15 $ ou 20 $ l'heure.

GRAPHIQUE 12.5a
Coûts d'accord et de désaccord pour le syndicat

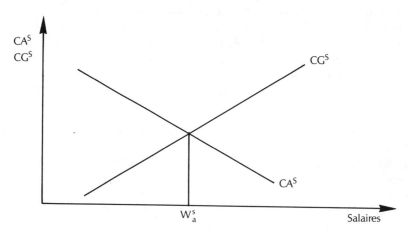

GRAPHIQUE 12.5b
Coûts d'accord et de désaccord pour l'entreprise

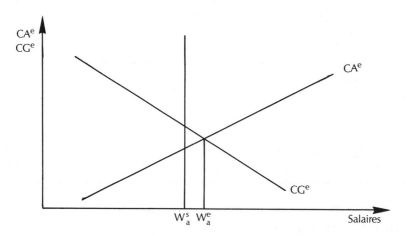

phique 12.5a). À l'inverse, pour l'entreprise, le coût d'une grève[10] est supposé une fonction inverse du taux de salaire (CG^e au graphique 12.5b). Cela fait autant que l'entreprise épargne. En refusant la demande syndicale, l'entreprise peut également prévoir que le syndicat revisera sa position à la baisse, et cela d'autant plus que le salaire initialement demandé est élevé.

---

(10) Nous n'avons pas parlé de lock-out, situation où c'est l'entreprise qui refuse l'entrée à ses travailleurs. Cette situation est rare puisque l'entreprise n'a que rarement intérêt à procéder de la sorte si ce n'est pour protéger ses équipements ou manifester sa fermeté. En temps normal, elle n'a qu'à refuser les propositions du syndicat sur qui retombe alors le fardeau de déclencher ou non l'arrêt du travail.

En somme, le graphique 12.5 caractérise formellement le rapport de forces entre le syndicat et l'entreprise. Il met en évidence les différentes formes de coûts associés à une entente salariale ou à l'autre choix, l'arrêt de travail, pour chacune des parties en cause.

Au point de rencontre entre les coûts d'accord et les coûts de désaccord (coûts de la grève) pour la partie syndicale, se définit un taux de salaire minimum acceptable (W^s), au delà duquel il en coûte moins cher d'accepter l'entente que de la refuser. Au point de rencontre entre les coûts d'accord et les coûts de désaccord pour la partie patronale, se définit un taux de salaire maximum acceptable (W^e_a), en deçà duquel il en coûte aussi moins cher d'accepter que de refuser.

L'entente sera signée ou convenue entre W^s_a, le salaire minimum acceptable par la partie syndicale, et W^e_a, le salaire maximum acceptable par la partie patronale. Tout ce qui influencera les courbes CG ou CA des syndicats et des entreprises modifiera le rapport de forces et, donc, l'issue de la négociation.

Dans une entreprise pour laquelle les coûts fixes sont faibles, le pouvoir syndical sera plus faible. De même en est-il si les profits anticipés sont faibles et s'il y a plusieurs concurrents qui peuvent prendre la relève de la production. Les possibilités d'ajustement de la production avant ou après la grève sont aussi des facteurs susceptibles d'influencer le rapport de forces.

Du côté syndical, un solide fonds de grève, et pour les travailleurs, un bon niveau d'épargne et d'occasions de travail pendant la grève pour eux ou un membre de leur famille sont des facteurs qui, dans ce schéma d'analyse, renforcent le pouvoir syndical. En période d'expansion économique par exemple, lorsque la demande de travail s'accroît, ces possibilités sont meilleures qu'en période de récession. Le coût de la grève pour les travailleurs syndiqués devrait donc diminuer (déplacement vers le bas de la courbe CG^s) lorsque la demande de travail augmente.

Pour les entreprises cependant, l'expansion signifie plus de ventes, plus de revenus et plus de profits escomptés. Les coûts de la grève devraient augmenter avec l'augmentation de la demande pour leurs produits (déplacement vers la droite de la courbe CG^e)[11]. En conséquence, le rapport de forces devrait être « pro-cyclique » pour les syndicats et « contra-cyclique » pour les entreprises.

Cela signifie qu'en période où la demande de travail s'accroît, les salaires devraient s'accroître plus qu'en période où la demande de travail diminue ... tout comme dans le secteur non syndiqué en somme. Le syndicalisme, par son rapport de forces, contribue à créer une différence de salaires par rapport aux travailleurs non syndiqués. Il n'est pas en mesure toutefois de créer une différence dans les augmentations salariales qui sont fonction de la conjoncture

(11) Cet effet peut être limité par la congestion des commandes chez les concurrents.

économique sur les marchés du travail. Les secteurs syndiqué et non syndiqué subissent tous deux l'influence des fluctuations de l'offre et de la demande sur ces marchés. Les mécanismes de transmission de ces forces peuvent être variables d'un secteur à l'autre, mais l'influence du marché ne peut être renversée par la présence d'un syndicat. À court terme, des différences peuvent apparaître, en raison principalement de contrats de plus longue durée dans le secteur syndiqué. À long terme cependant, et toutes choses égales par ailleurs, les augmentations salariales devraient être similaires dans les deux secteurs.

CHAPITRE 13
L'activité de grève

Dans le schéma du chapitre précédent, il était supposé que le salaire maximum acceptable par l'entreprise était supérieur au salaire minimum acceptable pour le syndicat. Que se passe-t-il cependant si, dans un premier temps, le salaire minimum dépasse le salaire maximum ? Clairement il n'y a plus d'entente possible. Chacune des parties juge que la grève coûte moins cher que l'entente. La grève sert alors à faire réviser les positions et les calculs de l'une ou l'autre partie ou des deux. C'est l'idée centrale que nous développerons dans les paragraphes qui suivent : sauf exception, la grève ne change pas le rapport de forces, elle le fait se révéler. On peut aussi faire un pas de plus et dire que la grève est le prix à payer pour mieux connaître la capacité de payer de l'entreprise, la capacité de résistance du syndicat, les conditions du marché du travail et le rapport de forces.

13.1 LE MODÈLE DESCRIPTIF D'ALBERT REES

Le premier modèle auquel nous avons recours est celui d'ALBERT REES. Ce modèle sert d'introduction à d'autres plus complexes et met en place des définitions, concepts et problèmes de base.

Schématiquement, le modèle de REES vise à reproduire un processus de négociation typique. Il met en évidence les différentes étapes d'annonces et de relances associées à ce processus (graphique 13.1). En abscisse, on retrouve l'échelle du temps mesuré en jours, semaines ou mois, selon le cas ; nous prendrons l'exemple des semaines. Le point g sur l'abscisse indique le moment où la convention vient à échéance, ou encore le moment où le syndicat obtient le droit de grève (et le patron le droit de lock-out). Avant l'échéance du contrat, les négociations sont entreprises à partir des propositions salariales déposées ou annoncées par chaque partie. L'ordonnée indique ces diverses propositions salariales à différents points dans le temps.

Au point de départ (0 sur l'abscisse) correspond tout d'abord la demande salariale initiale $D_1 = W_s$ du syndicat. Cette première proposition est suivie, quelque temps après, d'une contre-proposition patronale O_1, l'offre salariale initiale de l'employeur. En règle générale, D_1 est supérieur au salaire W_0 versé en vertu des termes actuels du présent contrat venant à échéance et compris entre W_s et W_0. L'aire de négociation peut donc se définir par la distance entre D_1 et O_1.

GRAPHIQUE 13.1
Le modèle de REES

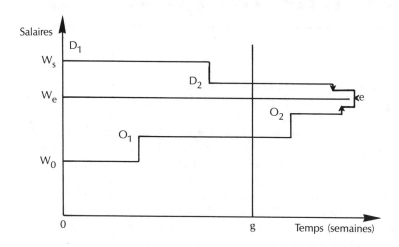

Il pourra s'écouler encore quelques semaines avant que la partie syndicale ne réagisse. Dans ce cas, nous supposerons qu'elle dépose une nouvelle demande salariale D_2 (contre-offre) inférieure à sa première demande, mais supérieure à la première offre patronale. Nous supposerons également que cette seconde demande est une demande ferme de la part du syndicat, c'est-à-dire une demande qui, si elle est refusée ou n'entraîne pas de réaction du côté patronal, entraîne la grève.

Néanmoins, la partie patronale peut avoir sous-estimé la volonté du syndicat et croire qu'il s'agissait d'une demande salariale, pas sérieuse et teintée d'exagération comme la première. Elle peut donc ne pas réagir à cette proposition et laisser passer l'échéance du contrat.

Comme attendu, au delà du point g, la grève est déclenchée. L'avènement de cette grève révèle à l'employeur que la proposition salariale du syndicat reflétait une position ferme. Dès lors, après quelque temps de grève, l'employeur annonce une seconde offre O_2 plus élevée que la première.

Selon REES, quelques semaines peuvent encore s'écouler avant que le syndicat ne réagisse à nouveau pour présenter une troisième demande salariale. Dès lors, l'écart entre les offres et les demandes salariales est passablement rétréci et les négociations s'accélèrent. Ce n'est plus qu'une question de jours ou d'heures (négociations de nuit) et un compromis est atteint au salaire W_e apparaissant sur l'ordonnée.

Ce processus est évidemment simplifié et arbitraire. Dans le concret, les offres et demandes salariales peuvent être plus ou moins nombreuses. La réaction des parties peut être plus ou moins rapide. Ce modèle est en quelque sorte un modèle de grève. Or, dans les négociations collectives, la grève est l'exception plutôt que la règle. En outre, il peut très bien arriver que la grève n'ait pas lieu, même si les négociations dépassent la date d'échéance du contrat.

Ce modèle a toutefois comme avantage de servir d'introduction à des modèles plus complexes. Il schématise un processus de négociation et de propositions et contre-propositions salariales. On peut également y voir que plus l'écart qui sépare les parties au point de départ est grand, plus la probabilité de grève est grande. D'autre part, plus l'échange d'information avant l'échéance du contrat est rapide, plus la probabilité de grève est réduite.

Enfin, ce modèle sensibilise à une question fréquemment rencontrée en négociation collective. Puisque les parties se sont entendues au salaire W_e, pourquoi ne l'ont-elles pas fait sans avoir recours à une grève coûteuse ? Selon REES, si le syndicat avait accepté W_e sans faire la grève, il aurait risqué de se voir refuser l'entente auprès de ses membres, qui auraient jugé le syndicat pas suffisamment combatif. En ce sens, syndicat et membres font deux. Par contre, après quelques semaines de grève, les syndiqués (et possiblement le syndicat aussi) sont plus convaincus qu'ils vont chercher tout ce qu'il y a à chercher.

La partie patronale, pour sa part, ne connaissait pas très bien la capacité de résistance du syndicat ; la grève lui a permis de se faire une idée plus précise à cet effet. Le modèle de REES renferme donc d'importantes implications. L'insuffisance d'information quant à la capacité de résistance ou de concession de l'autre partie agit comme facteur-clé dans la détermination des arrêts de travail. Dans un tel contexte, l'arrêt de travail a pour rôle de combler cette information manquante.

13.2 LE MODÈLE ANALYTIQUE DE JOHN-R. HICKS

JOHN-R. HICKS a également recours à un graphique pour présenter son modèle de négociation collective, mais des différences importantes le distinguent de celui de REES. Tout d'abord, sur l'abscisse apparaît la durée prévue de la grève plutôt que la durée réelle ou effective de la grève ou des négociations. Cette différence est si fondamentale qu'elle pose le problème de façon tout à fait différente. Dans le modèle de REES, on observait après coup, c'est-à-dire *ex post*, comment s'étaient déroulées les négociations entre un syndicat et un employeur. Dans le modèle de HICKS, on se représente comment chacune des parties réfléchit et anticipe ses propres réactions ainsi que celles de la partie adverse au moyen d'une simulation, avant d'entreprendre les négociations. Il s'agit donc de simulations *ex ante* plutôt que de constats *ex post*. Tout comme chez REES, les salaires sont en ordonnée.

Le point a et la droite ab, parallèle à l'abscisse, représentent non pas l'offre salariale initiale de l'employeur mais les salaires qui auraient cours en l'absence d'influence syndicale (salaire du marché sans syndicat). La courbe acd est appelée courbe de concession patronale ; elle représente les différentes concessions ou niveaux de salaires que l'employeur serait prêt à consentir advenant différentes durées de grève. On peut également la définir comme une frontière au-dessus de laquelle l'employeur refusera l'entente et acceptera de subir une grève plus longue : à l'intérieur de même que sur cette frontière, il accepte l'entente. Par exemple, l'employeur consentirait volontiers 8 $ l'heure, le prix payé pour les non-syndiqués (s'il n'y a pas d'influence syndicale) au point de départ, sans qu'il y ait grève. Si le syndicat demandait ce salaire, le patronat accepterait immédiatement. Toutefois, après deux semaines de grève, l'employeur serait prêt à offrir 8,50 $ l'heure et, après 4 semaines, 9 $. Au delà de 6 mois de grève toutefois, il n'offrirait pas plus de 10 $ l'heure. Passé ce seuil (d), il vaudrait mieux fermer ses portes.

En résumé, plus la durée prévue de la grève est longue, plus l'employeur sera prêt à accorder des salaires élevés ; la courbe de concession patronale décrit donc une relation positive. En d cependant, une limite est atteinte car elle correspond à un point où, au delà du niveau de salaire correspondant, l'entreprise préfère fermer ses portes : il ne serait plus rentable de produire. À ce niveau de salaire, la grève serait de durée illimitée.

À l'inverse, il existe une courbe de résistance syndicale. Celle-ci est décrite par les points ecb.

GRAPHIQUE 13.2
Le modèle de HICKS

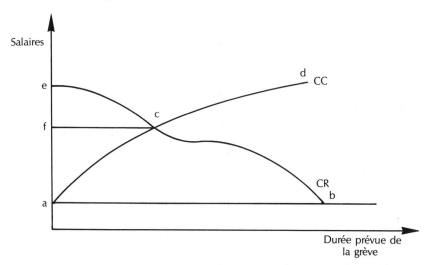

Cette courbe illustre l'emplacement des points en dessous desquels le syndicat préférera refuser l'entente (la proposition patronale) et prolonger l'arrêt de travail. Cette courbe connaît également un point d'inflexion autour duquel la courbe est aplatie (horizontale). HICKS explique qu'en cette région, c'est-à-dire autour de c, le syndicat et ses membres portent une attention toute particulière au niveau de salaire correspondant. Ils peuvent, par exemple, le considérer comme un niveau juste et équitable, et pour l'obtenir, être prêts à faire la grève longtemps.

Au point e correspond non pas la demande salariale initiale du syndicat, mais le salaire maximum que le syndicat serait prêt à accepter sans grève. Le syndicat reconnaît un tel maximum parce qu'il est conscient qu'un salaire plus élevé causerait trop de dommages sur le plan de l'emploi. Il se créerait trop de chômage. Le point b, pour sa part, représente l'éclatement du syndicat. Après une grève d'une très longue durée, les dissensions à l'intérieur du syndicat sont si fortes qu'il n'a plus sa raison d'être et que le salaire correspond à celui qui aurait cours sans son existence.

En résumé, si l'employeur offrait 11,50 $ l'heure (point e par exemple) au point de départ, le syndicat l'accepterait volontiers sans recourir à l'arrêt de travail. Néanmoins, si l'offre est de moins de 10 $ l'heure, après deux semaines de grève, le syndicat ramènerait sa demande salariale à 10 $, après trois semaines, à 9,70 $ et après 4 semaines à 9 $. Enfin, après 7 mois de grève, il serait prêt à accepter 8,01 $ l'heure, sinon il risquerait la dissolution. La courbe de résistance syndicale décrit donc une relation négative ou inverse entre le salaire et la durée de la grève prévus.

La négociation collective impose des coûts aux parties. L'employeur doit soupeser les coûts d'un salaire plus élevé et ceux d'une grève prolongée. Le syndicat et ses membres doivent mesurer les coûts d'un salaire plus faible s'ils acceptent trop rapidement les propositions patronales, et ceux d'une perte de salaire pendant la durée de l'arrêt de travail s'ils refusent les offres patronales.

TABLEAU 13.1 Simulation de négociation salariale

Durée prévue de la grève (nombre de semaines)	Demande salariale du syndicat ($)	Offre salariale de l'employeur ($)
0	11,50 (43,8 %)	8,00 (0,0 %)
1	11,50 (43,8 %)	8,20 (2,5 %)
2	10,00 (25,0 %)	8,50 (6,3 %)
3	9,70 (21,3 %)	8,70 (8,8 %)
4	9,00 (12,5 %)	9,00 (12,5 %)
5	9,00 (12,5 %)	9,10 (13,8 %)
.	.	.
.	.	.
.	.	.
28	8,00 (0,0 %)	10,00 (25,0 %)

Si on superpose la courbe de concession patronale et de résistance syndicale, on trouve qu'elles se coupent au point c correspondant au salaire f. Selon HICKS, le taux de salaire f est le salaire maximum qu'un syndicat peut espérer tirer de la négociation collective si les deux parties en arrivent aux mêmes simulations. Il existe donc en fait deux graphiques, un pour la partie patronale et un autre pour la partie syndicale.

Cette analyse peut également s'expliquer à l'aide d'un tableau. Le tableau 13.1 indique, dans sa première colonne, la durée prévue de l'arrêt de travail. La seconde colonne représente les demandes salariales du syndicat, et la troisième colonne les offres de l'employeur. Ce tableau, qui donne également l'augmentation en pourcentage (chiffres entre parenthèses), établit clairement, par ce jeu de simulations, qu'une entente interviendrait au salaire de 9 $ l'heure (12,5 % d'augmentation) après 4 semaines de grève.

Puisqu'il s'agit d'une simulation, pourquoi ne pas s'entendre immédiatement sur un salaire de 9 $ l'heure et éviter, de part et d'autre, les coûts d'une grève longue de 4 semaines ? Pour HICKS, la grève n'a d'existence que si les agents sont irrationnels ou encore si l'information est imparfaite. En effet, il se peut que les agents ne fassent pas les mêmes simulations. Par exemple, si le tableau 13.1 correspond à la simulation patronale et que le syndicat en ait une autre, cette autre simulation syndicale indiquerait par exemple :

1— que le syndicat peut mieux résister et demander 9,50 $ l'heure après 4 semaines ; et

2— que le patronat peut plus facilement plier et se rendre à 9,50 $ après 4 semaines.

Dès lors, compte tenu de ces divergences d'information ou de perception, il y a possibilité de mésentente et d'arrêt de travail. La simple négociation n'a pas permis un échange suffisant d'information quant aux capacités de résistance et de concession de chacune des parties. La grève pourra permettre de compléter cette information manquante.

Par ailleurs, le modèle de HICKS établit implicitement que les travailleurs syndiqués auront des salaires plus élevés que les travailleurs non syndiqués (f > a). La démonstration peut être faite de la façon suivante :

1— Soit au moment des négociations, pour les travailleurs syndiqués, une simulation du comportement faite par leur syndicat et telle que la demande salariale aura tendance à diminuer avec la durée prévue de la grève. Au départ, la demande du syndicat sera supérieure au salaire du marché, s'il est informé et s'il veut justifier son existence (à quoi servirait un syndicat s'il obtient des conditions moins bonnes que celles du marché ?).

2— Soit pour l'employeur, au moment des négociations, une simulation du comportement de ses représentants telle que l'offre salariale aura tendance à s'accroître avec la durée prévue de la grève. Au départ, l'offre de l'employeur sera au moins égale au salaire du marché, s'il est informé et rationnel. L'employeur risquerait de perdre sa main-d'œuvre s'il offrait un salaire inférieur à celui versé sur le marché.

Dès lors, ces comportements peuvent être représentés par une courbe ascendante pour l'employeur et une courbe descendante pour le syndicat, chaque courbe reliant les salaires à la durée prévue d'une grève. Dans la mesure où le point de départ du syndicat est supérieur au salaire du marché (le contraire serait irrationel) et celui de l'employeur est au moins égal au salaire du marché, l'intersection de ces courbes existera (elles convergent) et se fera au-dessus du salaire du marché (point de départ de la partie patronale). À l'intersection des courbes, une entente sera signée, évitant ainsi l'arrêt de travail. Donc, les travailleurs syndiqués bénéficieraient de niveaux salariaux (incluant les avantages sociaux tels congés, vacances, fonds de pension...) supérieurs à ceux des travailleurs non syndiqués.

Soulignons que le modèle de HICKS peut aussi nous aider à comprendre les motifs d'une grève. Dans ce modèle, une entente intervient en c au salaire f afin d'éviter un arrêt de travail. Pour HICKS, la grève ne peut être qu'irrationnelle ou faire l'objet d'une information insuffisante d'un côté ou de l'autre. Si les agents sont rationnels et que l'information est adéquate, la grève est impossible.

Les agents sont irrationnels si, de part et d'autre, ils savent qu'ils peuvent s'entendre sans faire la grève mais ils acceptent quand même de payer les frais d'un arrêt de travail.

Les agents seront mal informés sur leur propre capacité de concession ou de résistance ou, plus souvent, sur celle de la partie adverse, s'ils ne parviennent pas à des simulations semblables. Dans ce cas, les prévisions peuvent être différentes et le rester (les deux graphiques diffèrent). La grève servira de véhicule pour parfaire l'information. En ce sens, la grève ne change pas le rapport de forces, elle le fait se révéler à chacune des parties[1].

13.3 LE MODÈLE DE SIEBERT et ADDISON

Pour finaliser notre présentation de la grève en tant que mécanisme d'acquisition d'information sur le rapport de forces, nous présentons le modèle de SIEBERT et ADDISON.

---

(1) Dans un tel contexte, dès le moment (premières conventions collectives) où un syndicat (une entreprise) doit s'affirmer, la grève est souvent observée pour que se révèle cette information manquante. Périodiquement également, la grève doit être faite pour signifier qu'un certain rapport de forces existe, qu'il a changé ou qu'il s'est maintenu. Dans le cas du secteur public par exemple, COUSINEAU et LACROIX (1977) ont trouvé que les premières conventions collectives accompagnées bien souvent d'un arrêt de travail, donnaient des augmentations salariales de quelque 4 points de pourcentage supérieures.

Pour ces auteurs, tout comme pour HICKS, chaque partie fait des simulations sur l'entente salariale prévisible. Le point de référence n'est plus la grève cependant, mais la durée des négociations. En abscisse, nous retrouvons donc la durée prévue des négociations (N), alors qu'apparaissent les gains salariaux (ΔW) escomptés sur l'ordonnée.

GRAPHIQUE 13.3
Le modèle de SIEBERT et ADDISON

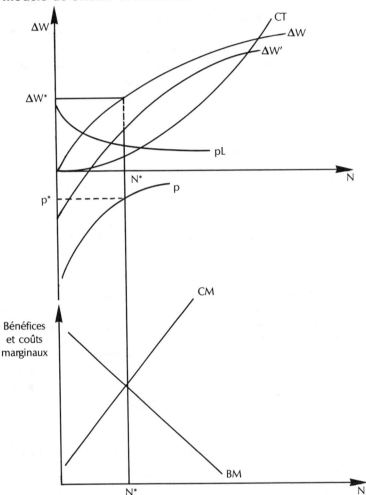

Ces gains sont supposés croissants, à taux décroissant au fur et à mesure que s'allongent les négociations. Mais la négociation ne comporte pas que des bénéfices, elle comporte des coûts : entretien d'équipes de négociation, retards dans les décisions à prendre, collectes de données, expertises, etc. Ces coûts (CT) sont supposés croissants, à taux croissant.

Advient alors la probabilité d'une grève en cours de négociation. Cette probabilité est donnée par la courbe p dans le quatrième quadrant au graphique 13.3. Elle exprime l'hypothèse d'une relation inverse entre le risque de grève et la durée des négociations. En effet, il est supposé que plus longues sont les négociations plus faibles seront les risques de grève. La grève est ici considérée comme un accident de parcours.

Tout comme HICKS, SIEBERT et ADDISON supposent qu'en situation d'information parfaite, il ne pourrait y avoir de grève. Après tout, la grève est coûteuse pour les deux parties, elle ne peut servir qu'à réduire l'assiette qu'il est possible de se partager. Mais, l'information n'étant pas parfaite, il devient nécessaire de négocier, c'est-à-dire d'échanger de l'information sur les conditions du marché, la capacité de payer de l'entreprise, la capacité de résistance du syndicat et le rapport de forces. Aucune grève n'est choisie, tout comme on ne choisit pas d'avoir un accident. Néanmoins, tout comme l'automobiliste qui choisit une vitesse de croisière accepte implicitement certains risques d'accident, les négociateurs (et les personnes qu'ils représentent) n'ont pas tout le temps pour négocier et acceptent donc implicitement un certain risque de grève.

La grève occasionnant un certain coût L, l'espérance mathématique de perte de revenus entraînée par l'éventualité d'une grève sera égale à pL, tel que tracé dans le premier quadrant du graphique 13.3. Il en résultera des gains nets escomptés de la négociation collective à $\Delta W' = \Delta W - pL$.

Compte tenu des données du problème, SIEBERT et ADDISON arrivent alors à la conclusion qu'il se formera une courbe de bénéfice marginal net (égal à la pente de $\Delta W'$) et une courbe de coût marginal de la négociation (pente de CT). Comme attendu, au point de rencontre de ces deux courbes (graphique 13.3 b) se formera la durée optimale des négociations (N*), une entente salariale (ΔW^*) et une probabilité de grève donnée (p*). Et les facteurs qui influencent l'une ou l'autre de ces courbes influenceront la probabilité de grève attendue[2]. Parmi ces facteurs, on trouve, principalement, la quantité et la qualité de l'information à traiter de même que les coûts de la grève pour les deux parties à la fois.

Dans ce contexte, ce n'est pas le rapport de forces qui influence la probabilité et l'incidence des grèves, mais plutôt l'incertitude qui entoure ce rapport de forces. À titre d'exemple, les entreprises de grande taille et celles qui sont exposées à la concurrence internationale présenteraient à cet égard des caractéristiques qui les exposent à des risques plus élevés de grève. De même en serait-il pour tout genre d'entreprise en situation de conjoncture économique instable où l'inflation et les conditions du marché du travail sont difficilement prévisibles.

---

(2) Sur un grand nombre d'observations, cette probabilité se réalise et s'observe à travers l'incidence de grèves en pourcentage des unités de négociation ayant négocié des ententes salariales au cours d'une année donnée.

Par ailleurs, là où les coûts d'une grève sont plus élevés pour les deux parties en même temps (p. ex. dans la fabrication de produits périssables), les entreprises seraient plutôt incitées à s'entendre avec les syndicats, sur des protocoles réduisant les risques de grève (p. ex. une clause d'indexation automatique, un calendrier de négociation précis, des mécanismes accélérés de règlement des griefs, etc.). Jusqu'à présent, chacun de ces différents éléments du processus de détermination de l'activité de grève a pu être analysé sur le plan empirique[3]. La quantité et la qualité de l'information à traiter, de même que le coût de la grève pour les deux parties constituent d'importants facteurs des différences intertemporelles, intersectorielles et même internationales dans l'incidence des arrêts de travail[4].

---

(3) En corollaire avec cette approche, on a trouvé que les ententes salariales signées après la grève n'étaient pas significativement différentes des ententes salariales signées sans grève (COUSINEAU et LACROIX, 1977). Un tel résultat laisse entendre que pour un grand nombre de cas, la négociation, tout comme l'arrêt de travail, ne peuvent mener qu'à une seule solution conforme aux conditions du marché et au rapport de forces. La grève a toutefois permis à l'une ou l'autre partie de voir l'autre partie réviser ses positions initiales.

(4) Pour plus d'informations et pour une application de chacun de ces différents aspects au contexte québécois, canadien et international, se référer à R. LACROIX (1987).

CHAPITRE **14**
L'évolution prévisible du syndicalisme

Après avoir brièvement passé en revue les objectifs économiques des syndicats, leur rôle et leurs sources de pouvoir dont, plus particulièrement, la menace de grève, il convient de s'interroger sur l'évolution prévisible de cette institution.

Du point de vue de l'analyse économique, un syndicat peut être assimilé à un club privé ou à une association sans but lucratif offrant un certain nombre de biens et services à ses membres. Comme pour tous les biens et services, le taux de syndicalisation[1] observé sur le marché résulte de la rencontre de l'offre et de la demande sur ce marché. Nous commencerons par exposer les fondements théoriques de l'offre et de la demande de syndicalisme, puis nous présenterons brièvement les différents facteurs proposés par l'analyse économique pour en expliquer l'évolution.

14.1 LE CADRE THÉORIQUE

L'évolution du syndicalisme à travers le temps dépend de différents facteurs. On peut tout d'abord considérer qu'elle dépend de la variation relative de l'emploi dans les entreprises syndiquées par rapport aux entreprises non syndiquées. En effet, si on définit le taux de syndicalisation (T^S) comme étant le ratio des emplois syndiqués (E^S) sur l'emploi total (E^T), multiplié par 100, soit :

$$TS = \frac{E^S}{E^T} \times 100 \qquad (1)$$

il s'ensuit qu'un $\Delta E^S > \Delta E^T$ entraînera une hausse du taux de syndicalisation, alors qu'un $\Delta E^S < \Delta E^T$ entraînera une baisse de ce taux.

Toutefois, la variation annuelle des effectifs syndicaux (ΔE^S) ne dépend pas seulement de la variation de l'emploi dans les entreprises syndiquées, mais aussi des gains ou des percées du syndicalisme dans d'autres entreprises ou

---

(1) Le taux de syndicalisation peut être défini par le total des effectifs syndicaux exprimé en pourcentage de l'emploi total.

établissements. Il en est même pour dire que la croissance de l'emploi dans les entreprises syndiquées ou majoritairement syndiquées ne conduit pas nécessairement à l'accroissement des effectifs syndicaux, par exemple s'il n'y a pas de clause qui spécifie que les nouveaux employés seront automatiquement syndiqués, ou encore si l'accroissement de l'emploi se fait dans des sous-groupes d'emplois non syndiqués.

Pour croître ou même pour maintenir leur position relative, les syndicats devront constamment voir à recruter de nouveaux membres. Autrement, ils subiront un taux d'érosion qui réduira progressivement leurs proportions. Dans ces conditions, l'explication du flux des nouveaux arrivants dans le secteur syndiqué de l'économie constitue la variable qu'il faut privilégier pour comprendre l'évolution des effectifs syndicaux et du taux de syndicalisation dans son ensemble.

En résumé, la variable dépendante principale est la variation en pourcentage des effectifs syndicaux d'une année à l'autre. Cette variable est composée de deux éléments :

1— la variation automatique dans les unités syndiquées existantes ; et

2— la variation attribuable à de nouvelles percées syndicales.

Dans le premier cas, la variation des effectifs syndicaux répond essentiellement à des éléments de conjoncture particuliers aux entreprises visées. Si l'emploi s'y accroît, s'il y diminue, ou même s'il y a fermeture d'entreprise, les effectifs syndicaux réagiront dans des proportions comparables. Par contre, le phénomène des nouvelles percées syndicales commande une réflexion plus approfondie, car il fait appel au comportement des travailleurs, des entreprises et des gouvernements.

Du point de vue de l'analyse économique, la formation et l'adhésion à un syndicat répond à un calcul de bénéfices − coûts. Les bénéfices se composent principalement d'un ensemble de meilleures conditions de travail : protection contre l'abus des employeurs, sécurité d'emploi croissante avec l'ancienneté, meilleures conditions salariales, avantages sociaux, meilleures conditions de santé et de sécurité au travail, sentiment de solidarité, meilleur accès au mécanisme de voice, etc. Les coûts se composent de coûts variables soit les frais de cotisation syndicale, et de coûts fixes d'organisation des travailleurs : sollicitation, argumentation, dossiers, expertises légales, risques de représailles de la part des employeurs, risques d'arrêts de travail, limitation des libertés individuelles, présence et temps consacrés aux assemblées et aux activités syndicales, etc.

Ces différents coûts et bénéfices peuvent bien entendu varier selon le groupe considéré. Dans les établissements de grande taille par exemple, les coûts unitaires d'organisation syndicale seraient plus bas, ces coûts fixes étant répartis sur un plus grand nombre de travailleurs et les déplacements limités à un seul endroit. De même en serait-il des groupes où le taux de roulement de la main-d'œuvre est faible.

Par ailleurs, du côté des bénéfices de la syndicalisation, il est à prévoir que les groupes de travailleurs et de travailleuses faisant face à un monopsone ou à un monopole (dont la demande pour le produit serait particulièrement inélastique) et disposant d'un certain pouvoir de négociation, ont plus à gagner que les groupes appartenant à des entreprises plus concurrentielles. Dans les graphiques 14.1 et 14.2 suivants, nous supposons que les gains syndicaux s'effectuent tout d'abord dans les endroits où les bénéfices de la syndicalisation sont les plus élevés et les coûts d'organisation les plus faibles. Il est donc supposé qu'au fur et à mesure de l'expansion de la syndicalisation, les organisateurs syndicaux font face à des groupes pour lesquels les bénéfices de la syndicalisation sont plus faibles et les coûts d'organisation plus élevés.

Le graphique 14.1a présente une fonction cumulative des bénéfices nets totaux de la syndicalisation au fur et à mesure que celle-ci se développe. Les bénéfices nets sont composés de la différence entre les bénéfices bruts et les coûts variables prévus (frais de cotisation syndicale). Cette fonction est croissante à taux décroissant en raison des hypothèses précédemment énoncées, à savoir qu'au fur et à mesure que progresse la pénétration syndicale, les organisateurs syndicaux devront s'adresser à des groupes pour lesquels les bénéfices nets de la syndicalisation sont de plus en plus réduits.

La fonction cumulative des coûts totaux d'organisation est croissante à taux croissant, reflétant par là les hypothèses sur leur croissance géométrique puisque les organisateurs syndicaux s'adressent à des groupes pour lesquels il est de plus en plus coûteux de conduire l'organisation à terme (graphique 14.1b).

GRAPHIQUE 14.1a
Fonction cumulative des bénéfices nets de la syndicalisation

GRAPHIQUE 14.1b
Fonction cumulative des coûts d'organisation syndicale

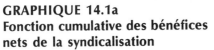

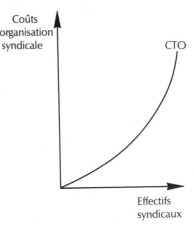

De ces deux fonctions de bénéfices nets totaux et de coûts totaux d'organisation on peut extraire des fonctions de bénéfices nets marginaux (Bnm) et de coûts marginaux d'organisation syndicale (Cmo). Ces fonctions sont présentées aux graphiques 14.2a et 14.2b et correspondent respectivement aux graphiques 14.1a et 14.1b précédents. La fonction des bénéfices nets marginaux est égale à la pente de la courbe des bénéfices nets totaux, tandis que la fonction des coûts marginaux d'organisation est égale à la pente de la courbe des coûts totaux d'organisation.

Dans le premier cas, la courbe des bénéfices nets marginaux indique que ces bénéfices sont très élevés pour les premières unités syndiquées et qu'ils diminuent au fur et à mesure que s'étend la syndicalisation. Dans le second cas, la courbe des coûts marginaux d'organisation indique que les premières unités syndiquées sont aussi celles pour lesquelles les coûts d'organisation sont les plus faibles, mais que la situation change au fur et à mesure de l'expansion de la syndicalisation.

GRAPHIQUE 14.2a
Bénéfices nets marginaux
de la syndicalisation

GRAPHIQUE 14.2b
Coûts marginaux d'organisation
des travailleurs

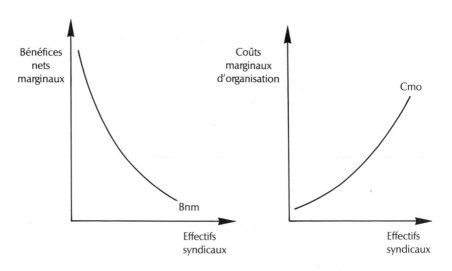

Si on joint sur un même graphique, les courbes de coûts marginaux et de bénéfices nets marginaux de la syndicalisation, nous obtenons, au point de rencontre entre l'offre (Cmo) et la demande (Rnm) de syndicalisme, la variation des effectifs syndicaux attribuable aux nouvelles percées syndicales. Cette variation ne peut ni dépasser ni être inférieure à la variation d'équilibre $(\Delta S^* = 0S^*)$. Le premier cas laisserait supposer que les coûts d'organisation pour les unités visées dépassent les bénéfices nets attendus de la syndicalisation. Le second cas signifierait qu'il y a des unités pour lesquelles le bénéfice net de la syndicalisation dépasse les coûts marginaux d'organisation mais que les travailleurs demeurent non syndiqués. Dans une situation où l'information est adéquate, les travailleurs rationnels et l'entrepreneurship syndical suffisant, cela est impossible.

GRAPHIQUE 14.3
La variation annuelle des effectifs syndicaux

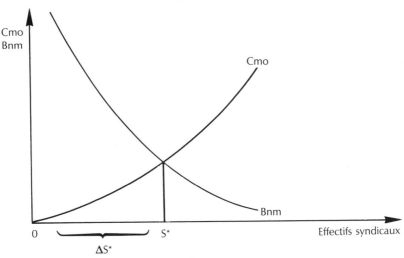

La variation totale des effectifs syndicaux est donc fonction de ces différents aspects économiques de la syndicalisation, et tout ce qui influence le niveau ou la pente de l'une ou l'autre de ces fonctions influence également la variation des effectifs syndicaux, toutes choses égales par ailleurs. C'est ainsi, par exemple, que les lois régissant l'accès à la syndicalisation, la résistance patronale, l'évolution de la taille et de la structure des marchés qui influencent les coûts et les bénéfices de la syndicalisation influeront sur le niveau et la variation des effectifs syndicaux.

Dans les paragraphes qui suivent nous explicitons brièvement les principales variables retenues sur le plan empirique pour mesurer l'influence de ces différents facteurs sur la variation annuelle en pourcentage des effectifs syndicaux.

14.2 LA TAILLE DES ENTREPRISES

Selon le schéma tracé précédemment, la taille des entreprises est un facteur sur lequel il faut compter pour expliquer l'évolution des effectifs syndicaux. Si l'industrie tend à se concentrer, cela aura pour effet d'accroître la syndicalisation. Si au contraire on assiste à un développement accéléré de la petite et de la moyenne entreprise, cela réduira vraisemblablement la densité syndicale. En effet, il est plus coûteux de syndiquer les entreprises de plus petite taille, toutes choses égales par ailleurs, et les bénéfices attendus de la syndicalisation peuvent y être plus faibles car le degré de concurrence y est plus élevé. La courbe de Cmo se déplace vers la gauche alors que la courbe de Bnm se déplace vers le bas.

14.3 LE TAUX DE SYNDICALISATION

Les taux de syndicalisation déjà atteints peuvent exercer des effets variables. En deçà d'un certain seuil, l'accroissement de la syndicalisation accroît les bénéfices attendus pour les nouvelles unités potentiellement syndicables parce qu'elle réduit la concurrence des groupes non syndiqués. Au delà de ce seuil toutefois, les bénéfices attendus deviennent plus petits et les coûts d'organisation plus grands. On peut donc s'attendre à ce que la relation entre la variation annuelle en pourcentage des effectifs syndicaux épouse une forme de U inversé. Cet effet est appelé effet de saturation.

14.4 LE CHÔMAGE

Le chômage reflétant avant tout la réduction des emplois et la fermeture des entreprises, il est attendu que la variation des effectifs syndicaux soit une fonction inverse de l'évolution des taux de chômage. Par ailleurs, le chômage a été retenu à d'autres fins, par exemple comme mesure des risques de représailles de l'employeur. Il est attendu qu'en période de chômage élevé ces risques soient plus importants qu'en période de chômage plus faible. La courbe des coûts marginaux d'organisation syndicale se déplacerait donc en fonction du taux de chômage, vers la gauche en période de chômage élevé, vers le bas en période de chômage plus faible[2].

14.5 LE SECTEUR D'ACTIVITÉ

La conjoncture économique est différente d'un secteur à l'autre de même que les contraintes à la syndicalisation y ont des dynamiques propres. Ainsi, il apparaît important de faire la distinction entre le secteur public et le secteur privé d'une économie. Dans le cas du secteur public, par exemple, le plus grand obstacle à la syndicalisation a pu être les lois interdisant la formation de syndicats. Dans ces conditions, les coûts d'organisation syndicale sont

(2) ASHENFELTER et PENCAVEL (1969) ont aussi considéré la possibilité que les griefs s'accumulent en période de chômage élevé et que la demande pour le syndicalisme s'accroisse par la suite, une fois passé le creux de la récession.

prohibitifs (amendes, prison...). Mais une fois les législations adoptées, les risques de représailles de la part des employeurs y apparaîtraient plus réduits que dans le secteur privé.

Par ailleurs, le chômage influence la fermeture d'entreprises dans le secteur privé, mais il ne risque pas d'occasionner la fermeture des gouvernements, et n'a donc pas d'incidence sur la variation des effectifs syndicaux dans le secteur public.

14.6 LA LÉGISLATION DU TRAVAIL

Les différentes lois sur le travail peuvent aussi influencer l'évolution du syndicalisme dans le secteur privé en agissant plus particulièrement sur les coûts et les bénéfices de la syndicalisation. Aux États-Unis plus particulièrement, la réglementation du processus d'accréditation syndicale exige une élection à laquelle l'entreprise peut participer en opposition aux prétentions syndicales. Cela a pour effet d'accroître sensiblement les coûts d'organisation pour les travailleurs.

On a aussi étudié l'effet de dispositions juridiques américaines protégeant les travailleurs non syndiqués contre les congédiements injustes, et l'effet des *right-to-work laws*, lois permettant la coexistence de travailleurs syndiqués et non syndiqués sur un même chantier de construction par exemple. Dans le premier cas, il a été trouvé que des mesures favorisant les travailleurs non syndiqués pouvaient se substituer au syndicalisme. Dans le second cas, les lois de « right-to-work » (droit au travail) pouvaient nuire à la syndicalisation, mais elles pouvaient également être le reflet de préférences des travailleurs allant à l'encontre du syndicalisme.

En somme, les changements législatifs, le chômage, le taux de syndicalisation déjà atteint et la taille des entreprises sont autant de facteurs susceptibles d'influer sur les coûts et les bénéfices de la syndicalisation et, donc, sur la variation des effectifs syndicaux à travers le temps.

D'autres facteurs ont pu être introduits dans les analyses économiques, par exemple la variation des salaires nominaux ou réels. Dans ce cas cependant, la relation attendue n'est pas bien définie : d'une part, les syndicats s'en attribuent le crédit lorsque ces variations sont élevées ; d'autre part, ces situations étant caractéristiques d'un marché favorable aux vendeurs de services de travail, ceux-ci peuvent ne voir que peu d'attrait marginal à se syndiquer. Les résultats d'études économétriques sont d'ailleurs imprécis et instables à cet égard[3].

---

(3) Le salaire en tant que mesure du revenu et, donc, de la demande pour la syndicalisation devrait exercer un effet positif sur la syndicalisation, mais d'autres facteurs associés à ces mêmes revenus, comme la plus grande capacité d'exit et de plus faibles coûts de sortie, peuvent faire contrepoids à ce même effet.

Dans le cas de l'inflation, les résultats sont plus stables : le syndicalisme se présente comme un meilleur outil de protection du coût de la vie que le marché en période d'inflation élevée. Mais pour que le syndicalisme soit une meilleure protection, que l'élasticité des salaires par rapport à l'inflation soit plus élevée dans le secteur syndiqué que dans le secteur non syndiqué, ou perçue comme telle, ce qui n'est toutefois pas fondé ni sur le plan théorique ni sur le plan empirique.

Finalement les différences salariales obtenues grâce au syndicalisme et les facteurs qui influencent cette différence doivent aussi être considérés dans l'analyse. Néanmoins, leur effet n'a pu être observé à travers le temps, faute de données adéquates sur la question. L'étude du syndicalisme est encore très jeune et il reste beaucoup à découvrir.

Pour le futur, et compte tenu de l'état actuel des connaissances, on peut prévoir différents effets compensatoires associés principalement à la libéralisation des échanges sur le plan international. Une augmentation de la taille des entreprises, la réduction du chômage à long terme et la hausse des salaires réels sont tous des facteurs susceptibles d'accroître la syndicalisation. Par contre, plus de concurrence et, donc, pour des raisons de compétition, des différences salariales réduites entre les travailleurs syndiqués et les travailleurs non syndiqués, de même qu'une plus grande résistance des nouvelles entreprises, sont des facteurs susceptibles de réduire la syndicalisation, dans le secteur privé plus particulièrement. Dans le secteur public par ailleurs, les effets de saturation sont en voie d'être à peu près complétés. La croissance des effectifs syndicaux ne pourrait s'y effectuer qu'à un rythme plus lent que par le passé. En somme, l'évolution prévisible des effectifs syndicaux subit l'influence de forces contradictoires.

L'intervention de l'État, l'intérêt général et les décisions publiques

Introduction

Cette troisième partie de l'*Économie du travail* aborde un sujet peu traité dans les ouvrages en économie du travail. Elle va au delà des manuels théoriques d'analyse du fonctionnement des marchés du travail et de ceux, plus récents, intégrant les résultats des études empiriques en cette matière. Elle concerne la question de la détermination des institutions existant sur les marchés du travail et sur le marché des produits, leur raison d'être, leurs modalités et leur évolution à travers le temps. À cette étape, nous n'avons encore que peu d'analyses formelles et étayées s'appliquant strictement au marché du travail. Néanmoins, la question de l'intervention de l'État est si importante et largement discutée dans le monde du travail en général et par les grandes organisations patronales et syndicales en particulier, qu'il nous apparaît essentiel de présenter les fondements analytiques généraux de l'économie du bien-être et des décisions publiques[1].

Par institutions existant sur les marchés du travail, nous entendons, par exemple, le salaire minimum, l'assurance-chômage, la CSST, et les divers programmes gouvernementaux en matière de formation et de mobilité de la main-d'œuvre. Par institutions existant sur le marché des produits, nous entendons les entreprises réglementées, nationalisées ou subventionnées, avec les répercussions que cela peut avoir sur l'emploi et les salaires.

Alors que la décennie des années 1970 a pu être consacrée à l'étude de l'effet de ces diverses institutions sur les marchés du travail, celle des années 1980 a plutôt donné lieu à leur remise en question. La Commission MacDonald, la Commission Beaudry, et, plus récemment, la Commission Forget et la Commission Rochon témoignent de ces remises en question. À l'aube des années 1990, nous serions plutôt à l'ère des réformes (déréglementation, privatisation, retrait de l'État-Providence, sous-traitance, libéralisation des échanges, réforme de l'aide sociale, etc.).

Sur le plan de l'analyse économique, la question de la détermination des prix et des quantités dans le secteur privé est passablement avancée. Celle de la détermination des prix (taxes) et des quantités produites de biens publics et de leurs répercussions sur le marché du travail sont beaucoup moins connues. Or, ces questions nous apparaissent tout aussi importantes que la première, vu l'importance du secteur public dans les économies de marché moderne.

Finalement, il arrive assez fréquemment que les prévisions des économistes soient faussées par l'absence de considérations du comportement des

---

(1) Il faut dire aussi que c'est en réponse aux étudiants qui posent beaucoup de questions sur les facteurs qui influencent les gouvernements dans leur prise de décision que nous avons décidé d'inclure cette troisième partie.

gouvernements. Il arrive également que leurs recommandations ne soient pas suivies en raison du manque d'attraits que présentent les solutions économiques pour les politiciens et les politiciennes. L'endogénéisation (c'est-à-dire l'explication économique) des politiques gouvernementales offre des possibilités d'amélioration des prévisions de même qu'elle permet de mieux comprendre le comportement, les règles de conduite et les contraintes politiques.

Pour en arriver à une meilleure compréhension des institutions qui existent sur les marchés du travail, il convient au préalable de présenter des modèles normatifs puisque, vraisemblablement, ces institutions existent pour le mieux-être collectif. Le modèle normatif que propose l'analyse économique est celui de l'optimum de PARETO, du nom de son concepteur original. Par ailleurs, parce que l'analyse de l'optimum économique présuppose un ensemble d'hypothèses inégalement respectées dans la réalité, l'État est motivé d'intervenir pour corriger certaines imperfections ou distorsions sur les marchés du travail ou des produits.

Néanmoins, il peut s'avérer difficile, sinon impossible, de trouver des solutions techniques opérationnelles absolues pour la meilleure intervention possible de l'État. C'est pourquoi il nous faut nous tourner, dans un second temps, vers des modèles positifs d'analyse des raisons et des modalités de l'intervention de l'État (modèles portant sur les décisions publiques), quitte à les évaluer par la suite à l'aide du modèle normatif de départ.

Ce premier essai, qui ne peut encore être qualifié d'économie politique du travail mais qui cherche à faire un pas dans cette direction, présente successivement la théorie de l'optimum, les raisons de l'intervention de l'État, les facteurs politiques qui en dessinent les modalités et leur appréciation selon les lignes de l'optimum recherché. Les principes énoncés sont très généraux et peuvent tout aussi bien s'appliquer aux marchés du travail qu'à d'autres marchés. Ce n'est que par des applications qu'ils s'incarneront davantage dans ce que nous appelons l'économie politique du travail. Ces notes, nous l'espérons, ouvrent la voie à ce type d'application.

CHAPITRE 15
L'optimum économique

Nous voulons dans ce premier chapitre, tout d'abord, donner une définition formelle de l'optimum économique. Cette définition permettra de démontrer par la suite un certain nombre de théorèmes majeurs en économie du bien-être (*welfare economics*), et utiles pour l'évaluation des institutions et des politiques économiques.

15.1 DÉFINITION

L'optimum économique est une institution où il n'est plus possible d'améliorer le bien-être de qui que ce soit, sauf au détriment de quelqu'un d'autre. En somme, tant et aussi longtemps qu'on peut améliorer la situation de tous les individus simultanément ou encore de certains individus en particulier sans détériorer celle des autres, il y a amélioration parétienne possible[1]. Il y a aussi amélioration parétienne potentielle si une action entreprise favorise certains groupes, si on peut parfaitement dédommager les groupes qu'elle défavorise et qu'il reste encore un surplus. C'est le principe de la compensation qui entre en jeu (p. ex. fermer une mine et indemniser adéquatement les travailleurs).

Pour mieux comprendre ces notions, il convient de bâtir un système précis et cohérent de définitions fondées sur des concepts microéconomiques admis et circonscrits. Ainsi, l'étude de l'optimum économique s'appuie sur les concepts d'utilité, de satisfaction et de préférences des individus. Mais ces individus ne vivent pas isolément les uns des autres, ils échangent des services ou des biens. En recevant un salaire en échange de ses services, le travailleur obtient le pouvoir d'acquérir d'autres biens produits par d'autres travailleurs et donc, indirectement, d'échanger sa propre production de biens contre celle d'autres biens. La théorie des échanges porte précisément sur ces relations individuelles qui permettent à une société de subvenir à ses besoins à travers la spécialisation de tous et chacun.

---

(1) Sur le plan social, on dira que l'on désire un système économique tel qu'un individu ait le droit d'augmenter son bien-être à la stricte condition qu'il ne diminue pas, ce faisant, le bien-être d'un ou de plusieurs autres individus.

15.2 LA THÉORIE DES ÉCHANGES

La théorie des échanges met en place deux individus qui disposent, au point de départ, de certaines ressources (biens) initiales. Supposons dès lors deux individus A et B et deux biens en quantité définie, X et Y. L'individu A dispose de X^A et Y^A, et B dispose de X^B et Y^B. Au total, $X^A + X^B = X$ et $Y^A + Y^B = Y$.

La combinaison (X^A, Y^A) peut être représentée par un point sur une courbe d'indifférence donnant un certain niveau de satisfaction (I_0^A) à l'invidivu A (graphique 15.1a). La combinaison (X^B, Y^B) pour sa part correspond à un point appartenant à une courbe d'indifférence donnant un certain niveau de satisfaction (I_0^B) à l'individu B (graphique 15.1b).

GRAPHIQUE 15.1a
Dotation initiale en ressources
et satisfaction de l'individu A

GRAPHIQUE 15.1b
Dotation initiale en ressources
et satisfaction de l'individu B

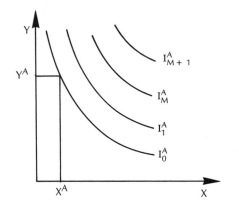
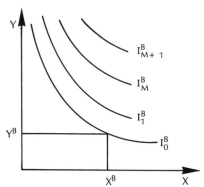

Les courbes d'indifférence ont plusieurs propriétés :

1— elles sont parfaitement continues, exprimant par là la *parfaite divisibilité* des biens,

2— leur pente est négative, indiquant par là la nécessité de disposer de plus d'un bien en compensation de la perte d'un autre pour maintenir le niveau de satisfaction constant[2],

_____

(2) Rappelons qu'une courbe d'indifférence est le lieu des combinaisons de deux biens procurant un même niveau de satisfaction.

3— cette pente est décroissante de gauche à droite (convexité de la courbe par rapport à l'origine) en raison de la difficulté de compenser un besoin par une plus grande consommation d'un autre et de l'utilité marginale décroissante pour chacun des biens ;

4— et c'est peut-être la propriété la plus importante, ces courbes décrivent un ordre croissant de satisfaction au fur et à mesure qu'elles s'éloignent de l'origine, de sorte qu'on peut écrire $I_0^i < I_1^i < ... I_n^i < I_{n+1}^i ...$[3] (graphiques 15.1a et 15.1b).

Si on renverse le graphique 15.1 b et qu'on l'applique au graphique 15.1 a, de sorte que l'ordonnée à l'origine pour A (O_A) soit dans le coin inférieur gauche et l'ordonnée à l'origine pour B (O_B) dans le coin supérieur droit (diagramme 15.1), on obtient alors une situation où il y a possibilité d'échanges ou de transactions entre les individus. Les courbes d'indifférence obtenues se coupent et s'interceptent de même qu'elles peuvent être tangentes les unes par rapport aux autres (p. ex. a, b et c).

DIAGRAMME 15.1
Synthèse des graphiques 15.1a et 15.1b

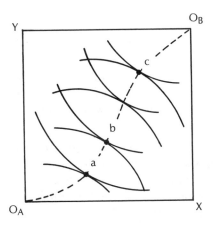

Ce qu'il est important de retenir cependant, c'est que *la satisfaction de A s'accroît de gauche à droite, vers le haut,* (indépendamment de la fonction de B) *alors que celle de B s'accroît de droite à gauche, vers le bas* (indépendamment de la position de A)[4].

---

(3) Ce classement est qualifié de classement ordinal. Par opposition à un classement cardinal où on peut chiffrer la différence entre deux rangs, un classement ordinal permet de dire qu'un élément occupe un rang supérieur à un autre sans le chiffrer.

(4) Cela signifie donc que *les courbes de satisfaction sont indépendantes* entre les individus, c'est-à-dire que les courbes d'indifférence de A sont indépendantes des courbes d'indifférence de B et vice versa.

Pour bien comprendre la situation de contingentement (limites de consommation) à laquelle les individus font face, il convient de donner un exemple numérique. Supposons dès lors que A dispose de 3X et 7Y et que B dispose de 7X et 3Y, il est clair que le produit total dans l'économie est de 10X et 10Y. La boîte ainsi formée, que l'on appelle boîte d'EDGEWORTH, est une boîte fermée (X = 10 et Y = 10) ; c'est ce qu'illustre le diagramme 15.2.

DIAGRAMME 15.2
Position initiale des échangistes

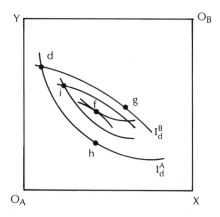

Au point de départ d, on observe que ce qui n'est pas disponible à A l'est à B : 3 de X à A, il reste 7 de X à B et 7 de Y à A, il reste 3 de Y à B. La *consommation* d'un bien par un individu est donc *exclusive*, elle en exclut la consommation par l'autre individu.

Cette formulation du problème de l'échange permet donc d'identifier, au point de départ, une situation où A et B disposent déjà d'un certain niveau de satisfaction I_d^A pour A et I_d^B pour B. Il apparaît cependant que la satisfaction des agents peut être accrue par l'échange. Ce peut être par exemple parce que A dispose de trop de Y et pas assez de X et à, l'inverse, que B dispose de trop de X et pas assez de Y, ou encore que les préférences de A pour Y sont moindres par rapport à X, et vice versa pour B.

En situation intermédiaire, on peut donc avoir une combinaison i qui apporte plus de satisfaction aux deux parties. À travers l'échange, A a cédé du Y contre du X et, par définition, B a cédé du X contre du Y. Le niveau de satisfaction de A est maintenant de $I_i^A > I_d^A$ et celui de B est de $I_i^B > I_d^B$. Ce déplacement de d vers i représente une amélioration intermédiaire mais non finale, parce qu'encore là il est possible d'améliorer simultanément le bien-être des deux individus.

La situation f qui décrit le point de tangence entre les deux courbes les plus éloignées de leur origine respective, est une situation d'échange optimal.

A partir de f, il n'est plus possible d'améliorer le bien-être de l'un sans réduire celui de l'autre. En i et d, nous avons déjà démontré qu'on pouvait augmenter le bien-être des deux individus. Ils procurent tous deux des niveaux de satisfaction inférieurs à f. En g, la satisfaction de A s'accroît mais celle de B diminue. En h, celle de B s'accroît, mais celle de A diminue. En somme, une situation d'échange optimale est une situation où les courbes d'indifférence des individus sont tangentes et les plus éloignées de leur origine respective.

En langage formel, on dira que le taux marginal de substitution entre X et Y pour A est exactement égal au taux marginal de substitution entre X et Y pour B :

$$\text{TMS } ^A_{XY} = \text{TMS } ^B_{XY} \tag{1}$$

Le taux marginal de substitution est, par définition, la pente en un point de la courbe d'indifférence. C'est la quantité additionnelle nécessaire d'un bien en compensation d'une réduction marginale de l'autre pour maintenir le même niveau de satisfaction. S'il n'y a pas de production, mais strictement échange de biens donnés au point de départ, la règle de l'égalisation des taux marginaux de substitution (équation (1)) se confond avec et définit l'optimum économique ou optimum de PARETO. Maintenant, parce qu'il peut y avoir autant de points de départ (dotation initiale en ressource) que l'on peut imaginer, il y a autant de points optimaux correspondants. L'optimum de PARETO n'est donc pas défini par un seul point mais une courbe représentant l'ensemble des points optimaux où les courbes d'indifférence sont tangentes entre elles. Cette courbe est appelée courbe de contrats ($O_A$abcdO_B du diagramme 15.1).

Dans la réalité cependant, il n'y a à peu près pas de bien pur qui ne demande aucun effort humain pour être transformé en satisfaction : ensemencement et cueillette des légumes, transport, livraison ; cueillette du coton, transformation en textile puis en vêtement ; transformation industrielle de produits ; etc. En somme, il est important de tenir compte de l'activité de production et de s'assurer qu'elle est efficace, c'est-à-dire qu'elle évite le gaspillage.

15.3 LA THÉORIE DE LA PRODUCTION

Suivant la théorie de la production, il est nécessaire de combiner et de recourir à des facteurs de production pour dégager des produits finis utiles et porteurs de satisfaction à l'être humain. Pour simplifier, nous poserons qu'il existe deux types de produits X et Y et deux mêmes facteurs de production pour chacun de ces produits, soit du capital K et du travail T, qui peuvent être utilisés pour la production de X ou de Y.

De la même façon que pour les courbes d'indifférence, on peut se donner une carte de courbes d'isoquants représentant chacune le lieu des diverses combinaisons de travail et de capital permettant de dégager une même quantité produite de X tout d'abord (graphique 15.2a), et de Y ensuite (graphique 15.2b). C'est en combinant ces deux cartes d'isoquants au sein d'une boîte d'EDGEWORTH que l'on est à même d'identifier les combinaisons respectives de capital et de travail qui sont optimales, c'est-à-dire qui permettent la production maximale des deux produits à la fois et qui évitent le gaspillage (diagramme 15.3).

GRAPHIQUE 15.2a
Production de X

GRAPHIQUE 15.2b
Production de Y

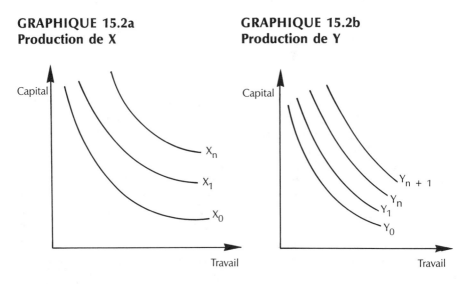

DIAGRAMME 15.3
Combinaison des cartes de production de X et Y

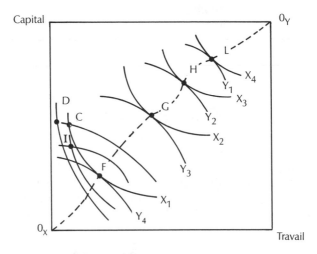

La ligne qui relie l'ensemble des points de tangence entre les isoquants pour X et Y décrit la *ligne des possibilités de production* épuisant les facteurs de production disponibles. Ainsi, en F, les quantités X_1 et Y_4 sont produites efficacement parce qu'à partir de ce point, il est impossible de produire plus de X sans réduire la production de $Y^{(5)}$.

En D par exemple, il y a gaspillage de ressources parce qu'avec les mêmes quantités totales de K et T, on peut obtenir plus de X et plus de Y. En C par ailleurs, on peut dire qu'en épuisant les facteurs, on produit la même quantité de X mais moins de Y ; il y a gaspillage de ressources parce qu'avec les mêmes ressources, mais combinées autrement, on pourrait produire plus de Y sans réduire la production de X. Le point I est aussi un point intermédiaire par rapport à D, alors que le point F est le point final : à partir de ce point, comme on vient de le voir, il n'est plus possible d'augmenter X sans diminuer Y. Donc, pour chaque D comme point de départ, il y a un point optimal correspondant.

Comme il y a autant de D possibles, il y a autant de points optimaux correspondants, d'où la courbe $O_X O_Y$, qui passe par F, G, H et L et qui décrit l'ensemble des productions possibles qui sont PARETO efficaces. Ces points représentent l'ensemble des productions correspondant à une utilisation optimale des facteurs de production. Cette utilisation optimale se réalise lorsque les taux marginaux de substitution technique (TMST) entre les différents facteurs de production (capital K et travail T) sont égaux entre eux pour chacun des biens produits (X et Y : TMS $_{KT}^{X}$ = TMST $_{KT}^{Y}$. Un taux marginal de substitution technique est égal à la pente d'un isoquant en un point donné. Il représente la quantité d'un facteur de production qu'il faut ajouter pour maintenir la production constante après avoir retiré une quantité marginale de l'autre facteur de production. Autrement dit, TMST $_{KT}^{X}$ = Δ_K/Δ_T, où X est une constante.

La courbe $O_X O_Y$ est très importante parce qu'elle montre les conditions optimales dans l'allocation des facteurs de production, mais aussi parce qu'elle permet de dériver une autre courbe tout aussi importante, soit la courbe des possibilités de production efficaces (PP). Une telle courbe, dérivée du diagramme 15.2, est présentée au graphique 15.3.

Cette courbe correspond au diagramme 15.2, parce qu'au point F on y trouve la combinaison (X_1, Y_4), de même que les combinaisons (X_2, Y_3) en G, (X_3, Y_2) en H, et (X_4, Y_1) en L. La courbe PP est concave par rapport à l'origine parce qu'elle représente la difficulté de remplacer un type de production par un autre. Par exemple, il est toujours possible de produire plus d'énergie au détriment de l'industrie agricole (p. ex. mobiliser la main-d'œuvre agricole et d'autres ressources pour construire de nouveaux barrages hydro-électriques), mais il y a des limites aux capacités d'ajustement et des *rendements* qui s'avèrent tôt ou tard rapidement *décroissants* (p. ex. les barrages sont de plus en plus éloignés et coûteux).

---

(5) On aurait pu tout aussi bien dire qu'il est impossible de produire plus de Y sans réduire la production de X.

GRAPHIQUE 15.3
Courbe des possibilités de production efficaces

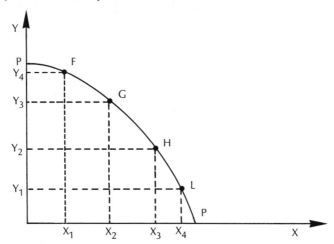

La pente de la courbe des possibilités de production s'appelle le taux marginal de transformation (TMT). Ce taux exprime de combien on peut produire plus d'un bien en sacrifiant marginalement de la production d'un autre, compte tenu des connaissances technologiques.

Lorsqu'on intègre la considération de la production, la définition de l'optimum de PARETO est que le taux marginal de transformation du côté de la production TMT_{XY}) doit être égal au taux marginal de substitution de ces biens pour les individus. La jonction de ces deux conditions produit le point b au graphique 15.4. Pour un point a donné sur la courbe PP dont la pente est égale à TMT, correspond un point b à l'intérieur d'une boîte d'EDGEWORTH définie par le point a et qui correspond à la l'égalisation des TMS pour les individus A et B.

GRAPHIQUE 15.4
Production et distribution optimale

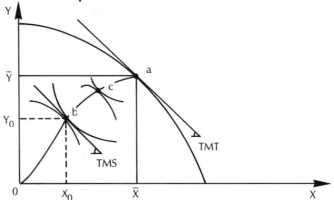

Ainsi se trouve résolu de façon optimale pour l'ensemble d'une société le problème de la production : on décidera de produire $\overline{X}$ et $\overline{Y}$ et de la distribution des revenus $(0X_o, 0Y_o)$ allant à A et $(X_0\overline{X}, Y_0\overline{Y})$ allant à B. En ce point, il n'est pas possible d'accroître ni la production ni les revenus, ni le bien-être de la communauté. C'est en quelque sorte la définition de l'optimum de PARETO pour un point de départ a donné et arbitrairement choisi. La règle générale est donc que pour tout point de départ donné sur PP, il faut que TMT = TMS pour tout couple de biens (X, Y) et toute paire d'individus i et j, en supposant au préalable que les facteurs de production ont été utilisés de façon optimale, c'est-à-dire que $\text{TMST}\,{}^X_{KT} = \text{TMST}\,{}^Y_{KT}$.

Compte tenu de cette définition de l'optimum économique, il reste à démontrer un certain nombre de théorèmes-clés de la théorie du bien-être. Ceux-ci portent sur les avantages de l'échange, la valeur des choses (biens et services marchands), la valeur du travail, les propriétés du marché, ses lacunes, le rôle de l'État et les problèmes éthiques que pose la théorie de l'optimum.

CHAPITRE 16
Les principaux théorèmes de l'économie du bien-être

16.1 LES AVANTAGES DE L'ÉCHANGE

Le premier théorème qui ressort de l'analyse économique de l'optimum porte sur les avantages de l'échange. En fait, l'échange est toujours avantageux lorsqu'il y a concurrence et que la répartition initiale des revenus ou dotation initiale en ressources, ne correspond pas déjà à une situation optimale.

Pour démontrer cela, il suffit de se reporter au diagramme 15.1. Deux individus A et B se partagent le produit « national » en deux portions (X_A, Y_A) et (X_B, Y_B), telles que $X_A + X_B = X$ et $Y_A + Y_B = Y$. En supposant au point de départ que ces deux portions correspondent au point d sur le diagramme 16.1, on peut établir que A dispose d'un niveau de satisfaction I_d^A et B d'un niveau I_d^B. À travers l'échange et pour cette combinaison initiale, la satisfaction peut être améliorée en tout point à l'intérieur du noyau défini par le périmètre d h g k. En effet, si les individus sont rationnels, c'est-à-dire qu'ils préfèrent toujours une situation où leur niveau de satisfaction est plus élevé à une situation où il est plus faible, si les niveaux de satisfaction augmentent au fur et à mesure que les courbes d'indifférence s'éloignent de leur origine et si les choix sont transitifs (par exemple si $U_f > U_i$ et $U_i > U_d$, alors $U_f > U_d$), il est possible de démontrer que pour tout point de départ différent de $TMS_{XY}^A = TMS_{XY}^B$, il y a toujours avantage à l'échange.

En i par exemple, A cède du Y contre du X et vice versa pour B. Les niveaux de satisfaction pour A et B sont simultanément accrus parce que i se situe à la croisée de deux courbes d'indifférence simultanément plus éloignées de leurs origines respectives. Mais i n'est pas encore optimal parce qu'il est encore possible d'améliorer la satisfaction d'un individu sans diminuer celle de l'autre. En f par contre, là où l'individu A a acquis une quantité additionnelle de X en cédant du Y, il devient strictement impossible, en poussant davantage l'échange, d'améliorer la satisfaction de l'un des individus sans réduire celle de l'autre. En g, la satisfaction des deux individus est réduite ; en h, celle de A est accrue, mais au détriment de B, et ainsi de suite pour tout autre point à l'intérieur du noyau d h g k. Si les individus sont rationnels, informés et mis en présence, ils préfèrent se déplacer de d en f.

DIAGRAMME 16.1
Les avantages de l'échange

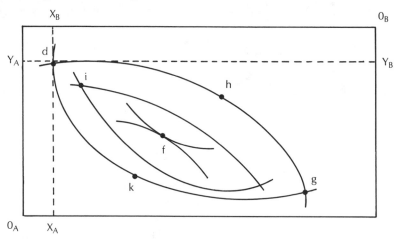

En conséquence, à moins d'être tombé par pur hasard sur la combinaison (X_f, Y_f), il y a toujours avantage à l'échange libre et égal. Cette dernière condition est vérifiée lorsqu'il y a *concurrence* sur les marchés puisque, par définition de la concurrence, un individu peut toujours trouver un acheteur ou un vendeur aux meilleures conditions d'échange. On peut donc généraliser la proposition initiale (appliquée à deux individus) à toute paire d'individus.

16.2 LA VALEUR DES BIENS OU SERVICES MARCHANDS

Le second théorème qui ressort de la théorie de l'optimum porte sur la valeur des biens et services marchands. Les questions à se poser sont, premièrement, qu'est-ce qui fait que certains biens ou services ont plus de valeur que d'autres ? et, deuxièmement, quel est le lien entre le prix du marché et cette valeur ? Les réponses à ces questions peuvent encore une fois être tirées du diagramme 16.1. Celui-ci a permis de démontrer notamment que l'échange optimal est atteint lorsque les taux marginaux de substitution pour les biens sont égaux entre les différentes paires d'individus. Pour toute paire d'individus A et B et toute paire de biens ou services X et Y, le taux marginal de substitution entre X et Y pour A est égal au taux marginal de substitution entre X et Y pour B.

Dans un tel contexte, la valeur qu'on accorde à une consommation additionnelle de X est exactement égale au sacrifice qu'on est prêt à faire de Y pour maintenir constant le niveau de satisfaction. En d'autres termes, pour que l'utilité U soit maintenue constante, il faut que :

$$\Delta_Y^+ \cdot U_m^y = \mid \Delta_X^- \cdot U_m^x \mid \tag{1}$$

où : Δ_Y^+ est l'accroissement de consommation de Y nécessaire pour compenser la réduction de consommation de X ;

U_m^y est l'utilité marginale de Y ;

Δ_X^- est la réduction unitaire de X ; et

U_m^x est l'utilité marginale de X.

Les segments verticaux encadrant l'expression de droite signifient la valeur absolue de cette expression.

Tout ce que dit cette équation, c'est que la compensation de l'utilité perdue comprend deux termes tout comme celle de l'évaluation de la perte initiale d'utilité, soit *la quantité du bien* en cause multipliée par *son utilité marginale*. Un exemple numérique arbitraire donnerait la solution suivante : si $U_m^x = 3$ et $U_m^y = 1$, alors pour $\Delta^-X = 1$ il faut 3 unités additionnelles de Y pour compenser la perte d'utilité d'une unité de X.

Par ailleurs, en divisant chaque côté de l'équation (1) par $\Delta^-X \cdot U_m^y$, on trouve une propriété qui deviendra bientôt utile, à savoir :

$$\text{TMS} = \left| \frac{\Delta_Y^+}{\Delta_X^-} \right| = \frac{U_m^x}{U_m^y} \qquad (2)$$

c'est-à-dire que le taux marginal de substitution entre les biens est égal au rapport de leur utilité marginale. Voici donc établi un premier lien entre une définition technique (TMS = $|\Delta_Y^+ / \Delta_X^-|$) et une notion économique qui est celle de l'utilité (marginale).

Pour établir le rapport entre le prix des biens et services marchands et leur valeur (utilité), il convient maintenant de se référer à la théorie du consommateur. Selon cette théorie, le consommateur dispose d'un budget donné ; cette contrainte budgétaire est illustrée au graphique 16.1 (courbe AB). Le point A indique la quantité totale de Y qu'il peut acheter s'il dépense tout son budget en Y, alors que le point B exprime la quantité totale du bien X qu'il peut se procurer s'il dépense tout son budget en X. Le segment AB qui relie ces deux extrêmes décrit les situations intermédiaires de combinaisons d'achats de X et de Y qui respectent sa contrainte budgétaire.

L'une des propriétés importantes de la contrainte budgétaire est que sa pente est exactement égale au prix relatif des biens et services en cause. Partant de B, on peut dire que $\Delta_X^- = B0$ implique que $\Delta_Y^+ = 0A$, d'où $\Delta_Y^+ / \Delta_x^- = 0A / B0$. Pour B0 = 300 et 0A = 100, on aura $\Delta_Y^+ / \Delta_x^- = 100 / 300 = 1/3$, ce qui correspond exactement au prix relatif de X par rapport à Y.

En effet, si le budget total est de 300 \$ et qu'au maximum l'individu peut acquérir soit 300 unités de X ou seulement 100 unités de Y, on a pour budget total B = P_x^x où B = 300 \$ et X = 300, que le prix de X, soit P_x = B / X = 300 / 300 = 1 \$. De même, pour B = $P_y \cdot Y$ où B = 300 \$ et

GRAPHIQUE 16.1
La contrainte budgétaire du consommateur

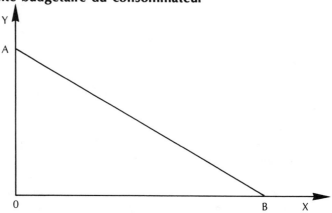

Y = 100, on a que le prix de Y, soit P_y = B / Y = 300 / 100 = 3 \$. Le rapport des prix relatifs P_x / P_y est bel et bien égal à 1 / 3. Supposons maintenant que la contrainte budgétaire du consommateur A dans le diagramme 16.2, passe par le point f du diagramme 16.1 et qu'elle respecte les conditions de l'optimum, il s'ensuit que :

$$TMS = \frac{P_x}{P_y} \tag{3}$$

On peut donc rassembler les deux équations précédentes (équations (2) et 3) en une seule, soit :

$$TMS = \frac{U_m^x}{U_m^y} = \frac{P_x}{P_y} \tag{4}$$

ce qui revient à dire que :

$$P_x = U_m^x \cdot \frac{P_y}{U_m^y} \tag{5}$$

et pour P_y / U_m^y = constante = λ, on a :

$$P_x = \lambda \, U_m^x \tag{6}$$

Cette dernière équation relie directement par un lien de proportionnalité λ, le monde des valeurs (U_m^x) au monde des prix P_x[1]. C'est dire que le prix des choses reflète directement la satisfaction marginale que leur attribuent les individus. Dans le cas où l'on considère que Y est le numéraire, c'est-à-dire l'unité de paiement (dollar), on peut à partir de l'équation (6) considérer que :

---

(1) Si l'utilité marginale du revenu n'est pas constante, le lien n'est plus proportionnel mais variable
      d'un individu à l'autre en raison de son niveau de revenu ; en effet, 1 \$ n'a pas la même valeur
      pour un pauvre que pour un riche.

$$P_x = \lambda \, U_m^x = B_m^x \tag{7}$$

où : B_m^x = le bénéfice marginal de x.

Il convient ici de mettre l'accent sur trois éléments. Premièrement, l'équation (6) établit le lien entre l'utilité d'un bien et son prix. Chaque prix reflète l'utilité ou la satisfaction marginale que rapporte la consommation de ce bien. Deuxièmement, et beaucoup plus important encore, il s'agit de l'utilité marginale des biens et non de leur utilité totale : l'utilité totale du pain et du beurre est considérable, cependant dans une économie comme l'économie canadienne, leur utilité marginale est relativement faible parce qu'ils existent en abondance. Le prix des biens et des services ne reflète donc pas que leur utilité, mais également leur rareté[2]. C'est ainsi qu'un bien rare peut ne pas être cher tout comme un bien utile peut aussi ne pas l'être, mais un bien très utile et très rare sera toujours plus cher qu'un bien moins utile[3] et très abondant.

Finalement, il convient de souligner que cette démonstration est incomplète parce qu'elle suppose absente ou résolue l'activité de production de ces biens. Nous compléterons donc l'analyse, comme ce fut le cas dans la partie précédente, en considérant explicitement le problème de la production.

16.2.1 Les coûts de production

En supposant résolu le problème d'optimisation des facteurs de production, nous avons établi dans la partie précédente qu'un optimum économique est atteint lorsque TMT = TMS. Le taux marginal de transformation exprime, pour sa part, la quantité optimale qu'il est possible de produire du bien Y si on réduit la production de X de une unité : TMT = Δ_y^+ / Δ_x^-. Le coût de production d'une quantité additionnelle de Y est donc égal à la quantité de X à laquelle on doit renoncer pour produire du Y. Ce coût dépend des connaissances technologiques qui permettent ce transfert et de l'activité de production initiale dans chacune des industries concernées.

On peut établir dès lors que le coût (marginal) de X (C_m^x) est égal à la production marginale de Y (P_m^y) à laquelle on renonce :

---

(2) C'est ici que s'opposent deux philosophies différentes, celle de la valeur d'usage qui se rapporte à l'utilité totale et celle de la valeur marchande qui se rapporte à l'utilité marginale. Les politiques sociales qui visent à maintenir artificiellement à leur plus bas prix les biens dont la valeur d'usage est grande (p. ex. le pain et le logement) ont malheureusement à peu près toujours pour effet de créer d'immenses pénuries de ces biens, quel que soit le système économique où elles s'appliquent. Paradoxalement, la garantie des approvisionnements et de bas prix à long terme passe par la libéralisation des marchés d'un excédent de réglementations.

(3) Le concept d'utilité est bien évidemment très subjectif. Pour certains, les diamants sont inutiles, alors que d'autres les apprécient au point d'être prêts à payer des prix élevés pour les obtenir.

$$C_m^x = P_m^y = \Delta_y^- \text{ pour K et T donnés et pleinement utilisés.}$$

Et dans le cas de Y, que :

$$C_m^y = P_m^x = \Delta_\chi^- \text{ pour K et T donnés et pleinement utilisés.}$$

Il s'ensuit que :

$$\frac{C_m^x}{C_m^y} = \frac{\Delta_y^+}{\Delta_x^-} = TMT = TMS = \frac{U_m^x}{U_m^y} = \frac{P_x}{P_y}$$

et que :

$$P_x = \lambda\, U_m^x = C_m^x = B_m^x$$

C'est dire que le prix des biens reflète trois éléments fondamentaux :
1- leur utilité,
2- leur rareté, et
3- le niveau des connaissances technologiques qui sert à les produire.

C'est dire aussi que le prix des biens est un prix optimal lorsque son coût marginal social est égal à son bénéfice marginal social. S'il arrivait que l'un soit différent de l'autre, cela voudrait dire que la société ne produit pas assez de ce bien ($B_m^x > C_m^x$) ou bien qu'elle en produit trop ($C_m^x > B_m^x$). Le théorème de la valeur relie donc quatre éléments de façon formelle et circonscrite, soit le prix des biens et services marchands, leur utilité, leur rareté et le niveau des connaissances technologiques utilisé pour leur production.

16.3 LA VALEUR DU TRAVAIL

Il est curieux de ne pas trouver de lien explicite entre la valeur des biens et services marchands et le travail. Cela ne signifie pas toutefois que le travail lui-même n'a aucune valeur. Au contraire, si on retourne au diagramme 15.3 relatif au problème de la production, on trouve qu'il constitue une composante essentielle de la production et donc de la confection de biens et services utiles. Autrement dit, il donne la valeur aux éléments naturels bruts.

Les propriétés d'une allocation optimale des ressources sont que les taux marginaux de substitution technique entre les facteurs de production sont égaux entre paires de biens produits, soit :

$$TMST_{KT}^X = TMST_{KT}^Y$$

Le taux marginal de substitution technique est égal, pour sa part, à la quantité additionnelle nécessaire d'un facteur de production pour compenser la réduction marginale dans l'utilisation de l'autre facteur de production :

$$TMST_{KT}^X = \frac{\Delta_K^+}{\Delta_T^-} \text{ tel que X} = cste$$

Il faut donc, pour que la production de X soit constante, que :

$$\Delta_K^+ \cdot P_m^K = \left| \Delta_T^- \cdot P_m^T \right|$$

où : P_m^K = productivité marginale du capital, et

P_m^T = productivité marginale du travail.

Il s'ensuit, en réarrangeant les termes de l'équation précédente, que :

$$\left| \frac{\Delta_K^+}{\Delta_T^-} \right| = \frac{P_m^T}{P_m^K}$$

c'est-à-dire que le taux marginal de substitution est égal au rapport des productivités marginales.

Par ailleurs, à l'optimum pour une seule entreprise ou une seule industrie, la théorie de la production en arrive à la conclusion que :

$$TMST = \frac{P_T}{P_K} = \frac{W}{r}$$

où : P_T = prix du travail = salaire = W, et

P_K = prix du capital = r.

En effet, si on se rappelle que pour un objectif de production donné, les coûts de production sont minimisés au point de tangence entre l'isoquant choisi et la contrainte budgétaire la plus rapprochée de l'origine, on découvre cette propriété fondamentale de l'optimum. La contrainte budgétaire est définie par le segment de droite qui relie deux possibilités extrêmes, soit le cas où tout le budget est dépensé en l'achat de capital, soit le cas où tout le budget est dépensé en l'achat de travail.

Comme dans le cas du budget du consommateur, la pente de la contrainte budgétaire sera égale au prix relatif des facteurs de production, soit w/r. Si donc, au diagramme 15.3, on traçait des contraintes budgétaires tangentes aux paires d'isoquants eux-mêmes tangents entre eux, on aurait que la condition d'optimisation est satisfaite lorsque :

$$TMST = \frac{P_m^T}{P_m^K} = \frac{w}{r}$$

La valeur relative du travail se trouve donc reliée à sa productivité marginale relative par rapport à la productivité marginale du capital. De façon encore plus intéressante par ailleurs, il arrive que pour un niveau donné de capital et en présence des rendements décroissants pour le travail, le salaire sera égal à la valeur de la productivité marginale, soit :

$$w = VP_m = P_x \cdot P_m^T$$

Ce théorème déjà démontré dans la théorie de la production établit donc que, non seulement le prix relatif du travail reflète sa valeur relative, mais son prix absolu reflète sa valeur marginale absolue aux yeux de l'employeur. Le salaire d'un travailleur est donc à même de refléter ce qu'il vaut pour son employeur. Par ailleurs, dans la mesure où le prix du produit entre dans la détermination du salaire, on peut également dire que le salaire du travailleur représente ce qu'il *vaut* pour la société. En conséquence, on peut affirmer que le salaire reflète ce que l'employé rapporte à son employeur et ce qu'il rapporte à la société en valeur marchande. C'est pourquoi on parle de salaires égaux à la contribution productive des travailleurs. Les conditions pour que cela soit vrai, sont toutefois rigoureuses et exigeantes. Notamment, il faut qu'il y ait concurrence sur les marchés du travail et concurrence sur les marchés des produits, il faut que les individus soient informés et mobiles et il faut qu'il y ait absence de discrimination. Enfin, ne l'oublions pas, il ne s'agit que d'une valeur marchande et non de la valeur humaine.

Dans ces conditions, et dans ces conditions seulement, nous pouvons démontrer que les marchés ou, de façon générale, le système de marché, est susceptible de générer spontanément un optimum de PARETO. C'est l'objet de la démonstration suivante.

16.4 LE SYSTÈME DE MARCHÉ

Pour démontrer qu'un système de marché concurrentiel est susceptible de générer un optimum de PARETO, il convient de se référer au diagramme 16.1, au point de départ d. En ce point, nous pouvons tracer un segment de droite dP_1 dont la pente correspond au rapport des prix relatifs $(P_x / P_y)_1$. Puisque le segment dP_1 passe par d, il représente la contrainte budgétaire de chacun des individus concernés dans l'échange, car ils peuvent en effet se procurer la combinaison initiale de ressources correspondant au point d.

Mais quelle serait la combinaison optimale de X et de Y pour l'individu A à ce rapport de prix. La réponse est apportée par le point A_1, où le taux marginal de substitution de X pour Y est exactement égal aux prix relatifs $(P_x / P_y)_1$. C'est le point de tangence entre la courbe de budget et la courbe d'indifférence (satisfaction) la plus éloignée (élevée) de l'origine. En ce point, l'individu A désire $0_A X_1^A$ de X et est disposé à céder $X_1^A X$ à l'individu B.

Par contre, il n'en va pas de même pour ce dernier. Au point de tangence entre sa courbe d'indifférence la plus éloignée de son origine et la courbe de budget, l'individu B désire $0_A X_1^B > X_1^A X$, c'est-à-dire une quantité plus grande de X que ce que A est disposé à lui céder. Autrement dit, A_1 et B_1 étant distincts, cela ne peut constituer un échange. Il faut donc que le rapport de prix relatifs soit renégocié. Notamment, il faut que P_x augmente par rapport à P_y.

Graphiquemment, cela veut dire que dP_1 devra pivoter autour de d. C'est ainsi qu'on arrivera à la situation intermédiaire A_2B_2, qui n'est toujours pas un point d'équilibre, mais où les parties se sont rapprochées.

DIAGRAMME 16.2
L'optimum du marché

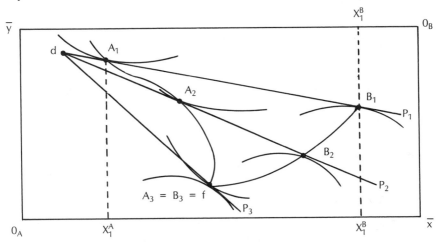

Finalement, au rapport de prix relatifs $(P_x / P_y)_3$ correspondant au segment dP_3, il arrive que $F = A_3 = B_3$. Les quantités de X et de Y dont veut disposer A sont exactement égales aux quantités que veut B. En ce point et donc à ce niveau de prix relatifs, les deux individus maximisent leur satisfaction respective et les taux marginaux de substitution sont égaux entre eux, satisfaisant par là les conditions de l'optimum économique. Les courbes A_1A_2f et B_1B_2f représentent en quelque sorte les courbes d'offre et de demande pour les biens X et Y. Au point de rencontre entre ces courbes d'offre et de demande, on trouve une situation d'équilibre où les combinaisons optimales de X et de Y sont échangées entre les individus, satifaisant les conditions de l'optimum. Le système de marché a donc tendance à générer par lui-même et spontanément une situation PARETO optimale.

16.5 LES CONDITIONS NÉCESSAIRES À L'ATTEINTE DE L'OPTIMUM DE MARCHÉ

Compte tenu de la nécessité pédagogique d'expliciter la mécanique qui conduit à la réalisation de l'optimum, nous n'avons pas insisté sur les hypothèses nécessaires à sa réalisation. Il convient maintenant de poser ces conditions de réalisation qui, lorsqu'elles font défaut, constituent autant de raisons pour motiver l'intervention de l'État.

16.5.1 La concurrence

Pour qu'un optimum soit atteint, il faut qu'il y ait un grand nombre d'acheteurs et de vendeurs et qu'il n'y ait pas de collusion entre eux. Un vendeur en situation de monopole fixera des prix supérieurs et produira des quantités inférieures à ce qui serait dans une situation de concurrence. Un acheteur en situation de monopsone amènera les individus à lui échanger des biens en quantités supérieures à ce qui serait optimal pour eux (p. ex. le point A_1 au diagramme 16.2). De façon générale, l'État doit donc veiller à assurer la concurrence et l'entrée libre sur les marchés.

16.5.2 La parfaite exclusivité et divisibilité des biens

Les biens divisibles sont des biens qu'on peut produire en unités distinctes. Ils sont exclusifs lorsque la consommation par un individu en exclut celle d'un autre. Nous avons supposé à cet effet des quantités de X et de Y parfaitement divisibles, avec des courbes d'indifférence parfaitement continues et une boîte d'EDGEWORTH fermée telle que la consommation d'un bien par un individu en exclut la consommation par un autre individu.

Il s'agit donc de la plupart des biens marchands (automobiles, logement, vêtements...). Dans le cas où un bien n'est pas divisible et exclusif, le marché n'est pas en mesure d'en fournir l'approvisionnement. L'éclairage des rues d'une municipalité n'est pas un bien divisible. On ne peut en produire des unités séparables non plus qu'on ne peut exclure tout passant ou automobiliste particulier de sa consommation. L'éclairage d'une municipalité est un bien public, c'est-à-dire dont la consommation est indivisible, non exclusive et consommée en égale quantité par tous. L'entreprise privée ne peut espérer vendre ce service et en obtenir un juste prix de la part des usagers. Le pouvoir de l'État doit intervenir pour les forcer à payer le prix nécessaire à la production de ce service qu'il peut ou non confier par la suite à l'entreprise privée. En l'absence de ce pouvoir ou de cette intervention, il y a sous-production de biens publics.

16.5.3 L'indépendance du bien-être des uns par rapport à celui des autres

En termes techniques, on dira que les courbes d'indifférence individuelles sont indépendantes les unes des autres : il n'y a ni envie ni jalousie. Le fait qu'un individu soit plus riche que l'autre n'attriste ni ne réjouit ce dernier. Lorsque la fonction de bien-être individuel (courbes d'indifférence) incorpore dans ses arguments le bien-être des autres, comme le font des individus altruistes (dont le bien-être s'accroît lorsque celui des plus pauvres s'accroît), il est alors normal que l'État s'occupe de cette externalité et assure les transferts de revenus optimaux.

16.5.4 L'absence d'externalités

Il y a externalité lorsque les isoquants ne sont pas indépendants entre deux activités de production ou lorsque les courbes d'indifférence ne sont pas indépendantes des isoquants. Dans le premier cas, il s'agit d'externalités de production, lorsqu'une activité de production peut nuire à une autre activité de production. Ce serait par exemple une activité industrielle qui pollue un cours d'eau et qui nuit de la sorte à l'industrie de la pêche. Dans le second cas, il s'agit d'externalités qui lient la production à la consommation. Ainsi, la même industrie peut nuire à la pratique du loisir qu'est la pêche sportive.

En l'absence de l'intervention de l'État, l'industrie polluante ne tient compte que de ses coûts privés de production alors qu'elle inflige des coûts sociaux à d'autres parties (perte de bien-être ou perte de production). L'État doit donc intervenir de façon à internaliser les coûts sociaux dans les coûts privés de production, autrement il y aura surproduction d'externalités négatives[4].

16.5.5 La croissance des coûts marginaux de production

Pour définir l'optimum de PARETO, nous avons eu recours à l'hypothèse de rendements décroissants (voir les propriétés de la courbe PP, au graphique 15.3). Si pour une industrie particulière les rendements sont toujours croissants, ou encore si les coûts marginaux de production sont décroissants au fur et à mesure que s'étend l'activité de production, il est toujours avantageux d'être la plus grande entreprise de cette industrie, de façon à pouvoir vaincre la concurrence. Dans le cas de coûts marginaux constamment décroissants, le marché aura donc tendance à générer des monopoles ; on parle alors de monopoles naturels. Compte tenu des effets potentiels néfastes des monopoles, il convient donc que l'État se préoccupe de cette question.

16.5.6 La couverture des risques et incertitudes par le marché

Dans un monde où l'information est imparfaite et où il y a risque et incertitude, le marché est à même de fournir certains services de protection, telles les assurances contre le feu et le vol et les clauses d'indexation des salaires qui garantissent contre certaines pertes de revenus. Le marché privé des assurances n'est cependant pas en mesure d'offrir toutes les protections.

Il y a parfois asymétrie d'information par exemple, et alors que le vendeur n'a pas les moyens d'évaluer avec précision les risques qu'encourt chacun de

---

(4) Nous discuterons un peu plus loin des cas de sous-production d'externalités positives.

ses clients, ce sont plutôt les individus à hauts risques qui cherchent à s'assurer. Une telle situation conduit à une augmentation des primes moyennes d'assurances et à une production sous-optimale de ces assurances ; c'est le problème de la sélection adverse.

Dans d'autres cas, les compagnies d'assurances font face au problème du risque moral, c'est-à-dire au cas où les individus ont la possibilité d'influencer les événements (durée du chômage, durée de la maladie, des maux de dos,...). L'entreprise privée est donc hésitante à offrir des services d'assurances (pourtant utiles) lorsque ce problème est important.

Finalement, l'information relative aux risques et incertitudes peut être inconnue de tous. Dans ce cas, il devient tout simplement impossible que se crée spontanément un marché d'assurances privé sous quelque forme que ce soit (p. ex. une assurance contre les sinistres collectifs causés par des tremblements de terre, des ouragans ou des éruptions volcaniques).

16.5.7 La dotation initiale en ressources acceptable

Les solutions de PARETO relèvent de l'efficacité, et celle qu'apporte le marché est une de ces solutions. Rien ne nous dit cependant qu'elles sont équitables. Elles prennent pour assises qu'une dotation initiale en ressources est une donnée du problème permettant de le résoudre, mais elles ne prétendent d'aucune façon qu'il s'agit là de dotations équitables, non plus que celles auxquelles on arrive en fin de course. Les solutions de PARETO évitent le gaspillage de ressources et le gaspillage de bien-être. Un gouvernement qui ne serait pas satisfait de la répartition initiale ou finale des ressources doit donc intervenir en raison des principes d'équité. Et sur cette même base, les individus peuvent trouver un intérêt personnel qui rejaillit sur l'ensemble de la collectivité à partager leur richesse avec des moins bien nantis. Cette forme d'interdépendance du bien-être à travers la redistribution du revenu comporte également une dimension de bien public[5].

_____

(5) Le plein emploi des ressources humaines constitue également une condition nécessaire à l'atteinte de solutions optimales. À cet égard, la théorie du *second best* montre que l'application des règles de l'optimum ne garantit pas un rapprochement de cet objectif. Cette théorie a pour objet d'examen les conséquences du non-respect de certaines hypothèses du *first best*, c'est-à-dire de l'optimum de PARETO. Dans l'état actuel des connaissances, elle ne nous dit pas quoi faire pour mieux faire. Par ailleurs, cette question du plein emploi requiert une analyse macroéconomique ; nous ne considérerons pas cet aspect dans la présente édition.

CHAPITRE 17
Les raisons de l'intervention de l'État

Dans le chapitre précédent, nous avons vu que plusieurs raisons justifiaient l'intervention de l'État, raisons liées en grande partie aux imperfections de marché. Mais il en est une qui ne leur est pas toujours directement reliée, soit le problème de la répartition du revenu. En effet, même si les marchés étaient parfaits, l'État pourrait trouver motif à intervention dans la recherche d'une équité accrue par la redistribution du revenu. Cette action a fort à voir avec le fonctionnement des marchés du travail, et sa forme la plus visible est l'aide sociale.

17.1 LA REDISTRIBUTION DU REVENU

La redistribution des revenus est un des problèmes les plus difficiles à résoudre. D'une part, il est difficile de s'entendre sur son étendue, bien qu'on s'accorde sur sa définition : il s'agit d'un transfert de revenus des plus riches vers les plus pauvres. D'autre part, pour arriver à plus de justice dans la répartition du revenu il faut une comparaison interpersonnelle universellement admise des utilités et des satisfactions individuelles, ce qui est strictement impossible.

En ce qui a trait à l'étendue de la redistribution, différents jugements de valeurs tout aussi bien fondés les uns que les autres, s'opposent et traduisent des visions différentes de la société. D'une part, il y a le principe égalitaire de la justice qui favorise une action de redistribution substantielle. D'autre part, il y a le principe d'équité qui veut que chacun reçoive selon sa contribution productive, il y a aussi ceux qui favorisent la liberté individuelle et, donc, la non-intervention de l'État dans les affaires des citoyens.

La comparaison interpersonnelle des utilités équivaudrait à répondre à des questions de ce genre : si l'on hausse le salaire minimum de 10 % et que cette hausse conduit à une hausse du chômage, est-ce que la perte de bien-être des chômeurs sera plus que compensée par la hausse de bien-être de ceux qui ont conservé leur emploi ? L'économiste ne peut répondre à cette question, mais il peut chercher à estimer l'incidence de différents niveaux de salaire minimum sur l'emploi et le chômage, ou encore chercher à concevoir des institutions qui atteindraient des objectifs de redistribution avec moins d'inconvénients. En ce sens, il peut contribuer à éclairer les décisions et à simuler leur impact sur l'efficacité et la redistribution du revenu. Cet exercice peut être illustré à l'aide des représentations formelles découlant des analyses précédentes.

17.1.1 Les courbes des possibilités et l'enveloppe des utilités possibles

D'une part, nous avons vu qu'il pouvait exister un ensemble de possibilités d'utilités PARETO optimales satisfaisant les conditions d'échanges représenté sur une *courbe de contrats efficaces* (obca du graphique 15.4). L'introduction des conditions optimales de production fait pour sa part qu'un point de cette courbe (le point b) correspond à l'égalisation du taux marginal de transformation avec les taux marginaux de substitution individuels. Parce qu'à chaque point de la courbe de contrat correspond une utilité pour l'individu A et une autre pour l'individu B, on peut se représenter une courbe $U_A B_B$ représentant ces différentes possibilités et décrivant les options possibles. Au graphique 17.1 par exemple, la combinaison $U'_A U'_B$ correspond à l'optimum conjoint de production et d'échange b. Puisqu'on peut, pour chacun des taux marginaux de transformation correspondant à la frontière des possibilités de production, obtenir une boîte d'EDGEWORTH et une courbe de contrats efficaces, il est possible, pour chacun de ces points de production, d'en dériver une courbe semblable au graphique 17.1.

GRAPHIQUE 17.1
Courbe des possibilités d'utilités

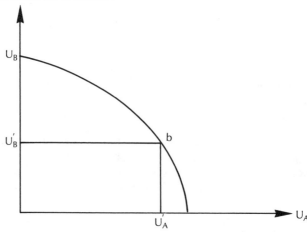

C'est ce qui est illustré au graphique 17.2 avec, pour chacune des courbes de possibilités d'utilités, l'identification de l'optimum simultané de production et d'échange (points b , c , d). L'enveloppe EE qui joint cet ensemble de points décrit alors l'ensemble des situations PARETO optimales satisfaisant conjointement les conditions de l'échange et de la production efficaces. Appelons cette courbe l'enveloppe des utilités possibles. La courbe des possibilités d'utilités satisfait les conditions d'échange ; l'enveloppe des utilités possibles satisfait simultanément les conditions de l'échange et de la production.

GRAPHIQUE 17.2
Courbe des possibilités et enveloppe des utilités possibles

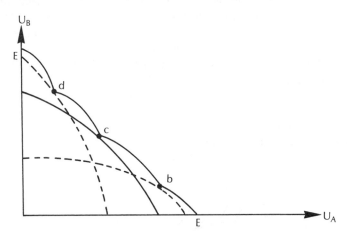

17.1.2 La fonction d'utilité sociale

Idéalement, il serait souhaitable que les combinaisons de bien-être produites par l'organisation économique se situent sur l'enveloppe des utilités possibles. Pour définir la combinaison la plus optimale parmi les combinaisons optimales possibles, il manque de l'information, qui peut être obtenue par la construction d'une courbe ou fonction d'utilité sociale collective.

La fonction d'utilité sociale est le fruit non pas de la pensée subjective de l'économiste, mais le résultat observé *ex post* des choix posés par le gouvernement. C'est ainsi qu'un gouvernement, dans les faits et à travers ses nombreuses prises de décision, effectue implicitement des comparaisons interpersonnelles d'utilités. Dans ces circonstances, il serait théoriquement possible d'inférer une courbe d'utilité collective liée aux utilités individuelles par un jeu de pondération implicite et dont l'expression mathématique générale serait :

$$B = B (U^1, U^2, ... U^n, ...)$$

(1)

où U^i = utilité de l'individu i.

C'est ce genre de concept qu'a introduit BERGSON (1938) dans la recherche de l'*optimum optimorum*. Cette fonction est illustrée au graphique 17.3 et aurait des propriétés de convexité par rapport à l'origine. Elle traduirait de cette façon les arbitrages qui se présentent entre l'utilité des individus pour maintenir constant le même niveau d'utilité collective, et elle décrirait une situation croissante d'utilité collective au fur et à mesure que l'on s'éloigne de l'origine. Le point a, par exemple, représenterait la situation à la fois la plus efficace et la plus équitable du point de vue du gouvernement. C'est le point de tangence entre la courbe d'utilité collective la plus éloignée de l'origine et l'enveloppe des utilités possibles.

Un tel concept permet d'introduire la notion d'équité au sein d'un modèle fondé sur l'efficacité. Au point c, par exemple, la situation d'efficacité parétienne génère un niveau d'utilité collective relativement faible (B_1). Une mesure gouvernementale qui agirait sur la distribution du revenu dans le sens d'un déplacement de c vers b générerait tout d'abord un niveau d'utilité collective supérieur tout en satisfaisait les conditions d'optimalité dans l'échange et la production.

GRAPHIQUE 17.3
Fonction d'utilité sociale et optimum de PARETO

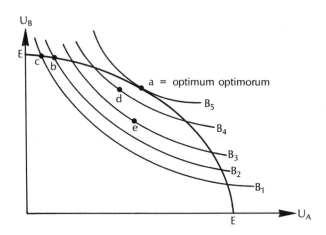

La poursuite des activités de redistribution au delà de b amènerait cependant des distorsions (p. ex. une taxation progressive des revenus plus élevés qui décourage le travail et l'investissement). Elle détournerait de la frontière des utilités possibles, mais elle pourrait tout de même conduire à un niveau d'utilité collective supérieur, si la perte d'efficacité est plus que compensée par les gains d'équité. Le point d est donc, somme toute, supérieur au point b puisque $B_4 > B_2$.

Finalement, si on envisage de pousser plus loin l'effort de redistribution, il pourra arriver cette fois que les gains d'utilités associés à la redistribution soient insuffisants pour compenser la perte d'utilité associée à la réduction de l'efficacité (réduction de la production totale disponible du bien-être). On serait alors au point e sur une courbe d'utilité collective B_3 inférieure à la courbe d'utilité collective B_4. Cette illustration est bien théorique et arbitraire, mais elle met clairement en évidence les arbitrages et les contraintes qui se posent à un gouvernement dans l'exercice de son pouvoir et de sa recherche de redistribution du revenu. Dans les débats sur l'efficacité-équité, le calcul est donc très important dans l'estimation des effets redistributifs et des réductions d'efficacité des diverses mesures de redistribution du revenu[1].

17.1.3 L'altruisme et l'intervention publique

Il y a altruisme lorsque le bien-être d'autres individus entre dans sa propre fonction de préférence et que sa satisfaction personnelle augmente avec l'augmentation du bien-être de ces autres individus. C'est ainsi que le bien-être d'un « riche » peut être accru à travers l'amélioration du bien-être des « pauvres ». Le riche acceptera un transfert de son revenu au pauvre si la perte de bien-être associée au revenu auquel il renonce est plus que compensée par le gain qu'il retire de l'amélioration du bien-être du pauvre. L'enveloppe des utilités possibles pourra donc épouser une forme semblable à celle du graphique 17.4.

GRAPHIQUE 17.4
Enveloppe des utilités possibles en présence d'altruisme

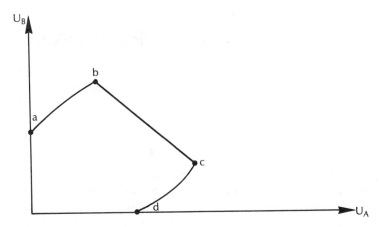

---

(1) S'il existe des mesures de redistribution qui augmentent l'efficacité, on pourra tout aussi bien parler de mesure d'efficacité que de mesure de redistribution.

Au point où B dispose de pratiquement toute la richesse, il peut trouver intérêt à partager cette richesse avec l'individu A, d'où la portion croissante ab de l'enveloppe des utilités possibles. De même en est-il de la portion cd lorsque A possède la plus grande partie de la richesse. Un transfert de revenu d'un individu à un autre ferait s'accroître le bien-être des deux individus simultanément. Ce comportement charitable peut cependant comporter des externalités non internalisées et conduire, par conséquent, à des montants sous-optimaux de transferts.

En effet, lorsqu'un riche donne aux pauvres, le bien-être de ce riche est accru, mais il l'est également pour les autres riches qui n'ont pas contribué à ce transfert (resquilleurs). Dans ce cas, le bénéfice collectif est supérieur au bénéfice privé et le montant de transfert est sous-optimal. Il convient donc que le gouvernement encourage ces transferts et intervienne en assurant la redistribution optimale par voie de subvention (puisque le bénéfice rejaillit sur tous ceux qui paient de l'impôt) ou en organisant et gérant lui-même les transferts. Envisagé sous cet angle, le « bien » généré est similaire à un bien public, c'est-à-dire qui profite à tous. Le choix de la forme d'intervention dépend donc des groupes à qui profite l'accroissement du bien-être.

17.2 LA PRODUCTION DE BIENS PUBLICS

La théorie des biens publics a pour objet la définition des biens publics et leur intégration dans la problématique générale de l'optimum de PARETO. Dans le monde du travail, la question de savoir ce qui est un bien public et ce qui n'en est pas un, et donc ce qui devrait être produit par l'État et ce qui ne devrait pas l'être, est constamment discutée, dans les grandes centrales syndicales et les associations patronales notamment.

17.2.1 La définition et les propriétés des biens publics

Par définition, un bien public appartient à tout le monde en même temps, mais à personne en particulier. Les biens publics ont certaines particularités que n'ont pas les biens privés ; ces particularités, caractéristiques ou propriétés fondamentales sont au nombre de trois. Premièrement, un bien public est indivisible ; deuxièmement, il est non exclusif ; et troisièmement, sa consommation est conjointe et non rivale.

Dans la théorie de l'optimum que nous avons exposée en première partie, les courbes d'indifférence ne correspondaient qu'aux acquisitions des individus. Elles étaient parfaitement continues, et chaque consommation d'un bien par un individu en excluait la consommation par un autre. Dans le cas où l'acquisition par un individu apporte de la satisfaction aux autres (p. ex. une lumière sur un terrain qui éclaire la route), où les biens ne sont pas divisibles (si G est produit, A et B en consomment également en entier) et où on ne peut exclure la consommation par les autres, un problème se pose au marché, car il n'est pas à même d'en produire une quantité optimale.

Indivisibilité signifie qu'on ne peut fractionner en unités distinctes (p. ex. l'atmosphère). Non-exclusivité signifie qu'une fois le bien produit et disponible, on ne peut en soustraire la consommation à certains individus (p. ex. l'éclairage public). Finalement, consommation conjointe et non rivale, veut dire que le bien public est généralement consommé par un groupe et que sa consommation par un membre du groupe n'empêche pas et ne nuit en rien à sa consommation par les autres membres. L'usage d'un phare par un bateau ou un avion ne nuit en rien à son usage par les autres bateaux ou avions. La question qui se pose alors est : qui voudra produire de ce bien ? En effet, dans une situation où les trois caractéristiques des biens publics sont réunies, il apparaît que le secteur privé ne peut en assumer la production et la distribution en quantité optimale. En voici la preuve.

Pour qu'un marché privé existe, il faut que les producteurs soient motivés à produire une marchandise ou un service et à l'échanger sur le marché. La motivation supposée est l'obtention d'un revenu de la production qui permet un pouvoir d'achat et d'acquisition de bien-être. Ce revenu provient d'un prix de vente pour les marchandises. Pour obtenir un prix, il faut pouvoir exclure de sa consommation les individus qui ne veulent pas payer ce prix. Autrement, si ceux-ci l'obtiennent sans payer, le revenu est nul. En fait, le plus important problème dans le cas des biens publics est celui du resquilleur, c'est-à-dire celui qui bénéficie du bien sans payer. En conséquence, un bien qui n'a pas la propriété d'exclusivité ne peut être produit spontanément par l'entreprise privée, même s'il correspond à un besoin exprimé ou latent de la population. Cette condition d'exclusivité devient donc fondamentale.

Puisque le secteur privé n'est pas incité à produire des biens non exclusifs mais qu'ils correspondent à un besoin, il convient que l'État intervienne soit en produisant lui-même soit en en confiant la production au secteur privé. Ce faisant, il sera source d'accroissement du bien-être parce qu'il permet la production d'un bien utile et porteur de bien-être. Les questions qui se posent alors sont : quelle quantité produire et à quel prix ?

17.2.2 Le théorème de SAMUELSON

Afin de répondre à la première question, SAMUELSON pose le cadre d'analyse suivant :

1— Soit deux individus A et B dont l'utilité croît avec la consommation de biens privés et publics X et G respectivement, et qui font face à une carte de préférences qui exprime les arbitrages et substitutions possibles pour maintenir divers niveaux d'utilité constants (graphiques 17.5a et 17.5b) ;

2— Soit une courbe de possibilités de production PP (graphique 17.5a) décrivant les limites de production efficace de X et de G ; et

3— Soit une courbe d'iso-utilité I_0^A décrivant les diverses combinaisons de X et de G pour l'individu A et qui maintiennent constant ce niveau d'utilité.

Dès lors, pour tout G compris entre 0 et G, on peut déduire que l'ensemble des biens privés disponibles à B pour I_0^A constant est égal à la différence entre la courbe d'indifférence I_0^A et la courbe des possibilités de production PP. Cette courbe de biens privés disponibles (BPD) est illustrée au graphique 17.5b et épouse une forme concave par rapport à l'abscisse. En G^0 par exemple, il ne reste aucun bien privé disponible pour B, et B ne consomme que du bien G en quantité G^0. En G^1 par contre, il reste ce biens privés disponibles à B, et ainsi de suite jusqu'à $G^n = G$. La courbe BPD décrit donc cet ensemble fermé de biens privés disponibles à B.

La solution d'optimalité est alors obtenue au point de tangence f entre la courbe d'indifférence la plus éloignée de l'origine pour B et la courbe de biens privés disponibles BPD. En ce point, le taux marginal de substitution de B pour les biens X et G est égal à la différence entre le taux marginal de transformation correspondant sur la courbe PP et le taux marginal de substitution de A entre les biens X et G. En termes mathématiques, cela s'écrit :

$$TMS_{XG}^B = TMT_{XG} - TMS_{XG}^A \qquad (2)$$

GRAPHIQUE 17.5a
Possibilités de production
et satisfaction de A en présence
de biens publics

GRAPHIQUE 17.5b
Biens privés disponibles
et optimum pour B

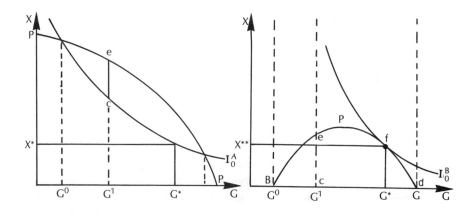

Cela revient à dire qu'un point optimal est atteint lorsque le taux marginal de transformation entre les biens privés et publics est égal à la somme des taux marginaux de substitution entre ces mêmes biens pour chacun de ces individus, c'est-à-dire :

$$TMS^B_{XG} + TMS^A_{XG} = TMT_{XG} \tag{3}$$

ou encore, de façon plus générale :

$$\sum_{i=1}^{n} TMS^i_{XG} = TMT_{XG} \tag{4}$$

En ce point, les quantités (G^*, X^*) sont produites et consommées par A, alors que les quantités (G^*, X^{**}) sont consommées par B. On suppose ici, en conformité avec la définition que nous avons donnée d'un bien public, qu'une fois produite, la quantité G^* de ce bien est consommée également et en entier par les deux individus. Ceci ne veut pas dire cependant que ce même bien public apporte la même satisfaction aux deux individus : $U^{G, A}_m$, qui est l'utilité marginale du bien public pour l'individu A, peut très bien différer de l'utilité marginale tirée de la même quantité de bien public pour B ($U^{G, B}_m$).

La règle de SAMUELSON permet donc de trouver, pour tout niveau de satisfaction de A donné[2], la quantité optimale de biens publics qu'il faut produire. Cette règle permet également de trouver que le point optimal dont il est question correspond à l'égalisation des coûts marginaux de production des biens publics avec la somme des bénéfices marginaux. En effet :

$$TMT_{XG} = \frac{C^G_m}{C^x_m} \tag{5}$$

et

$$TMS^A_{XG} = \frac{U^{G, A}_m}{U^x_m} \tag{6}$$

Et si on affecte une valeur monétaire à U^x_m par son équivalent qui est Px/λ, et à U^G_m par son équivalent B^G_m/λ, on obtient :

$$\frac{U^G_m}{U^x_m} = \frac{\lambda\, B^G_m}{\lambda\, P_x} = \frac{B^G_m}{P_x} \tag{7}$$

Par transivité, il s'ensuit que :

$$\frac{C^G_m}{C^x_m} = \frac{B^{G, A}_m}{P_x} + \frac{B^{G, B}_m}{P_x} = \frac{B^{G, A}_m + B^{G, B}_m}{P_x} \tag{8}$$

---

(2) Qui se situe, par exemple, au point initial des dotations en ressources.

et pour $P_x = C_m^{x\,(3)}$:

$$\sum_{i=A,\,B} B_m^{G,\,i} = C_m^G \tag{9}$$

Ce résultat de l'analyse peut être immédiatement transposé sur un graphique où l'offre de biens publics (OBP) est égale au coût marginal de production de ce bien (C_m^G) alors que la demande globale (D^G) est égale à la somme verticale des demandes individuelles $D^{D,\,A}$ et $D^{G,\,B}$ (graphique 17.6). Ces demandes individuelles sont définies par les bénéfices marginaux liés à diverses quantités consommées de biens publics. Au point de rencontre entre l'offre et la demande globale se détermine la quantité optimale G* de biens publics produits et consommés.

GRAPHIQUE 17.6
Offre et demande de biens publics

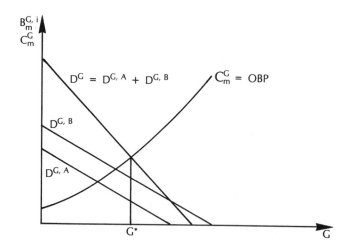

En deçà de G*, la production de G est sous-optimale parce que les bénéfices marginaux sociaux sont supérieurs au coût marginal de production. Au delà de G*, il y a surproduction de biens publics parce que les coûts marginaux de production sont supérieurs à la somme des bénéfices marginaux.

---

(3) Cette équation correspond à la règle de détermination des quantités produites dans le secteur privé (voir la théorie de la production, à la section 15.3).

17.2.3 La solution de LINDAHL

Cette même représentation graphique peut fournir une réponse à la recherche du prix qu'il faudrait charger pour production. Ce prix serait égal au bénéfice marginal du bien public pour chaque individu. De cette façon, les individus qui accordent plus de valeur au bien public paieraient plus cher que les autres qui lui accordent moins de valeur. C'est la solution du pseudo-marché de LINDAHL qui, contrairement aux marchés privés où un prix unique est chargé quel que soit le consommateur, il y aurait autant de prix que de consommateurs ou groupes de consommateurs.

La solution de LINDAHL, jointe aux conditions de SAMUELSON, apporte donc une réponse au problème de la détermination des prix et des quantités produites de biens publics : charger le prix qui correspond à l'utilité marginale pour le bénéficiaire. Elle peut servir de modèle de référence lors de l'évaluation des quantités effectivement produites de ces biens dans l'économie[4], mais elle pose des problèmes pratiques de différents ordres (mesure de la volonté de payer, mesure des quantités demandées, etc.) ainsi que des problèmes spécifiques d'équité, car le prix des biens publics n'est pas un prix qui sert à l'allocation des ressources, mais un prix qui sert au financement de ces ressources. Néanmoins, charger un prix plus faible pour des groupes à faibles revenus qui bénéficient davantage de biens publics n'apparaît pas particulièrement inéquitable[5].

17.3 LES EXTERNALITÉS

Une externalité existe lorsque l'activité d'un groupe ou d'un individu influence l'utilité ou la production d'un autre groupe ou d'un autre individu. S'il n'y a pas de compensation monétaire pour une externalité, la partie *émettrice* n'a pas à prendre en considération l'effet positif ou négatif de son activité sur l'autre partie, et elle peut consacrer une quantité inadéquate (trop ou pas assez) de ressources à la poursuite de cette activité.

Une externalité peut être bénéfique ou néfaste. Dans le premier cas, on parlera d'économies externes ou d'externalités positives. Dans le second cas, on parlera de déséconomies externes ou d'externalités négatives. Les économies ou déséconomies externes peuvent être unilatérales ou bilatérales. Dans ce dernier cas, les deux parties émettent et reçoivent simultanément des externalités de l'autre partie. Le nombre de parties en cause est important parce que plus nombreuses elles sont, plus on se rapproche du cas d'un bien public. En effet, à la limite, une externalité peut devenir un bien dont tous consomment simultanément.

---

(4) On peut observer la quantité consommée ou l'usage d'un bien public et voir s'il correspond aux besoins exprimés par la population.

(5) Se rappeler que l'utilité marginale varie en rapport inverse avec la consommation.

17.3.1 Les externalités positives

Dans le cas d'externalités positives ou d'économies externes, le problème se pose de la façon suivante. Une entreprise A produisant du bien X arrêtera sa production là où :

$$C_m^{X, A} = B_m^{X, A} \tag{9}$$

En produisant du bien X cependant, cette entreprise émet des externalités positives $B_m^{X, B}$ à l'individu B. Il en résulte que le bénéfice marginal social (B_m^S) est donné par :

$$B_m^S = B_m^{X, A} + B_m^{X, B} \tag{10}$$

et, pour $B_m^{X, B} > 0$, il s'ensuit que $B_m^S > B_m^{X, A}$, c'est-à-dire que le bénéfice marginal social associé à la production du bien X est supérieur à son coût marginal social de production. L'économie aurait donc intérêt à produire davantage du bien X, mais l'entreprise A n'y étant aucunement incitée, il en résulte une perte de bien-être collectif.

GRAPHIQUE 17.7
Cas d'économies externes

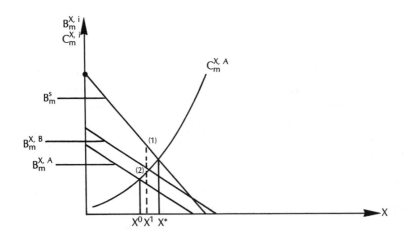

Comme l'indique le graphique 17.7, pour des fonctions de coût marginal et de bénéfice marginal données, l'entreprise arrêtera sa production de X au point X^0. La production de X sera sous-optimale parce qu'en produisant $X^1 > X^0$, le bénéfice marginal social ((1) sur le graphique) serait plus grand que son coût marginal de production ((2) sur le graphique), et ainsi de suite jusqu'à ce que $C_m^X = B_m^S$. Cette condition est rencontrée au moment où l'entreprise A produit X^* du bien X. Afin de maximiser l'utilité collective, l'État doit donc intervenir ; il peut subventionner l'entreprise A ou les consommateurs du bien $X^{(6)}$.

17.3.2 Les externalités négatives

Dans le cas d'externalités négatives, le problème se pose tout autrement, et l'entreprise A impose des dommages à l'individu B. Il s'ensuit que le coût marginal social de production du bien X dépasse son coût marginal privé :

$$C_m^{X,\,S} = C_m^{X,\,A} + D_m^{X,\,B} \tag{11}$$

où $D_m^{X,\,B}$ est le dommage qu'impose l'entreprise A à l'individu B. Parce que les règles internes de maximisation des profits pour l'entreprise A impliquent que $C_m^{X,\,A} = B_m^{X,\,A}$, elle aura tendance à produire trop de biens X. À cet effet, le graphique 17.8 illustre les conséquences de la non-internalisation des effets externes.

Dans ce graphique, on observe, tout d'abord, une fonction $C_m^{X,\,A}$ de coûts marginaux privés de production constants et indépendants du niveau de production. Au fur et à mesure que l'entreprise A développe sa production du bien X, elle émet des externalités négatives croissantes. C'est ce qu'illustre la fonction de dommage marginal imposé à B ($D_m^{X,\,B}$). La somme de $D_m^{X,\,B}$ et de $C_m^{X,\,A}$ détermine la fonction de coût marginal total ou coût marginal social ($C_m^{X,\,S}$). Pour une fonction de bénéfice marginal privé $B_m^{X,A}$, il s'ensuit que l'entreprise A sera incitée à produire X^0 du bien X, alors qu'il serait préférable sur le plan social qu'elle arrête sa production au niveau X^*, c'est-à-dire là où $B_m^{X,A} = C_m^{X,\,S}$.

Cinq types de solutions sont alors possibles, soit la taxation, la subvention, le dédommagement, l'organisation de marchés d'externalités et la réglementation.

a) La taxation

Pour recourir à la taxation, l'État doit connaître le niveau optimal qu'il conviendrait de produire et être en mesure d'imposer une taxe de l'ordre de ab à l'entreprise A. Dans ces circonstances, les coûts marginaux de production de A seraient relevés au niveau $C_m^{X,\,S}$, passant par a, l, h, d, et l'entreprise maximiserait ses profits en produisant la quantité X^* de X.

b) La subvention

Le mécanisme de la subvention est un peu plus complexe que celui de la taxation. D'abord, il s'agit d'une subvention à l'entreprise A pour qu'elle

---

(6) Un exemple d'externalités positives est celui où un producteur de fleurs s'installe à proximité d'un producteur de miel. Plus la production de fleurs est grande, plus grande pourra être celle du miel.

GRAPHIQUE 17.8
Cas d'externalités négatives

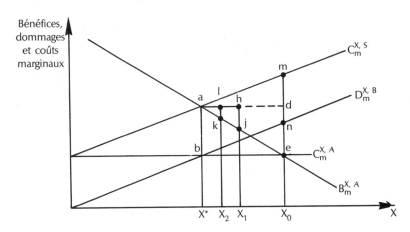

réduise sa production au niveau X^* souhaité. L'entreprise ne touchera la subvention que si elle réduit sa production.

La subvention en question devra être de de. Il en coûte à l'entreprise pour réduire sa production $B_m^{X, A}$, soit les bénéfices auxquels elle renonce. Le bénéfice de cette réduction est égal pour sa part au coût marginal plus la subvention. Le sens des fonctions s'en trouve inversé, C_m devient ce que l'entreprise retire d'une diminution de sa production, alors que le coût est ce à quoi elle renonce en produisant moins. En X_1 par exemple, elle perd j bénéfices mais retire h revenus additionnels ; en X_2 par ailleurs, elle perd k revenus, mais gagne l bénéfices. L'entreprise arrêtera sa production au point a, là où ses coûts marginaux sont égaux à ses bénéfices marginaux.

c) Le dédommagement

Dans une situation où on oblige A à compenser les dommages infligés à B, nous aurons également une situation où X^* sera produit. En X^0 par exemple, l'entreprise devra payer $C_m^{X, A}$ pour la production de cette quantité, plus $me = nX^0$ à l'individu B, alors que son bénéfice n'est que de $B_m^{X, A} = ex^0$. En X_1, le coût marginal sera $C_m^{X, A} + D_m^{X, B} > B_m^{X, A}$. En X^* finalement, $B_m^{X, A} = C_m^{X, A}$. En somme, sur le plan théorique, ces trois premières solutions sont tout à fait équivalentes. Sur le plan de la redistribution du revenu cependant, ce sont des groupes ou des individus très différents qui partagent les coûts, mais la société d'une façon générale en profite.

d) La création de marchés d'externalités

On peut imaginer une situation où l'environnement serait considéré comme un bien rare ou encore un facteur de production qu'il faut économiser. Le marché ayant pour rôle de veiller à cette allocation lorsqu'il peut s'appliquer, on peut songer à une solution de marché pour éviter le gaspillage. Considérons que A dispose des droits de propriété sur l'environnement et que B désire acquérir ces droits en offrant de l'argent à A ; dans ces circonstances, A est prêt à accepter $B_m^{X,\,A} - C_m^{X,\,A}$ comme compensation. Un équilibre serait à nouveau atteint en X^*.

Se pose cependant le problème du resquillage lorsque plus d'un individu est affecté par l'externalité de A. Si le gouvernement connaît le niveau acceptable de pollution, il peut offrir cette quantité limitée de droits de pollution. Ce sont alors les entreprises qui peuvent davantage payer qui acquerront ces droits, et la répartition sera optimale. Il faut bien considérer ici qu'il ne s'agit pas de n'importe quelle quantité de pollution. Puisque par ailleurs toute activité de production implique des déchets, autant bien en contrôler l'émission de façon qu'ils soient en plus petite quantité possible et non dangereux pour la santé. Pour l'instant, le prix de l'environnement est pratiquement nul dans bien des cas et les abus ne manquent pas.

e) La réglementation

La mesure qui est la plus utilisée en matière d'externalités est la réglementation pour diverses raisons. D'abord, le coût direct à court terme d'une réglementation peut paraître moins élevé que celui des autres mesures telles les simulations et expertises de recherche de la taxation optimale, etc. Puis, l'incertitude liée aux options de rechange, comme le processus d'essais et erreurs, est plus grande[7]. La réglementation type consiste à imposer à toutes les firmes une norme maximale d'effets externes. Les conséquences économiques d'une telle mesure peuvent être visualisées aux graphiques 17.9a et 17.9b.

Supposons deux entreprises, A et B, dont la production des biens X et Y engendre des dommages à l'individu C. Les deux entreprises émettent une pollution de même nature, infligeant un coût marginal D_m^C à C. À coût marginal de production constant et égal dans les deux entreprises, mais à demande différente pour les produits, elles maximiseraient leur profits pour un niveau de production X^0 et Y^0 respectivement (graphiques 17.9a et 17.9b). Les niveaux de production optimaux, pour leur part, se situeraient à X^* et Y^*, c'est-à-dire au point $C_m^S = B_m^{i,\,j}$ où i = X ou Y, et j = A ou B, donc au point a et f, pour $C_m^S = C_m^{i,\,j} + D_m^C$. Les différentes méthodes ou interventions proposées antérieurement permettraient d'y arriver, alors qu'une réglementation uniforme interdisant l'émission de pollution au delà d'un certain niveau, conduirait à des productions X^R et Y^R inefficaces. Pour l'entreprise A, le niveau de production est trop élevé parce que le coût marginal social de production est supérieur au bénéfice marginal social. Pour l'entreprise B par contre, c'est le contraire qui se produit. Le niveau de production est inférieur à ce qu'il devrait

---

(7) On pourrait également invoquer des raisons politiques telles que la simplicité de l'argumentation ou encore les bénéfices électoraux à tirer de divers groupes d'intérêt.

être parce qu'un accroissement de sa production générerait un bénéfice marginal social supérieur à son coût marginal social. Les pertes de bien-être pour la société sont de abc + def.

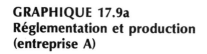

GRAPHIQUE 17.9a
Réglementation et production
(entreprise A)

GRAPHIQUE 17.9b
Réglementation et production
(entreprise B)

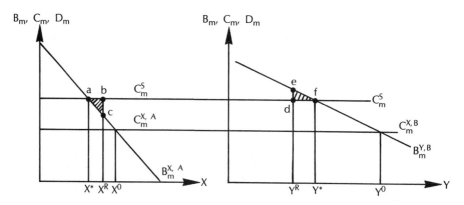

En somme, bien qu'en apparence plus simple et moins coûteuse, la réglementation peut s'avérer un outil de politique économique douteux, surtout s'il sert les intérêts de groupes particuliers sous le couvercle de l'intérêt général. Dans tous les cas d'externalités négatives par ailleurs, on aura remarqué que les mesures devant être prises par l'État impliquent des pertes d'emploi et des efforts de recyclage de la main-d'œuvre. Ces mesures doivent donc être combinées avec des politiques d'adaptation et d'ajustement sur les marchés du travail.

17.4 LES COÛTS MARGINAUX DÉCROISSANTS

Une entreprise qui produit avec des coûts marginaux décroissants est essentiellement monopoliste. Dans ce cas, le prix chargé est supérieur à l'optimum alors que les quantités de services produites sont inférieures.

Comme le montre le graphique 17.10, lorsque la courbe de coût moyen (CM) est décroissante et supérieure à la courbe de coût marginal (Cm), mais inférieure à la courbe de demande pour le produit. Ce prix de monopole se fixe en $P_m > P_c$ avec un niveau de production $q_m < q_c$ où p_c et q_c sont respectivement le prix et les quantités correspondant à l'égalisation du coût marginal social au bénéfice marginal social.

GRAPHIQUE 17.10
Détermination des prix et des quantités produites en situation de monopole

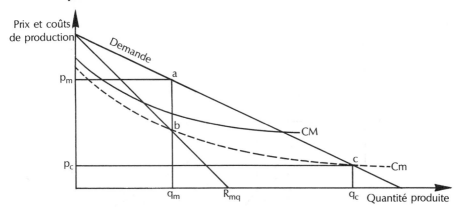

La raison pour laquelle un monopole se forme est qu'une entreprise a toujours avantage à étendre son marché. Ce faisant, elle bat la compétition en vendant moins cher ; un monopole naturel se produit lorsque son prix de monopole ne peut être concurrencé. Dans cette situation cependant, la société y perd ; ce qu'elle économise sous forme de coûts de production (espace sous Cm entre q_m et q_c) est largement inférieur à ce qu'elle perd en bénéfices (espace sous D entre q_m et q_c), et la perte nette est égale à l'espace abc. C'est pourquoi le gouvernement cherche à intervenir. Il peut le faire de diverses façons, soit en réglementant l'industrie (Bell Canada), soit en la nationalisant (Hydro-Québec) ou encore en la subventionnant (transport en commun).

La réglementation peut tout d'abord consister à fixer le prix (p_R) au niveau de l'intersection entre la courbe de demande et la courbe de coût moyen (graphique 17.11). L'entreprise ne bénéficierait alors que du rendement normal sur le capital et produirait q_R au prix p_R, et les pertes nettes seraient réduites à dec[8].

Par ailleurs, la réglementation usuelle des monopoles naturels s'applique à un objectif de taux de rendement sur le capital (p. ex. Bell Canada). Par définition, ce taux est la différence entre les revenus et les coûts autres que le capital, rapportée sur le capital. L'entreprise a alors tout intérêt à gonfler le capital (dénominateur de la formule) et à utiliser plus de capital que ce qui serait optimal. Elle produit donc à des coûts plus élevés que ce que dictaient les règles de l'optimalité, et on remplace une inefficacité par une autre.

La solution de nationalisation, qui maintient l'entreprise dans une production à pertes, vise à réduire davantage les pertes sociales en produisant q_c

---

(8) Les lois antitrust ou anti-coalition ont pour but de prévenir les profits monopolistiques. Dans les faits, cependant, on en entend peu parler au Canada.

GRAPHIQUE 17.11
Intervention gouvernementale et monopole naturel

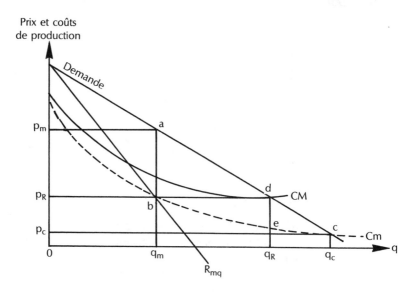

au prix p_c. Il n'est cependant pas évident que cet objectif soit atteint, et ce pour deux raisons. D'une part, le financement du déficit implique des coûts d'opportunité[9], et d'autre part, il n'est pas certains que l'entreprise publique fonctionne au minimum de ces coûts[10]. Une autre solution consiste à permettre à l'entreprise de réaliser des profits tout en captant la rente par un impôt (dividendes) sur les profits (comme pour Hydro-Québec). Cela crée une incitation à la minimisation des coûts, mais les prix resteront supérieurs et les quantités (ou la qualité) du produit inférieures à l'optimum.

Finalement, la subvention est appropriée lorsque la demande se situe en dessous de la courbe des coûts moyens (graphique 17.12) ; c'est le cas notamment des systèmes de transport en commun (p. ex. la STCUM). Le gouvernement peut alors chercher à charger des prix discriminatoires, c'est-à-dire un prix différent pour différents groupes de clients, ou une taxe forfaitaire (taxe fixe per capita) pour financer la subvention égale à la surface *abcd*. Les difficultés d'application de ces mécanismes sont que la discrimination parfaite est difficile alors que les taxes forfaitaires sont peu utilisées pour des raisons d'équité (p. ex. la taxe pour les services d'aqueduc) égale pour tous quel que soit le niveau de revenu.

---

(9)   Ressources qui seraient affectées ailleurs dans un emploi plus productif pour la société.

(10) Le modèle bureaucratique que nous présenterons un peu plus loin identifie les circonstances où l'incitation à la minimisation des coûts ne sont pas présentes.

GRAPHIQUE 17.12
Situation où les coûts moyens sont supérieurs à la demande

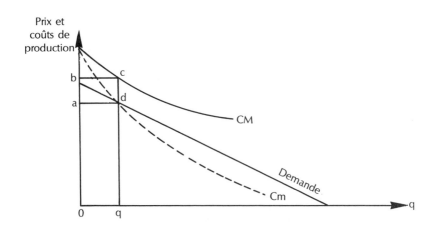

17.5 LA COUVERTURE DE CERTAINS RISQUES ET INCERTITUDES

Dans la réalité, il existe des risques et incertitudes. La maladie peut survenir, les goûts des consommateurs peuvent changer (modes) et créer du chômage dans les secteurs devenus moins populaires, un accident peut arriver sur les lieux de travail ou ailleurs, les taux de la devise nationale peuvent se modifier et rendre une transaction internationale beaucoup moins attrayante pour l'un des deux agents en cause. Devant de tels risques, les individus et les firmes cherchent à s'assurer. Supposons dès lors que la probabilité qu'un événement S se produise est de s, l'individu (la firme) ne cherchera pas à maximiser sa satisfaction d'un revenu (profit) certain, mais celle d'une espérance de revenu qui intègre la probabilité de l'événement S.

Si la probabilité qu'un événement S (p. ex. la maladie) se produise est s, la probabilité qu'il ne se produise pas est $(1 - s)$ et il s'ensuit que $s + (1 - s) = 1$. L'espérance de revenu est donc :

$$E(Y) = sY_s + (1 - s) Y_{1-s} = Y. \tag{12}$$

L'espérance d'utilité du revenu est définie pour sa part, par :

$$E\, U(Y) = sU(Y_s) + (1 - s)U(Y_{1-s}). \tag{13}$$

GRAPHIQUE 17.13
Utilité du revenu et espérance d'utilité

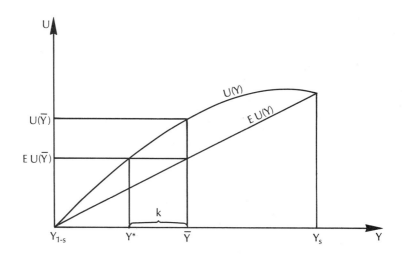

C'est dire que l'*utilité attendue* est égale à la somme pondérée des utilités retirées dans chacune des situations. Les facteurs de pondération étant égaux aux probabilités de chaque événement, la relation entre E U(Y) et Y sera strictement linéaire.

Si on place sur graphique les revenus en abscisse et l'utilité attendue en ordonnée (graphique 17.13), on obtient tout d'abord une droite donnant les niveaux d'utilité attendue correspondant à chaque niveau de revenu. En moyenne, le revenu attendu est de $\overline{Y}$ et il génère une satisfaction E U($\overline{Y}$).

Par ailleurs, la courbe d'*utilité de revenus certains* est concave et supérieure à celle des espérances d'utilité et, en tout point, U(Y) > E U(Y). Cette situation en est une d'aversion au risque. C'est dire que l'espérance d'un revenu rapporte moins d'utilité qu'un revenu certain. L'individu (ou la firme) est donc prêt à payer une prime k = $\overline{Y}$ − Y* pour toucher un revenu continu et certa... égale à $\overline{Y}$ −k', tel que k' < k, et ainsi éviter les risques d'être dans la situation de revenu Y_{1-s}.

Lorsqu'il y a risques et incertitudes, il convient donc qu'il existe des marchés contingents qui assurent les pertes de revenus associées à certains événements. S'il existe autant de marchés qu'il existe de types de risques, il y aura allocation efficace des risques, autrement il y aura des risques qui ne sont pas assurés et une perte de bien-être. Dans les faits, plusieurs risques ne sont pas adéquatement assurés : premièrement, les coûts de transaction peuvent être indûment élevés ; deuxièmement, il peut y avoir une asymétrie de l'information, caractérisée par des problèmes de risque moral et de sélection adverse.

Dans le cas du risque moral, l'individu peut influencer la probabilité de l'événement, soit volontairement, soit en réduisant la prévention. Ainsi, les restaurants les plus assurés sont ceux qui brûlent le plus. S'il est impossible pour l'assureur de vérifier les mesures de prévention, il ne pourra y avoir de marché adéquat. Pour l'assurance-maladie ou accident, on peut aussi trouver des abus chez les assurés. Pour l'assurance-chômage, on remarque que la durée du chômage augmente au fur et à mesure que le taux de protection du revenu s'accroît.

Dans le cas de la sélection adverse, la compagnie d'assurance ne peut discerner les individus à plus hauts risques des individus à plus faibles risques. Les individus à plus hauts risques ont tendance à s'assurer davantage ; la prime moyenne doit alors augmenter, réduisant d'autant l'accès (puisque les bénéfices anticipés sont plus faibles que le coût marginal) aux autres individus.

Il peut exister également un problème de covariance, lorsque les événements ne sont pas indépendants les uns des autres. Si les probabilités interindividuelles sont indépendantes, l'incidence globale de s est à peu près constante dans le temps. La compagnie peut alors prévoir une politique de tarifs qui couvre les compensations à payer plus un taux pour les profits et les frais d'administration. Lorsqu'il y a covariance, les fluctuations globales deviennent très importantes pour la compagnie, et une tarification additionnelle est nécessaire pour compenser ces fluctuations. Or, cette tarification réduit le montant optimal d'assurance parce que les prix dépassent la compensation réelle attendue.

Dans toutes ces situations, le secteur privé ne peut à lui seul satisfaire les conditions de Pareto et l'État peut intervenir de diverses façons, notamment en produisant de l'information sur les situations risquées ou en organisant lui-même des institutions d'assurance. C'est le cas de l'assurance-chômage et de la Commission de la santé et de la sécurité au travail.

17.6 CONCLUSION

Cette section, consacrée aux motifs d'intervention de l'État, a mis en évidence la raison d'être de diverses institutions gouvernementales et para-gouvernementales. Dans chacun des cas cependant, on a vu que ce n'est pas parce que le gouvernement entre en jeu qu'on obtient immédiatement et directement une solution Pareto optimale. La plupart dés problèmes liés à l'intervention de l'État relèvent de la connaissance des préférences réelles des consommateurs lorsque le marché ne peut les révéler. Lors de la redistribution des revenus, (il y en a tout le temps lorsque le gouvernement intervient) s'ajoute le problème de la comparaison interpersonnelle des utilités.

Dans les faits cependant, les gouvernements interviennent comme s'ils connaissaient les préférences des individus et comme s'ils pondéraient les utilités respectives des individus et des groupes. Pour comprendre l'existence des institutions publiques et leur évolution, il convient donc de se tourner vers une théorie positive et de chercher à identifier les facteurs explicatifs de l'intervention gouvernementale. C'est l'objet du chapitre subséquent.

CHAPITRE 18
Les choix publics

Le premier problème qui se pose dans la théorie des choix publics est celui du choix ou de la détermination d'une constitution. Il faut tout d'abord déterminer le pourcentage des votes qui sera suffisant pour qu'une mesure ou une action collective soit adoptée. Idéalement, cette constitution et les règles pour la changer devraient faire l'objet d'un consensus.

18.1 LES RÈGLES DE DÉCISION

Dans la pratique, nous sommes habitués à penser en termes de majorité simple (50 % + 1). Or, nous verrons en premier lieu que cette règle est tout à fait arbitraire ; rien ne prouve qu'elle est optimale. En fait, il convient de considérer, lors de la détermination des règles d'adoption d'une mesure collective, deux formes de coûts associés à la décision : des coûts externes et des coûts internes.

Les coûts externes sont associés à la possibilité d'adoption d'une mesure qui irait contre son propre intérêt. Cette possibilité décroît à mesure qu'augmente le pourcentage de votes nécessaire à l'adoption d'une mesure collective (graphique 18.1). En effet, si la décision est prise par un dictateur, il y a de fortes chances pour que certaines décisions ne soient pas favorables à l'individu type. À l'inverse, le droit de veto (règle de l'unanimité) protège contre toute décision qui irait à l'encontre de l'intérêt de qui que ce soit. La fonction CE (coûts externes) du graphique 18.1, illustre le fait que plus on se rapproche de l'unanimité (100 % des votes), plus ce risque est faible. À l'opposé, si une seule personne prenait toutes les décisions publiques, les risques que l'une ou l'autre de ces décisions aille contre son intérêt sont considérables.

Les coûts internes sont ceux engendrés ou nécessaires pour convaincre les autres de l'intérêt d'une mesure collective. Ces coûts (CI) sont une fonction croissante du pourcentage de gens qu'il faut convaincre (contacts personnels, documents d'information, dossiers, argumentation...) de se ranger en faveur de cette mesure.

Compte tenu de ces définitions de coûts externes (CE) et internes au processus de décision (CI), BUCHANAN et TULLOCK avancent qu'une constitution optimale en est une qui minimise la somme de ces coûts. Cette somme est obtenue en additionnant les deux courbes de coûts, ce qui génère la courbe

CT = CE + CI. Au point minimum de cette courbe, soit le point m, correspond le pourcentage de votes n qui définit la règle de détermination optimale pour l'adoption d'une mesure collective.

GRAPHIQUE 18.1
Choix d'une constitution

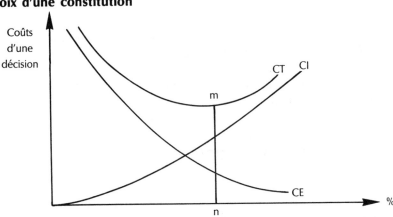

Dans les faits, rien ne garantit que ce pourcentage soit de 50 % (+1), et la solution optimale dépend strictement de la courbure (pentes et évolution de ces pentes) des courbes CE et CI. Cette courbure dépend à son tour du degré d'aversion au risque des individus, de leurs préférences pour les biens publics et la redistribution du revenu et de la nature des décisions à prendre qui nécessitent ou non beaucoup d'informations. En conséquence, la règle devrait être différente pour chaque espèce d'action collective. En somme, ce ne serait que dans une situation où la probabilité de gagner est strictement égale à la probabilité de perdre et où l'espérance d'utilité dépasse la perte d'utilité possible, que la règle de la majorité simple serait optimale. Cette situation demeure particulièrement théorique.

Par ailleurs, une règle de prise de décision ne détermine pas seulement le groupe qui est capable de provoquer un changement, mais aussi et en même temps, le groupe qui est capable d'empêcher ou de bloquer un changement. En ce sens, la règle de l'unanimité favorise le statu quo : elle favorise ceux qui sont en mesure de maintenir la situation initiale dans laquelle ils ont des avantages. La règle de la majorité simple, par contre, a l'avantage de minimiser la tyrannie d'une minorité conservatrice, sans fournir en même temps à une autre minorité le pouvoir de provoquer des changements.

Dans l'hypothèse où l'on tient à ce qu'aucune action ne soit entreprise à moins qu'elle n'améliore le bien-être de tous, la règle d'optimalité-efficacité est celle de l'unanimité. Dans l'hypothèse où le problème de la redistribution est en cause cependant, la règle de la majorité simple minimise le nombre de situations où l'individu est mis en minorité par la majorité.

Donc, une fois établi que la règle de la majorité simple est la moins pire en général, et tout en sachant que d'autres règles peuvent être préférables dans certains cas, on peut chercher à en examiner les conséquences sur la détermination des quantités produites de biens publics et, donc, de l'emploi dans le secteur public.

18.2 LA THÉORIE DE L'ÉLECTEUR MÉDIAN

Dans un contexte où la règle de la majorité est adoptée, on peut articuler une théorie qui permet de prévoir les quantités produites de certains biens publics, soit la théorie de l'électeur médian. Suivant cette théorie, la position de l'électeur médian a un effet déterminant et priviligié sur l'approvisionnement collectif en matière de biens et services publics. La démonstration de ce théorème est la suivante.

Supposons d'abord que le gouvernement doit choisir entre trois projets différents en amplitude, soit les projets G_1, G_2 et G_3 de production du bien public X (p. ex. un parc public de trois différentes dimensions). Supposons de plus qu'il y a trois électeurs, soit les électeurs A, B et C[1]. A préfère le projet G_1, B le projet G_2 et C le projet G_3. À chacun de ces électeurs correspond une fonction d'utilité totale croissante puis décroissante autour d'un point maximum de satisfaction qui correspond au projet le plus apprécié. Nous aurons donc trois courbes d'utilité concaves par rapport à l'abscisse et dont le sommet correspond au projet souhaité (graphique 18.2).

GRAPHIQUE 18.2
Électeur médian et détermination des quantités produites de biens publics

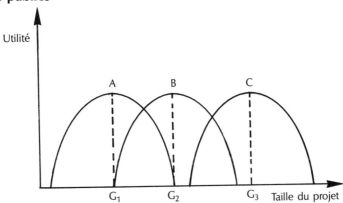

(1) Ce pourrait être trois groupes d'électeurs dont les préférences pour le bien public en cause sont homogènes ou trois conseillers municipaux reflétant les positions respectives de chacun des groupes d'électeurs.

Si le vote est proposé comme méthode de décision et qu'il est pris séquentiellement, c'est-à-dire que G_1 est tout d'abord confronté à G_2, puis que la proposition gagnante est ensuite confrontée à G3, on aura la séquence suivante :

1 — La proposition G_1 est confrontée à la proposition G_2, les électeurs C et B votent contre G_1 ; G_1 est éliminée et G_2 est reportée à l'étape suivante.

2 — G_2 est confrontée à G_3, les électeurs A et B votent contre G_3 et G_2 est finalement la solution acceptée.

L'électeur médian, qui se trouve au milieu de la distribution des préférences, est celui qui remportera le vote et qui déterminera la quantité de biens publics produits. On peut donc s'attendre à ce que les préférences, les caractéristiques et le revenu de l'électeur médian soient déterminants dans la détermination des quantités produites de biens publics. Autrement dit, l'électeur médian a beaucoup plus de pouvoir que les autres électeurs et il y a plus de chances que ses préférences pour les biens publics (décisions publiques) se reflètent dans la réalité, toutes choses égales par ailleurs.

Le problème est intéressant lorsque les fonctions d'utilité ont plus qu'un sommet, par exemple si un individu tire beaucoup d'utilité lorsqu'il y a très peu ou beaucoup de biens publics mais que la solution intermédiaire est celle qui lui plaît le moins. Dans ce cas, la courbe d'utilité a deux sommets et les choix collectifs sont intransitifs et incohérents.

Prenons l'exemple suivant. A préfère G_1 à G_2 et G_2 à G_3, ce qui peut s'écrire $G_1 > G_2 > G_3$ et, par transitivité, $G_1 > G_3$; pour sa part, B a l'ordre de préférences suivant $G_3 > G_1 > G_2$; et C a l'ordre de préférences $G_2 > G_3 > G_1$ (graphique 18.3).

GRAPHIQUE 18.3
Effet de CONDORCET

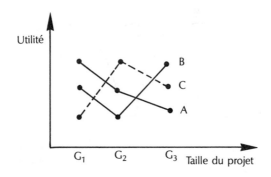

En toute logique, il arrive qu'en prenant le vote entre G_1 et G_2, la proposition G_1 est acceptée parce que $G_1 > G_2$ pour A et pour B. Par ailleurs, entre G_2 et G_3, le résultat est favorable à G_2 parce que $G_2 > G_3$ pour A et C. Entre G_1 et G_3, le vote serait cependant favorable à G_3 parce que $G_3 > G_1$ pour B et C. Il en résulte que les préférences sociales sont intransitives : alors qu'en toute logique, $G_1 > G_2$ et $G_2 > G_3$ donne $G_1 > G_3$, pourtant le vote G_1 contre G_3 donne $G_3 > G_1$. Cet effet est appelé effet de CONDORCET.

Alors que les préférences individuelles sont logiques et transitives, il n'en va pas de même pour les préférences collectives même appuyées sur des individus logiques dont les préférences sont transitives. On peut voir dans ce résultat une possibilité pour les présidents ou présidentes d'assemblée de manipuler le vote ou encore, s'ils ne le font pas et essaient toutes les possibilités, d'en arriver à des résultats contradictoires incohérents et sans solution. En fait, plus le nombre d'options et d'individus est grand, plus grande est la probabilité d'un tel résultat (9 % avec un grand nombre d'individus et 3 options, 32 % avec un grand nombre d'individus et 6 options).

Le défaut de cette façon de procéder, même en supposant la cohérence des votes et des options, est qu'elle ne tient pas compte de l'intensité des préférences. Un individu vote pour ou contre une option sans nuance. Le marchandage des votes se présente alors comme une option susceptible d'améliorer la production et la distribution des biens publics.

18.3 LE MARCHANDAGE DES VOTES

Supposons au départ que le gouvernement offre de dépenser 1 $ pour l'amélioration des routes d'une communauté composée de trois individus. Chaque personne jouit de un dollar de bénéfice pour chaque dollar dépensé. Un vote à la majorité est requis pour répartir le dollar sur les trois chemins. La majorité s'entendra pour dépenser 0,50 $ sur deux chemins, et les bénéfices totaux produits seront de 1 $.

Supposons maintenant que le même dollar produise des bénéfices de 10 $, 5 $ et 1 $ pour chacun des individus A, B et C respectivement. Un vote majoritaire conduira à une même répartition de 0,50 $ sur deux chemins, mais la somme des utilités (bénéfices) sera différente selon le couple qui formera la majorité. Dans un cas (individus A et B qui se mettent d'accord), les bénéfices seront répartis de la façon suivante, soit (5, 2½, 0)[2]. Dans le cas où la majorité est formée de A et C, les bénéfices générés seront de (5, 0, ½). Et dans le cas où la majorité est formée de B et C, ces bénéfices seront de (0, 2½, ½).

---

(2) $5 = 0,5 (10 \$)$ et $2½ = 0,5 (5 \$)$.

Dans tous ces cas, la somme des utilités est inférieure à l'utilité maximum possible, soit 10 $ (1 $ serait dépensé sur le chemin de A). En conséquence, lorsque l'intensité des préférences est variable, la règle du vote à la majorité ne garantit pas la production du maximum de bien-être.

S'il y avait un marché pour les votes (vote non secret, absence du problème de resquillage), on pourrait montrer qu'une meilleure répartition des bénéfices est possible. Ainsi, dans le cas où un individu est prêt à en payer un autre pour qu'il vote en sa faveur, les combinaisons suivantes deviennent possibles : (5, 5, 0), (5, 0, 5) et (0, 5, 5). En effet, en obtenant l'équivalent de 10 $ d'utilité pour 1 $ de dépense sur son chemin, l'individu A serait prêt à acheter le vote de B ou encore celui de C, pour 5 $, ou encore les votes de B et C pour 5 $ chacun.

Dans chacune de ces options, l'utilité est maximisée. Il s'ensuit que l'achat des votes constitue une solution théorique susceptible de générer le maximum d'utilité. Toutefois, le trafic de votes est immoral, interdit et illégal, et même s'il était légal, le problème du resquillage se poserait alors. Dans la pratique, on assiste plutôt à un système de marchandage des votes (*log rolling*).

Le principe du marchandage des votes est le suivant. Une personne (p. ex. un député) donnera son accord à un projet d'une autre personne (un autre député) à condition que cette dernière (autre député) vote en retour pour son propre projet, qu'il favorise plus particulièrement. Cet accord peut être explicite ou implicite et il se produit couramment dans le processus de la formation d'un programme ou d'une plate-forme électorale, lorsqu'un parti défend les préférences fortes d'une minorité.

18.4 LES GROUPES D'INTÉRÊT

Pour qu'un groupe d'intérêt se forme, les bénéfices doivent être au moins aussi élevés que les coûts. La taille optimale d'un groupe d'intérêt dépendra également des bénéfices et des coûts. S'il existe un bien public local (p. ex. un club de tennis) dont les bénéfices marginaux pour le particulier sont croissants puis décroissants avec le nombre d'utilisateurs (à cause de l'encombrement, des idées contraires au groupe...), et si les coûts moyens par personne sont décroissants (le coût fixe est réduit par le nombre d'adhérents), la taille optimale du groupe sera égale au nombre d'individus correspondant à l'égalisation du coût marginal (pente de C/N) et du bénéfice marginal (pente de la courbe de bénéfice total). En ce point, l'écart entre le bénéfice total et le coût individuel est le plus élevé (graphique 18.4).

GRAPHIQUE 18.4
Taille optimale des groupes d'intérêt

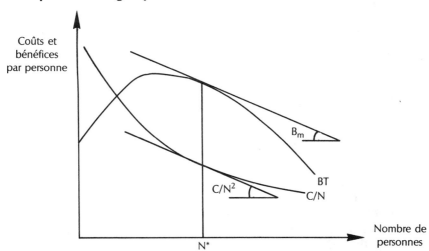

Le coût marginal étant égal à l'économie réalisée en payant un C/N plus bas pour chaque membre additionnel, celui-ci est donné par C/N^2. La pente[3] de C/N est donc égale à C/N^2. Il s'ensuit que l'optimalité est trouvé pour $B_m = -C/N^2$ soit pour $-NB_m = C/N$, c'est-à-dire pour une situation où le prix est égal au coût marginal de congestion[4].

Si on intègre la condition de SAMUELSON pour la détermination des quantités de bien public, on trouve que la condition de production optimale est satisfaite au point où le coût marginal de production est égal à la somme des bénéfices marginaux et que la tarification est égale au coût marginal de congestion. Dans ces conditions, la taille du groupe, les prix (cotisations) et les quantités produites du bien public sont déterminés et optimaux.

Dans le cas où le bien public en cause est une réglementation favorable au groupe, on peut anticiper un déséquilibre entre les bénéfices privés qui ressortissent au groupe (club) et les coûts unitaires qui peuvent être refilés à l'ensemble de la population. On peut prévoir dès lors que la probabilité qu'une telle réglementation soit adoptée par les politiciens est une fonction directe de l'ampleur relative des bénéfices privés par rapport aux coûts unitaires imposés aux autres membres de la collectivité. Les bénéficiaires sont disposés à investir (dossiers, pressions) pour obtenir le bénéfice, alors que les payeurs individuels n'y voient que des gains marginaux, et ne s'organisent pas pour s'y opposer.

---

(3) Obtenue par $\dfrac{d(C/N)}{dN} = \dfrac{(0 \cdot N) - (C \cdot 1)}{N^2} = -(C/N^2)$

(4) Le prix est égal à C/N tandis que le coût marginal de congestion est égal à la perte de bénéfices pour tous les membres associée à l'intégration d'un membre additionnel ($N \times B_m$).

Pour qu'un groupe réussisse ainsi à faire adopter des réglementations en sa faveur, il faut évidemment qu'il soit de petite taille et circonscrit, que, si possible, il donne accès à des biens privés exclusifs au groupe et qu'il soit sanctionné par la loi. Un de ces groupes qui mérite une attention particulière est celui des fonctionnaires ou bureaucrates. Ceux-ci disposent du double avantage d'être à la fois des exécutants de l'action collective et des électeurs du gouvernement en place. On peut donc présumer que leurs objectifs personnels ont un poids relatif disproportionné, s'ils sont organisés, dans le processus de la décision publique.

18.5 LE PHÉNOMÈNE BUREAUCRATIQUE

Dans un gouvernement appuyé par une large bureaucratie, on peut supposer que tout en étant au service de leur employeur immédiat, les bureaucrates poursuivent des objectifs de prestige et de grandeur autres que les profits comme tels. Le modèle de NISKANEN comporte une représentation formelle des implications de cette hypothèse de comportement.

Supposons d'abord une fonction de budget croissante à taux décroissant exprimant les bénéfices totaux retirés de la consommation des biens publics par la population. Cette fonction correspond somme toute à la surface sous la courbe de la demande pour les biens publics à divers niveaux de production (voir courbe B du graphique 18.5). Supposons également qu'il est plus facile d'accroître le budget lorsque celui-ci est faible au point de départ (pente plus élevée à gauche qu'à droite).

Posons par la suite une fonction de coût total de production des biens publics, fonction croissante à taux croissant, exprimant ainsi des coûts marginaux croissants de production (courbe CT du graphique 18.5). Dans l'entreprise privée, la production s'arrêterait au point où $B_m = C_m$, soit en G^0. Dans l'entreprise publique par contre, et sous la pression des fonctionnaires, la production se fera au point de rencontre entre la courbe des coûts totaux de production et celle des bénéfices totaux. Il en résultera une surproduction de biens publics G^3 qui ne correspond pas aux règles d'optimalité du secteur privé, mais il y aura tout de même recherche de minimisation des coûts, car il y a toujours avantage à abaisser la courbe de coûts totaux de production. Tant que la courbe B_0 est croissante, l'abaissement de la fonction de coût agrandit le budget et la production publique.

Par ailleurs, s'il arrive que la demande pour le bien public soit très inélastique (voir courbe B_1 du graphique 18.5), il pourra s'ensuivre que la production s'arrête en G^1 correspondant au maximum de B. Dans ce cas, il n'y a plus d'incitation à réduire les coûts, car les progrès en cette matière ne conduisent pas à un budget supérieur : une réduction de la fonction de coût ne correspond pas, comme dans le cas précédent, à un accroissement du budget.

GRAPHIQUE 18.5
Administration publique et gaspillage

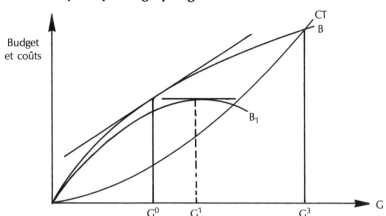

MIGUÉ et BÉLANGER ont ajouté à ces considérations l'élément budget discrétionnaire dont disposent les administrateurs publics. Ceux-ci sont supposés intéressés non seulement à l'ampleur du budget comme tel, mais aussi aux avantages discrétionnaires que leur permet ce budget (voyages en première classe, primes monétaires offertes à certains employés, ameublements luxueux, prestige, position sociale, influence, etc.). Il s'établit dès lors un arbitrage $(D - G)$ où $D = B_0 - CT^{(5)}$ pour conserver un même niveau de satisfaction (voir I_0^B au graphique 18.6).

GRAPHIQUE 18.6
Administration publique et avantages accessoires

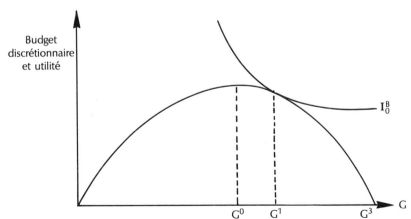

(5) B_0 = budget total accordé par le gouvernement ; CT = coût de fonctionnement des opérations pour assurer la production commandée. La différence entre le budget total et les coûts de fonctionnement correspond donc au budget discrétionnaire.

Dans ces conditions, pour des fonctions de coûts et de bénéfices quadratiques, D sera aussi quadratique. La quantité optimale de production serait G_0, la quantité bureaucratique à la NISKANEN serait G_2, tandis que la quantité produite selon le modèle de MIGUÉ et BÉLANGER serait de G_1 correspondant au point de tangence entre la courbe d'utilité du fonctionnaire la plus éloignée de l'origine et la contrainte du budget discrétionnaire.

En somme, il apparaît ici aussi que l'appareil bureaucratique exerce des pressions susceptibles de produire trop de biens publics et que les coûts de production, même s'ils n'intègrent pas les paiements sur le capital de risque (profits), peuvent dépasser les coûts de production du secteur privé (qui incluent les profits).

Finalement, ces analyses politiques de la détermination des biens publics produits par l'État mettent en cause plusieurs facteurs qui agissent simultanément avec des intensités diverses selon les cas. Il reste à vérifier la pertinence empirique de ces modèles et leur capacité d'explication des institutions en place et de leur évolution à travers le temps. Une large partie de ce travail reste à faire.

BIBLIOGRAPHIE

CHAPITRE 1
Une vue d'ensemble

COUSINEAU, JEAN-MICHEL (1979), « La mobilité interprovinciale de la main-d'œuvre — le cas de l'Ontario et du Nouveau-Brunswick », *L'Actualité économique*.

EHRENBERG, RONALD G. et ROBERT S. SMITH (1985), *Modern Labor Economics*, 2ᵉ éd., Scott, Foresman and Company, Glenview (Ill.), chap. 2, 11-48.

LAMPMAN (1956), « A Comment », *Industrial and Labor Relations Review*, juillet, 629-636.

LEFTWICH, R.H. (1975), *Le Système des prix et la répartition des ressources*, HRW, Montréal, chap. 16.

ROTTENBERG, SIMON (1956), « On Choice in Labor Markets », *Industrial and Labor Relations Review* 9(2), janvier, 183-199, et juillet, 636-641.

VANDERKAMP, JOHN (1986), « The Efficiency of Interregional Adjustment Process », dans *Disparities and Interregional Adjustment Process*, K. NORRIE (sous la dir. de :), University of Toronto Press, Toronto, 53-108.

WINER, STANLEY L. et DENIS GAUTHIER, *Internal Migration and Fiscal Structure*, Conseil économique du Canada, Ottawa.

CHAPITRE 2
La demande de travail et la détermination de l'emploi

BALL, R.J. et E.B.A. ST-CYR (1966), « Short-Term Employment Functions in British Manufacturing Industry », *The Review of Economics and Statistics*, juillet.

BECKER, G. (1965), « A Theory of the Allocation of Time », *Economic Journal* 75, 493-517.

BECKER, G. (1975), *Human Capital*, National Bureau of Research, New York.

BRECHLING, FRANK D.B. (1965), « The Relationship Between Output and Employment in British Manufacturing Industries », *The Review of Economics and Statistics*, juillet, 187-216.

BRECHLING, FRANK D.B. et PETER O'BRIEN (1967), « Short Run Employment Functions in Manufacturing Industries : An International Comparison », *The Review of Economics and Statistics* 49(3), août, 277-287.

CLARK, KIM B. et RICHARD B. FREEMAN (1980), « How Elastic is the Demand for Labor ? », *The Review of Economics and Statistics*, novembre, 509-520.

GREEN, C. et J.-M. COUSINEAU (1976), *Chômage et programmes d'assurance-chômage*, Conseil économique du Canada, Ottawa.

HAMMERMESH, DANIEL S. (1976), « Econometric Studies of Labor Demand and Their Application to Policy Analysis », *The Journal of Human Resources* 11(4), automne, 507-525.

HAMMERMESH, DANIEL S. (1986), « The Demand for Labor in the Long Run », dans *Handbook of Labor Economics* 1, ASHENFELTER et LAYARD (sous la dir. de :), Elsener (N.Y.).

LECAILLON, J. et M. VERNIÈRES (1974), *Théorie du salaire*, Cujas, Paris, chap. I et II.

MARION, GÉRALD, « La demande excédentaire de travail et la variation des salaires dans l'industrie manufacturière du Canada », *Revue canadienne d'économie* 1(3), 519-539.

Oi, Walter (1962), « Labor as a Quasi-Fixed Factor », *The Journal of Political Economy* 70(6), décembre, 533-555.

Rabeau, Yves (1976), « La prévision de l'emploi dans le modèle de l'IRIC », *L'Actualité économique* 52(2), avril-juin, 149-168.

CHAPITRE 3
L'interaction de l'offre et de la demande et la détermination des salaires

Bruce, C. et J. Cheslak (1978), « Sources of Occupational Wage Differentials in a Competitive Labour Market », *Relations industrielles* 33(4), 621-640.

Cousineau, Jean-Michel et Robert Lacroix (1983), « Les disparités régionales de salaires entre Toronto et Montréal, effets de structure vs effets de rémunération », *Revue canadienne d'économique*, novembre.

Gunderson, Morley et W. Craig Riddell (1988), *Labour Market Economics*, 2e éd., McGraw-Hill Ryerson Ltd., Montréal.

Marion, Gérald, Robert Lacroix et Serge Latraverse (1974), *Une analyse multivariée des disparités de salaires*, Ministère du Travail et de la Main-d'œuvre.

Meltz, Noah et David Stager (1979), « Trends in the Occupational Structure of Earnings in Canada, 1931-1971 », *Revue canadienne d'économique* 12, mai, 312-315.

Pagel, T. (1980), « Profitability, Concentration and Interindustry Variation in Wages », *The Review of Economics and Statistics* 62, mai, 248-253.

Reza, A. (1978), « Geographical Differences in Earnings and Unemployment Rates », *The Review of Economics and Statistics*, 60, mai, 201-208.

CHAPITRE 4
La théorie du capital humain, la scolarité et l'expérience

Arrow, Kenneth J. (1973), « Higher Education as a Filter », *Journal of Public Economics* 2, 193-216.

Becker, Gary S. (1962), « Investment in Human Capital. A Theoretical Analysis », *Journal of Political Economy* 70(5), suppl. octobre.

Bossière, M., J. Knight et R. Sabot (1985), « Earnings, Schooling, Ability and Skills », *American Economic Review* 15, décembre, 106-130.

Bound, J., Z. Griliches et B.W. Hall (1986), « Wages, Schooling and I.Q. of Brothers and Sisters : Do the Family Factors Differ ? », *International Economic Review* 27, février, 77-105.

Cousineau, Jean-Michel (1984), « Le rendement de la scolarité universitaire au Québec », dans *Les Ressources humaines et la croissance économique*, C. Montmarquette et R. Houle (sous la dir. de :), Cahier n° 23, ACFAS, avril, 61-92. Voir également commentaires de Paul Martel-Roy, 92-96.

Dooley, M.D. (1986), « The Overeducated Canadian ? Changes in the Relationship Among Earnings, Education and Age for Canadian Men : 1971-1981 », *Revue canadienne d'économique* 19, février, 142-159.

Freeman, Richard B. (1976), *The Overeducated American*, Academic Press, New York.

GLOBERMAN, S. (1986), « Formal Education and the Adaptability of Workers and Managers to Technological Change », *Adopting to Change : Labour Market Adjustment in Canada*, W.C. RIDDELL (sous la dir. de :), University of Toronto Press, Toronto, 384-386.

GRILICHES, Z. et W.M. MASON (1972), « Education, Income and Ability », *Journal of Political Economy* 80, mai-juin.

LACROIX, ROBERT et CLÉMENT LEMELIN, « Éducation supérieure et revenu », dans *Observations sur les revenus au Canada*, Conseil économique du Canada, Ottawa, 517-541.

LEIBOWITZ, A. (1974), « Home Investments in Children », *Journal of Political Economy* 82.

MEHMET, O. (1977), « Economic Returns on Undergraduate Fields of Study in Canadian Universities : 1961-1972 », *Relations industrielles* 32, 321-339.

MINCER, JACOB (1974), *Schooling, Experience and Earnings*, National Bureau of Economic Research, New York.

PSACHAROPOULOS, GEORGE et RICHARD LAYARD (1976), *Human Capital and Earnings : British Evidence and a Critique*, Centre for the Economics of Education, London School of Economics.

ROSEN, S. (1977), « Human Capital : A Survey of Empirical Research », dans *Research in Labor Economics*, R. EHRENBERG (sous la dir. de :), JAI Press, Greenwich.

TAUBMAN, P.J. et T.J. WALES (1973), « Higher Educational, Mental Ability and Screening », *Journal of Political Economy* 81, janvier, 28-35.

THUROW, LESTER (1970), *Investment in Human Capital*, Wadsworth, Belmont (Calif.).

VAILLANCOURT, FRANÇOIS et IRÈNE HENRIQUES (1986), « The Return to University Schooling in Canada », *Analyse de politiques* 12, septembre, 449-458.

WEISBROD, B. (1961), « The Variation of Human Capital », *Journal of Political Economy* 69, 425-437.

WELLAND, J. (1980), « Schooling and Ability as Earnings Complements », *Revue canadienne d'économique* 13, mai, 356-367.

WILLIS, R. (1986), « Wage Determinants : A Survey and Reinterpretation of Human Capital Earnings Functions », dans *Handbook of Labour Economics* 1, O. ASHENFELTER et R. LAYARD (sous la dir. de :), New York, Elsevier.

CHAPITRE 5
Les disparités salariales entre les hommes et les femmes

BECKER, GARY (1971), *The Economics of Discrimination*, University of Chicago Press, Chicago.

BLINDER, ALLEN (1973), « Wage Discrimination : Reduced Form and Structural Estimates », *Journal of Human Resources* 8, automne, 436-455.

BOULET, JAC-ANDRÉ et LAVAL LAVALLÉE (1984), *The Changing Economic Status of Women*, Conseil économique du Canada, Ottawa.

CANNINGS, KATHY (1979), « Les différences dans les chances de succès entre les hommes et les femmes cadres », *XIXe Congrès des relations industrielles*, Université de Montréal.

EHRENBERG, RONALD G. et ROBERT S. SMITH (1985), *Modern Labor Economics*, 2e éd., Scott, Foresman and Company, Glenview (Ill.), chap. 2, 11-48.

EHRENBERG, RONALD G. et ROBERT S. SMITH (1987), « Comparable Worth in the Public Sector », dans *Public Sector Compensation*, D. WISE (sous la dir. de :), University of Chicago Press, Chicago.

GOLDFARB, R. et J. HOSEK (1976), « Explaining Male-Female Differentials for the Same Job », *Journal of Human Resources* 11, hiver, 98-108.

GREGORY, R. et R. DUNCAN (1981), « Segmented Labour Market Theories and the Australian Experience of Equal Pay for Women », *Journal of Post Keynesian Economics* 2, printemps, 403-428.

GUNDERSON, MORLEY (1975), « Male-Female Wage Differentials and the Impact of Equal Pay Legislation », *The Review of Economics and Statistics* 57, novembre, 426-470.

GUNDERSON, MORLEY (1979), « Decomposition of Male-Female Earnings Differential : Canada 1970 », *Revue canadienne d'économique* 12, août, 479-484.

GUNDERSON, MORLEY (1984), *Costing Equal Value Legislation in Ontario*, Ministère du Travail de l'Ontario, Toronto.

GUNDERSON, MORLEY (1985), « Discrimination, Equal Pay and Equal Opportunities in the Labour Market », dans *Working and Pay : The Canadian Labour Market*, W.C. RIDDELL (sous la dir. de :), University of Toronto Press, Toronto.

GUNDERSON, MORLEY (1985), « Spline Function Estimates of the Impact of Equal Pay Legislation : The Ontario Experience », *Relations industrielles* 40(4), 775-791.

HIRSH, J. et J. STONE (1985), « New and Improved Estimates of Qualification Discrimination », *Southern Economic Journal* 52, octobre, 484-491.

HOLMES, R. (1976), « Male-Female Earnings Differentials in Canada », *Journal of Human Resources* 11, hiver, 109-112.

Industrial and Labor Relations Review 29, 1986, Symposium on Evaluating the Impact of Affirmative Action, juillet, 485-584.

LACROIX, ROBERT (1989), « Une évaluation des facteurs discriminatoires dans la rémunération des femmes », *XIXe Congrès des relations industrielles*, Université de Montréal.

LONG, J. (1975), « Public-Private Sectoral Differences in Employment discrimination », *Southern Economic Journal* 42, juillet, 89-96.

ONTARIO (1985), *Green Paper on Pay Equity*, Attorney General's Office, Toronto (Ont.).

ONTARIO (1986), *Report of the Consultation Panel on Pay Equity*, Attorney General's Office, Toronto, (Ont.).

PHELPS, EDMUND (1972), « The Statistical Theory of Racism and Sexism », *American Economic Review* 62, septembre.

ROBB, ROBERTA E. (1978), « Earnings Differentials Between Males and Females in Ontario », *Revue canadienne d'économique* 11, mai, 350-359.

SHAPIRO, D. et M. STELCNER (1981), « Male-Female Earnings Differentials and the Role of Language in Canada, Ontario and Quebec, 1970 », *Revue canadienne d'économique* 14, mai, 341-348.

SHAPIRO, D. et M. STELCNER (1982), « Language Legislation and Male-Female Earnings Differentials in Quebec », *Analyse de politiques* 8, hiver, 106-113.

SORENSEN, E. (1986), « Implementing Comparable Worth : A Survey of Recent Job Evaluation Studies », *American Economic Review Proceedings* 76, mai, 364-367.

TREIMAN, P. (1979), *Job Evaluation : An Analytic Review*, National Academy of Science, Washington (D.C.).

CHAPITRE 6
L'effet syndical

ADDISON, J. et A. BARNETT (1982), « The Impact of Unions on Productivity », *British Journal of Industrial Relations* 20, juillet, 145-162.

CHRISTENSEN, S. et D. MAKI (1981), « The Union Wage Effect in Canadian Manufacturing Industries », *Journal of Labor Research* 2, automne, 355-368.

DUNCAN, GEORGE et DUANE LEIGH (1920), « Wage Determination in the Union and Non-Union Sectors : A Sample Selectivity Approach », *Industrial and Labor Relations Review* 34, octobre, 24-34.

DUNCAN, GEORGE et F. STAFFORD (1980), « Do Union Members Receive Compensating Wage Differentials », *American Economic Review* 70, juin, 335-371.

FREEMAN, RICHARD B. et JAMES MEDOFF (1979), « The Two Faces of Unionism », *The Public Interest*, automne, 69-93.

FREEMAN, RICHARD B. et JAMES MEDOFF (1981), « The Impact of the Percentage Organized on Union and Non-Union Wages », *The Review of Economics and Statistics* 63, novembre, 561-572.

LEWIS, H. GREGG (1963), *Unionism and Relative Wages in the United States : An Empirical Inquiry*, University of Chicago Press, Chicago.

LEWIS, H. GREGG (1985), *Union Relative Wage Effects : A Survey*, University of Chicago Press, Chicago.

MELLOW, W. (1981), « Unionism and Wages : A Longitudinal Analysis », *The Review of Economics and Statistics* 63, février, 43-52.

ROSEN, SHERWIN (1969), « Trade Union Power, Threat Effects and the Extent of Organisation », *Review of Economic Studies* 36, avril, 185-196.

SCHMIDT, P. et R.P. STRAUSS (1976), « The Effect of Unions on Earnings and Earnings on Unions : A Mixed Logit Approach », *International Economic Review* 17, février, 204-212.

SIMPSON, W. (1985), « The Impact of Unions on the Structure of Canadian Wages : An Empirical Study with Micro-Data », *Revue canadienne d'économique* 18, février, 164-181.

CHAPITRE 7
La théorie hédonique des salaires

ARNOLD, R.J. et L.M. NICHOLS (1983), « Wage-Risk Premiums and Workers' Compensation : A Refinement of Estimates of Compensating Wage Differentials », *Journal of Political Economy* 91, avril, 332-340.

BROWN, CHARLES (1980), « Equalizing Differences in the Labour Market », *Quarterly Journal of Economics* 94, février, 113-134.

CHELUIS, J. (1979), « The Control of Industrial Accidents », *Law and Contemporary Problems* 38, automne, 700-729.

COUSINEAU, JEAN-MICHEL et ROBERT LACROIX (1984), « La détermination des avantages sociaux au Canada », *Relations industrielles* 39(1), 3-17.

COUSINEAU, JEAN-MICHEL, ROBERT LACROIX et ANNE-MARIE GIRARD (1988), « Occupational Hazard and Wage Compensating Differentials », miméo, Université de Montréal.

DIGBY, C. et W.C. RIDDELL (1986), « Occupational Health and Safety in Canada », dans *Canadian Labour Relations*, W.C. RIDDELL (sous la dir. de :), University of Toronto Press, Toronto, 285-320.

DORSEY, S. et W. WALTZER (1983), « Workers' Compensation, Job Hazards and Wages », *Industrial and Labor Relations Review* 36, juillet, 642-654.

MARIN, A. et G. PSACHOROPOULOS (1982), « The Reward for Risk in the Labor Market : Evidence from the U.K. and a Reconciliation With Other Studies », *Journal of Political Economy* 90, août, 827-853.

MCLEAN, R., W. WENDLING et P. NEERGARD (1978), « Compensating Wage Differentials for Hazardous Work : An Empirical Analysis », *Quarterly Review of Economics and Business* 18, automne, 97-107.

OLSON, CRAIG (1981), « An Analysis of Wage Differentials Received by Workers on Dangerous Jobs », *Journal of Human Resources* 16, printemps, 167-185.

REA, SAMUEL (1981), « Workmen's Compensation and Occupational Safety Under Imperfect Information », *American Economic Review* 71, mars, 80-93.

ROSEN, SHERWIN (1986), « The Theory of Equalizing Differences », dans *Handbook of Labour Economics* 1, O. ASHENFELTER et R. HAYARD (sous la dir. de :), Elsevier, New York.

SMITH, R.S. (1979), « Compensating Differentials and Public Policy : A Review », *Industrial and Labor Relations Review* 32, avril, 339-352.

ST-PIERRE, LUC (1986) *La détermination des avantages sociaux au Canada, au Québec et en Ontario, 1978*, mémoire de maîtrise, École des relations industrielles, Université de Montréal.

THALER, R. et S. ROSEN, « The Value of Saving a Life : Evidence from the Labor Market, dans *Household Production and Consumption*, N. Terlecki (sous la dir. de :), New York.

THORNE, STEVENSON et KELLOG (1984), *Employee Benefit Costs in Canada*, Toronto.

VISCUSI, W. KIP (1978), « Labor Market Valuations of Life and Limb : Empirical Evidence and Policy Implications », *Public Policy* 29, été, 359-386.

VISCUSI, W. KIP (1978), « Wealth Effects and Earnings Premiums for Job Hazards », *The Review of Economics and Statistics* 60, automne, 408-416.

WOODBURY, S. (1983), « Substitution Between Wage and Non-Wage Benefits », *American Economic Review*, mars, 166-182.

WORRAL, J.D. et R.J. BUTLER (1983), « Health Conditions and Job Hazards : Union and NonUnion Jobs », *Journal of Labor Research* 4, automne, 339-348.

CHAPITRE 8
L'évolution des salaires à travers le temps

COUSINEAU, JEAN-MICHEL et ROBERT LACROIX (1977), *La Détermination des salaires dans le monde des grandes conventions collectives : une analyse des secteurs privé et public*, Conseil économique du Canada, Ottawa.

COUSINEAU, JEAN-MICHEL (1987), « International Trade Shocks and Wage Adjustments in Canada », dans *Labour Market Adjustments in the Pacific Basin*, KLUWER NIJHOFF (sous la dir. de :), Amsterdam.

CRISTOPHIDES, LOUIS R., ROBERT SWIDINSKY et DAVID WILTON (1980), « A Microeconometric Analysis of the Canadian Wage Determination Process », *Economica* 47, mai, 165-178.

CRISTOPHIDES, LOUIS R., ROBERT SWIDINSKY et DAVID WILTON (1980), « A Microeconometric Analysis of Spillovers Within the Canadian Wage Determination Process », *The Review of Economics and Statistics* 62, mai, 213-221.

FORTIN, PIERRE et KEITH NEWTON (1982), « Labour Market Tightness and Wage Inflation in Canada », dans *Workers, Jobs and Inflation*, M. BAILY (sous la dir. de :), Brooking Institution, Washington, 243-278.

FRIEDMAN, MILTON (1968), « The Role of Monetary Policies », *American Economic Review* 58, mars, 1-17.

GUNDERSON, MORLEY et CRAIG RIDDELL (1988), *Labour Markets Economics*, 2e éd., McGraw-Hill Ryerson Ltd, Montréal.

LACROIX, ROBERT et JACQUES ROBERT (1987), « Money–Wage Rigidities and the Effects of Wage Controls : The Canadian Case », dans *Employment and Growth : Issues for the 1980's, International Studies in Economics and Econometrics* 16, Klüwer Academic Publishers, Boston, 185-212.

LIPSEY, RICHARD (1960), « The Relationship Between Unemployment and the Rate of Changes of Money Wage Rates in the United Kingdom : 1962-1957 : A Further Analysis », *Economica* 27, février, 1-31.

PHELPS, EDMUND (1968), « Money-Wage Dynamics and the Labor Market Equilibrium », *Journal of Political Economy* 76, juillet-août, 678-711.

PHILLIPS, A. (1958), « The Relation Between Unemployment and the Rate of Change of Money Wage Rates in the United Kingdom : 1861-1957 », *Economica* 25, novembre, 283-299.

PRESCOTT, DAVID et DAVID WILTON (1988), *The Determinants of Wage Changes in Indexed and Non-Indexed Contracts : A Switching Model*, miméo, juillet.

RIDDELL, W. CRAIG et P.M. SMITH (1982), « Expected Inflation and Wage Changes in Canada, 1967-1981 », *Revue canadienne d'économique* 15, août, 377-394.

VANDERKAMP, JOHN (1966), « Wage and Price Level Determination : An Empirical Model for Canada », *Economica* 33, mai, 194-218.

CHAPITRE 10
Les objectifs économiques des syndicats

BLAIS, D.H. et D.L. CRAWFORD (1984), « Labor Union Objectives and Collective Bargaining », *Quarterly Journal of Economics* 99, août, 547-566.

BROWN, JAMES et ORLEY ASHENFELTER (1986), « Testing the Efficiency of Employment Contracts », *Journal of Political Economy* 94, juillet, 540-587.

CARD, DAVID (1986), « Efficient Contracts With Costly Adjustments for Airline Mechanics », *American Economic Review* 76, décembre, 1045-1071.

COUSINEAU, JEAN-MICHEL et ANNE-MARIE GIRARD (1989), *Public Sector Unions and Governmental Expenditures*, document de recherche, Centre de recherche et de développement économique, Université de Montréal, mai.

DERTOUZOS, J.N. et P.H. PENCAVEL (1981), « Wage Employment Determination Under Trade Unionism : The International Typographical Union », *Journal of Political Economics* 89, décembre, 1162-1181.

DUNLOP, JOHN T. (1944), *Wage Determination Under Trade Unions*, MacMillan, New York.

EBERTS, R.W. et J.A. STONE (1986), « On the Contract Curve : A Test of Alternative Models of Collective Bargaining », *Journal of Labor Economics*, janvier, 66-81.

FARBER, H.S. (1978), « Individual Preferences and Union Wage Determination : The Case of the United Mine Workers », *Journal of Political Economy* 86, octobre, 923-942.

FARBER, H.S. (1986), « The Analysis of Union Behavior », dans *Handbook of Labor Economics*, O. ASHENFELTER et R. LAYARD (sous la dir. de :), North Holland, Amsterdam.

HALL, R.E. et D.M. LILIEN (1979), « Efficient Wage Bargains Under Uncertain Supply and Demand », *American Economic Review* 69, décembre, 868-879.

HOLLANDER, ABRAHAM et ROBERT LACROIX (1986), « Unionism, Information Disclosure and Profit-Sharing », *Southern Economic Journal* 52, janvier, 706-717.

ROSS, A.M. (1948), *Trade Union Wage Policy*, University of California Press, Berkeley.

CHAPITRE 11
Le rôle des syndicats

FREEMAN, RICHARD B. (1976), « Individual Mobility and Union Voice in the Labor Market », *American Economic Review Proceedings* 66, mai, 361-368.

FREEMAN, RICHARD B. (1980), « The Exit-Voice Trade-Off in the Labour Market : Unionism Job Tenure, Quits and Separation », *Quarterly Journal of Economics* 94, juin, 643-673.

FREEMAN, RICHARD B. et JAMES MEDOFF (1984), *What Do Unions Do ?*, New York.

HIRSCHMAN, A. (1970), *Exit, Voice and Loyalty*, Harvard University Press, Cambridge.

CHAPITRE 12
Le pouvoir syndical

CARTTER, A.M. et F.R. MARSHALL (1972), *Labor Economics, Wages, Employment and Trade Unionism*, Richard D. Irwin, Homewood (Ill.), chapitre 12.

EHRENBERG, RONALD G. et ROBERT S. SMITH (1985), *Modern Labor Economics*, Scott Foresman and Company, Glenview (Ill.).

FRIEDMAN, MILTON (1976), *Price Theory*, Aldene Publishing Company, Chicago, chapitre 7, 153-165, 92-93 et appendice 4A, 110-119.

GUNDERSON, MORLEY et CRAIG W. RIDDELL (1988), *Labour Market Economics*, McGraw-Hill, Ryerson Ltd., 167-170.

CHAPITRE 13
L'activité de grève

ADDISON, J.T. et W.S. GREBERT (1981), « Are Strikes Accidents ? », *Economic Journal* 91 (362), 389-404.

COUSINEAU, JEAN-MICHEL et ROBERT LACROIX (1986), « Imperfect Information and Strikes : An Analysis of Canadian Experience : 1967-1982 », *Industrial and Labor Relations Review* 39(3), 377-387.

HICKS, JOHN R. (1964), *The Theory of Wages*, St-Martin's Press, New York, 136-158.

LACROIX, ROBERT (1987), *Les Grèves au Canada, causes et conséquences*, Presses de l'Université de Montréal, Montréal.

Rees, Albert (1979), *The Economics of Work and Pay*, Harper & Row, New York, chapitre 9.

Siebert, Stanley et John T. Addison (1981), « Are Strikes Accidental ? », *The Economic Journal* 362, 389-404.

CHAPITRE 14
L'évolution prévisible du syndicalisme

Ashenfelter, Orley et John H. Pencavel (1969), « American Trade Union Growth : 1900-1960 », *Quarterly Journal of Economics* 83, 434-448.

Bain, G.S. et F. Elsheik (1976), *Union Growth and the Business Cycle : An Econometric Analysis*, Blackwell, Oxford.

Bélanger, M. et J. Mercier, « Le plafonnement du syndicalisme au Canada », *Relations industrielles*.

Duncan, George et Duane Leigh (1985), « The Endogeneity of Union Status : An Empirical Test », *Journal of Labor Economics* 3, juillet, 385-402.

Farber, H.S. (1983), « The Determination of the Union Status of Workers », *Econometrica* 51, septembre, 1417-1438.

Farber, H.S. (1984), « Right-to-Work Laws and the Extent of Unionization », *Journal of Labor Economics* 2, juillet.

Farber, H.S. et D. Saks (1980), « Why Workers Want Unions : The Role of Relative Wages and Job Characteristics », *Journal of Political Economy* 88, avril, 349-369.

Hirsh, B.T. et M.C. Berger (1984), « Union Membership Determination and Industry Characteristics », *Southern Economic Journal* 50, janvier, 665-679.

Kumar, P. (1986), « Union Growth in Canada : Retrospect and Prospect », dans *Canadian Labour Relations*, W.C. Riddell (sous la dir. de :), University of Toronto Press, Toronto.

Meltz, Noah (1985) « Labour Movements in Canada and the United States : Are they really that Different ? », dans *Challenges and Choices Facing American Labor*, T. Kochan (sous la dir. de :), MIT Press, Cambridge.

Neumann, G.R. et E.R. Rissman (1984), « Where Have All the Union Members Gone ? », *Journal of Labor Economics* 2, avril, 175-192.

Pencavel, J.H. (1971), « The Demand for Union Services : An Exercise », *Industrial and Labor Relations Review* 24, janvier, 180-190.

Sheffrin, N., L. Troy et C.T. Koeller (1981), « Structural Stability in Models of American Trade Union Growth », *Quarterly Journal of Economics* 96, février, 77-88.

Swidinsky, Robert (1974), « Trade Union Growth in Canada : 1911-1970 », *Relations industrielles* 29(3), 435-450.

Weil, John (1986), « The Role of Law in Labour Relations », dans *Labour Law and Urban Law in Canada*, I. Bernier et A. Lajoie (sous la dir. de :), University of Toronto Press, Toronto.

CHAPITRES 15 À 18
L'intervention de l'État, l'intérêt général et les décisions publiques

Bernard, Jean (1985), *Économie publique*, Economica, Paris.

Boadway, Robin W. et David E. Wildasin (1984), *Public Sector Economics*, Little, Brown and Company, Toronto.

BUCHANAN, J.M. et G. TULLOCK (1962), *The Calculus of Consent*, Ann Arbor, the University of Michigan Press.

FREY, BRUNO S. (1985), *Économie politique moderne*, Presses Universitaires de France, Paris.

MIGUÉ, JEAN-LUC et GÉRARD BÉLANGER (1974), « Toward a General Theory of Managerial Discretion », *Public Choice* 17, printemps, 27-43.

NISKANEN, WILLIAM A. Jr. (1971), *Bureaucracy and Representative Government*, Aldine–Atherton, Chicago.

NISKANEN, WILLIAM A. Jr. (1975), « Bureaucrats and Politicians », *Journal of Law and Economics* 18, décembre, 617-643.

SAMUELSON, PAUL ANTHONY (1954), « The Pure Theory of Public Expenditure », *The Review of Economics and Statistics* 36, novembre, 386-389.

Index

Achevé   Imprimerie
d'imprimer Gagné Ltée
au Canada Louiseville